LES CHÂTIMENTS

POCKET CLASSIQUES

collection dirigée par Claude AZIZA

VICTOR HUGO

LES CHÂTIMENTS

Préface et commentaires de
Gabrielle CHAMARAT

© Pocket, 1997, pour la préface, les commentaires
et le dossier historique et littéraire.

© Pocket, 1998, pour « Au fil du texte » *in* « Les clés de l'œuvre ».

ISBN 2-266-08577-8

SOMMAIRE

    I. *Au fil du texte** : pour découvrir l'essentiel de l'œuvre.

    II. *Dossier historique et littéraire* : pour ceux qui veulent aller plus loin.

.

* Pour approfondir votre lecture, *Au fil du texte* vous propose une sélection commentée :
- de morceaux « classiques » devenus incontournables, signalés par ➡◆ (droit au but).
- d'extraits représentatifs de l'œuvre, signalés par ∽➾ (en flânant).

PRÉFACE

Châtiments [1], publié sans grand succès en 1853 à Bruxelles, puis à Paris triomphalement en 1870, est à jamais attaché au geste politique que représentèrent le refus, par Hugo, du coup d'État de Louis Napoléon et l'exil qui s'ensuivit. On constate aujourd'hui encore à quel point la mémoire de Napoléon III et la période tout entière restèrent frappées par cette étrange ingérence du poétique dans l'histoire. Si plusieurs réhabilitations furent tentées [2], elles disent justement qu'il n'y eut jamais habilitation véritable. Cette efficacité de la poésie nous surprend : certes, Aragon, Éluard, Char ont encore chanté en notre siècle les grandes crises de l'histoire mais sur un autre mode et nous nous étions déjà, et nous nous sommes depuis, réhabitués à penser la poésie dans un rapport d'intervention moins directe au gouvernement de la cité.

C'est bien de poésie qu'il s'agit en effet ici et de poésie ayant son mot à dire comme telle dans le politique. Mot qui est son droit et son devoir, tous deux réclamés dès l'orée du romantisme dans les *Méditations* de Lamartine ou les *Odes* de Hugo. Le lyrisme moderne impose alors au *je* poétique de se situer dans l'histoire et ce faisant se constitue en pouvoir : pouvoir d'étayer la souveraineté en place ou de la contester jusqu'à établir sa propre souveraineté parallèle. La parole du poète s'intronise dans le vers. Les discours, les pamphlets en prose visent l'actualité immédiate, appartiennent à l'homme

---

1. C'est le titre donné par Victor Hugo à l'édition de 1853. Celle de 1870 a comme titre *Les Châtiments*. Par commodité nous avons gardé ce dernier.
2. Une des dernières en date est celle de Philippe Séguin : *Napoléon-le-Grand*, Grasset, 1980.

public, le poème est le propre d'une intervention plus distante de l'écrivain.

Cela dit, chez Hugo, les événements et l'écriture sont tellement mêlés dans ces mois de fureur que l'élaboration de *Châtiments* demande à être observée de près. Renonçant à la rédaction d'*Histoire d'un crime* qu'il avait entreprise dès son arrivée à Bruxelles le 14 juin 1852, Hugo commence à écrire *Napoléon-le-Petit* ; le livre est publié à Bruxelles par Hetzel dans la première semaine d'août et obtient le plus large succès. L'idée est alors de faire succéder au pamphlet un volume de « poésie pure » mais, dès septembre, Hugo y renonce :

« J'ai pensé [...] qu'il m'était impossible de publier en ce moment un volume de poésie pure. Cela ferait l'effet d'un désarmement, et je suis plus armé et plus combattant que jamais. *Les Contemplations* en conséquence se composeront de deux volumes, 1er volume : *Autrefois*, poésie pure, 2e volume : *Aujourd'hui*, flagellation de tous les drôles et du drôle en chef [1]. »

On sait que de ce partage sortiront finalement deux recueils : *Châtiments*, en 1853 et *Les Contemplations*, en 1856. Dès novembre 1852, le projet se précise ainsi que le rapprochement avec *Napoléon-le-Petit* :

« Je fais en ce moment un volume de vers qui sera le pendant naturel et nécessaire de *Napoléon-le-Petit*. Ce volume sera intitulé : "Les Vengeresses" [2]. »

Hugo pense alors mener la rédaction sur un mois. De retard en retard, d'ajouts en ajouts elle s'achèvera seulement en octobre 1853 et le volume avec son titre actuel sera publié le 21 novembre à Bruxelles. Les causes de cet ajournement sont d'abord matérielles. Le 20 décembre 1852, la loi Faider promulguée à Bruxelles sous la pression du gouvernement français décide de punir « quiconque se serait rendu coupable d'offense envers la personne de souverains étrangers ou aurait méchamment

1. Lettre à Hetzel du 7 septembre 1852.
2. Lettre à Hetzel du 18 novembre 1852.

attaqué leur autorité ». Les difficultés d'édition sont désormais multiples. Un projet d'impression à Jersey, où Hugo est installé depuis août, échoue. L'édition de deux versions, l'une intégrale, l'autre expurgée, est confiée à un imprimeur, Henri Samuel, peu expérimenté, qui fait traîner les choses. Hugo s'en plaint. En janvier, il dit croire encore à l'opportunité politique du livre [1] mais peu à peu le doute s'installe. Les menaces de guerre en juin confirment l'incertitude [2]. Au demeurant, il est peu vraisemblable que Hugo n'ait pas pris conscience du succès objectif de l'Empire confirmé par le plébiscite de novembre 1852. L'échec du livre auprès du public semble d'ailleurs ne lui avoir causé aucune surprise et ne l'avoir guère affecté.

On peut déduire de ces observations que l'idée d'un effet immédiatement agissant de *Châtiments* est passée au deuxième plan au cours de la rédaction. La lenteur de la composition va dans le même sens. Une première liste de pièces retenues date de décembre 1852 ; ensuite, se succèdent six plans au moins, le dernier datant de juin 1853. Tout se passe bien, comme si les retards extérieurs étaient autant de prétextes à parfaire un ensemble dont la signification est attentivement élaborée. Le problème est de savoir dans quel sens. Sheila Gaudon, qui a longuement travaillé sur cette genèse, interprète cette lente maturation comme un désir d'agir tout entier tourné vers l'avenir et prenant forme de prophétisme. Deux lettres à Hetzel le corroboreraient [3]. La première est de février 1853, alors que la moitié des poèmes sont prêts ; la seconde est du 24 décembre, après la publication. À Hetzel qui lui

---

1. Lettre à Hetzel du 5 janvier 1853.
2. Lettre à Hetzel du 5 juillet 1853 : « [...] Et si par hasard, cet homme avait aujourd'hui ou demain un succès de guerre, vous connaissez la France, le livre paraîtrait à contre-poil et aurait à lutter contre un courant d'opinion. » Cette prémonition rend fragile une lecture univoque de « La fin ».
3. Sheila Gaudon : « Prophétisme et utopie : le destinataire de *Châtiments* », *Saggi e ricerche di litteratura francese*, vol. XVI, 1977. Voir dossier historique et littéraire.

conseille la modération : ne pas choquer le bourgeois, présenter de la République une image qui ne fasse pas peur, Hugo oppose deux réponses. La première est que la situation rend nécessaire la violence, comme elle l'a été autrefois aux grands écrivains, aux prophètes, à Jésus chassant les marchands du Temple. La seconde est que l'objectif n'est plus d'être l'homme d'un projet « intermédiaire » mais d'une situation « absolue » : celui d'une république universelle dont « Lux » se fera l'écho. Cette perspective qui est quasiment celle d'une fin de l'Histoire entraînerait une abstraction du destinataire. *Napoléon-le-Petit* était un appel à la société française pour qu'elle réagisse à l'imposture ; *Châtiments* s'adresse au peuple, à l'histoire, selon le point de vue du « prophète ».

L'identité de ce destinataire pose cependant plusieurs questions. Certains critiques ont en effet mis l'accent au contraire sur le public très précis que tentait d'atteindre Hugo, beaucoup moins abstrait qu'il n'y paraît. Soit que, dans une perspective critique, on dénonce en *Châtiments* un livre de propagande libérale antirévolutionnaire fondée en particulier sur l'idéalisme de la république qu'appelle « Lux »[1] ; soit qu'une étude serrée du texte fasse apparaître une stratégie subtilement concertée pour atteindre le public le plus large : rallier à la cause la bourgeoisie, attaquée dans les principes mêmes de sa philosophie politique du progrès, et le peuple, dont la passivité — le « sommeil » — est excusée par la violence exercée par le dictateur et ses sbires[2].

Ainsi peut-on préciser les enjeux du discours poétique. Il s'enracine dans une réalité objective dont témoigne l'écrivain auprès d'un destinataire mis à même d'embrasser le sens de ce qui se passe sous ses yeux ou plus exactement son absolu non-sens dans le temps.

1. Pierre Barbéris : « À propos de "Lux" : la vraie force des choses (sur l'idéologie de *Châtiments*) », *Littérature*, n° 1, février 1971.
2. Jacques Seebacher, *Châtiments*, G.F., 1979, « Documents ». Voir dossier historique et littéraire.

Reprenons les faits. La réalité, apparemment objective, de la vie politique française, ce sont d'abord les deux plébiscites, celui de décembre 1851 et celui de novembre 1852, l'un ratifiant le coup d'État, l'autre le rétablissement de l'Empire. Le texte de *Châtiments* est à juste titre obsédé par le *vote* du peuple. L'autre constat, ce sont les succès de la dictature dans ces années 1852-1853 : politiques, financiers, sociaux, diplomatiques... Contre ces faits, le livre va mettre en jeu une artillerie d'autres réalités : le coup d'État, la nuit du 1er, la fusillade des boulevards, les morts de Montmartre... ; la répression, les commissions mixtes, les transportés, la résistance des républicains, des républicaines... ; la dynamique du succès : la misère populaire exploitée par les hommes du pouvoir. Le dévoilement descriptif se double de celui obtenu par le retournement grotesque, horreur et ridicule confondus : sous le masque du faste, de la gloire, de la vertu : le sang, le cloaque, l'animalité, un théâtre de marionnettes. Le grotesque qui jusque-là était dans l'œuvre principe dynamique de contestation et de transformation du pouvoir n'a plus d'objet que la réduction du gouvernement du 2 décembre au néant de son existence historique.

Mise à jour, constat, ironie, injonction, la parole poétique a pour fonction de découvrir la réalité vraie, de l'opposer à la réalité fausse, d'expliquer les causes de l'erreur et de la replacer dans l'Histoire. Le projet se précise en discours contre discours, manœuvre qu'orchestrent les titres en forme d'antiphrase de chacun des livres. L'antiphrase situe très exactement la double position de force : à la parole officielle frappée d'ironie s'oppose, de pouvoir à pouvoir, le discours du mage, tel que le définiront *Les Contemplations*, ou du génie selon le *William Shakespeare*. Son indignation s'appuie sur un savoir dont le peuple a été privé et que le livre va restituer. Le suffrage universel sur lequel se fonde le pouvoir de Napoléon III n'a pas de sens puisque l'absence d'éducation du peuple le prive d'un accès possible à une parole libre. Le vote est asservi au discours dominant : discours de l'ordre contre les désordres de la République impuissante, discours du mythe qui a fait confondre le second Napoléon avec le premier. Le « oui », une fois acquis, et bien que dénué de signification, a permis un flux de proclamations impériales en province et à Paris, dont le fameux : « L'Empire c'est la paix » de Bordeaux pourrait avoir servi de modèle au régime des titres. Dans le même temps, le silence imposé à la presse, à l'édition, en particulier par la loi Faider, la cléricalisation des écoles, le renvoi de Quinet et de Michelet du Collège de France, etc., empêchent toute autre parole qu'officielle de s'exprimer.

Et certes, en ce sens, il s'agit bien d'opposer, comme dans *Napoléon-le-Petit*, au « oui » entérinant un supposé progrès un « non » le retournant en régression, décadence, parenthèse de l'histoire avec toujours pour destinataire immédiat le peuple, la bourgeoisie qui a renié ses idéaux, les républicains qui sont restés en France. Ce qui a changé, c'est un rapport de cette parole au temps, l'idée d'un effet reporté. L'enjeu est désormais moins un possible soulèvement qu'un texte qui colle tellement au réel qu'il ne pourra pas à long terme ne pas agir sur la pensée. La négation performative du coup d'État et de ses suites infléchira peu à peu le jugement porté sur les événements, et si l'énoncé de la vérité est violent, c'est qu'il doit ébranler les intelligences. Sa force est dans ce qu'il exhibe et réfléchit ; son efficacité tient à la situation de l'énonciation : car la résistance qu'il appelle est déjà en acte chez celui qui parle et a accepté l'exil. D'une certaine façon, à la fin de 1853, publier le livre, c'est expliquer et « sceller » l'ajournement de tout retour. Il ne saurait avoir lieu avant que le volume puisse être lu librement par tous, condition qui n'est que politique ; plus encore, avant qu'une maturation des esprits, de la conscience, permette de reconnaître son bien-fondé, ce qui suppose une évolution sociale autant que politique, à proprement parler idéologique. Le livre VII s'ouvre sur l'évocation de Jéricho dont les murailles tombèrent après que sept fois l'arche et l'armée conduite par Josué eurent fait le tour de la ville. Les clairons qui provoquèrent l'effondrement sont ici identifiés à ceux de la « pensée » :

« Sonnez, sonnez toujours clairons de la pensée. »

À l'autre extrémité du livre, « Ultima Verba » oppose au constat désabusé de son premier vers : « La conscience humaine est morte », cause et conséquence du crime commis par le « monarque malandrin », cette possible concentration de la pensée en un seul, le poète, l'auteur de *Châtiments*, au risque qu'il s'y perde :

« J'accepte l'âpre exil, n'eût-il ni fin ni terme. »

Cette programmation d'un avenir indéfiniment reporté mais qui adviendra fatalement donne sens à part entière à la forme versifiée que Hugo a choisi d'adopter. La prose pamphlétaire de *Napoléon-le-Petit* relève d'un passé révolu. Le « volume de vers qui sera le pendant naturel et nécessaire de *Napoléon-le-Petit* » doit agir à plus long terme et de façon différente dans un ordre qui est cette fois celui du chant. Le vers, rythmes, sonorités, formules, l'alternance des formes, strophes ou paragraphes de vers, les échos de livre en livre, graveront dans la mémoire le souvenir terrible ou grotesque et son inversion historique chantera dans les cœurs et les intelligences. *Châtiments* est le premier des grands recueils poétiques de l'exil. Il en est aussi le modèle ; une composition nouvelle y apparaît : les pièces s'y assemblent en livres qui épousent la succession des événements dans l'histoire ; des poèmes composés de paragraphes de vers aux rimes plates qui permettent à la narration historique d'épouser la forme métrique et de jouer, en regard des pièces strophiques plus spécifiquement lyriques, le rôle essentiel qui lui est dévolu. Les chansons, déjà présentes aux recueils d'avant l'exil, se multiplient ici : on en compte dix présentées comme telles, seize, si on considère les formes assimilables. Hugo ne cesse d'en ajouter au cours de la rédaction, dont plusieurs dans les dernières semaines de celle-là : elles fixent le principe même du livre.

Le projet d'un recueil où s'articule la réalité restituée du passé proche et du présent à son inéluctable retournement dans l'avenir est perceptible dans les notes de Hugo qui accompagnent la rédaction de *Châtiments*. La stratégie globale est en place dès la fin de décembre 1852. Une première liste des poèmes retenus, datée du 20, propose dans le désordre des pièces qui établissent le sens de la combinatoire. Aux poèmes exposant les faits : « Te Deum », « loi Faider », « décrotteurs » (qui deviendra « Les grands corps de l'État », V, 7), « Toulon », « aux morts du 4 »... s'adjoignent des pièces de visée plus large, réfléchissant les événements à la lumière de l'histoire : « 2 xbre » (« Nox »), « 18 Brumaire » (« L'Expiation »), « futura » (« Lux »). Dans cet entre-deux la voix du poète se situe, doublement autorisée par la délégation de l'ange Liberté dans « Stella » et l'engagement de l'exil dans « rentrées » (« Ultima Verba »). Le plan en quatre parties écrit quelques jours plus tard impose un ordre signifiant à la suite des poèmes. Une armature globale se met en place qui dessine d'un bout à l'autre du recueil les grandes lignes de la philosophie de l'histoire qui sous-tend l'ensemble. « Deux décembre » (« Nox ») ouvre le premier livre, « Temps futurs » (« Lux ») clôt le dernier, précédé de peu par « Caravane ». Le paradoxe d'un progrès qui utilisera le crime du 2 décembre et ses suites pour faire advenir la république universelle passe par la succession « Bord de la mer » et « Non » à la fin du livre I. L'idée biblique, en effet, que le crime est à soi seul châtiment abolit celle d'une revanche dans le sang et met un terme historique à toute « terreur ». À la fin du livre III, « Expiation » sanctionne l'origine de la catastrophe et, condamnant le dix-huit brumaire, voue définitivement aux gémonies toutes les formes de césarisme. Cette néantisation du règne de Napoléon III au regard de la suite des temps encadre désormais, à l'intérieur du recueil, la réduction des détails de son contenu à leur horreur ou à leur grotesque. L'appel au peuple se précise selon les deux modes de l'accusation ou de l'exhortation au réveil. À la fin de décembre 1852, on peut dire que la manœuvre générale est en place. Le travail de rédaction et de composition se poursuivra jusqu'au mois de juin 1853, marqué par l'ajout puis le retrait de « La Vision de Dante » qui ne sera publié qu'en 1883. Le plan en sept parties qui avait été retenu au début de février 1853 est, avec des modifications, celui qui sera définitivement adopté.

On y retrouve cet étoilement des voix poétiques dont on a parlé mais dont on peut désormais repérer le système, les correspondances incessantes. La voix du poète-témoin a deux modalités ; celle du rapport : ce qui a été vu et entendu, ce dont on l'a informé ; celle du retournement critique qui démasque la réalité grotesque des hommes au pouvoir, du mythe napoléonien. En contrepoint s'élève la voix du songeur, interprète, lecteur de l'histoire du XIXᵉ siècle révolutionné. L'analyse raisonnée qui avait été conduite dans *Napoléon-le-Petit* se perpétue : on la retrouve dans la composition du poème et la disposition générale des pièces. La méditation et l'évocation descriptive ont souvent partie liée. Un poème comme « Joyeuse vie » (III, 9), par exemple, décrit les fameuses caves de Lille que Hugo avait visitées en 1851, exhibe la misère populaire et établit que c'est sur elle que se fonde la prospérité ostentatoire des gouvernants. Le fonctionnement du capitalisme en plein essor est ainsi dénoncé par un lyrisme étrange, réaliste et critique, lourd d'émotion tirant sa violence de la seule observation. La fin du même poème précise le rôle du poète. Il est l'interprète de la parole de l'histoire et de Dieu confondus, sa voix est habilitée à dire le scandale, telle celle du prophète énonçant dans le présent l'avenir qui adviendra :

« Ah ! quelqu'un parlera. La muse, c'est l'histoire.
Quelqu'un élèvera la voix dans la nuit noire,
    Riez, bourreaux bouffons !
Quelqu'un te vengera, pauvre France abattue,
Ma mère ! et l'on verra la parole qui tue
    Sortir des cieux profonds !

Ces gueux, pires brigands que ceux des vieilles races,
Rongeant le pauvre peuple avec leurs dents voraces,
    Sans pitié, sans merci,
Vils, n'ayant pas de cœur, mais ayant deux visages,
Disent : — Bah ! le poète ! Il est dans les nuages ! —
    Soit. Le tonnerre aussi. »

Ces voix ne se font jamais entendre isolément, simplement l'une s'élève parfois au-dessus de l'autre. Leur modulation participe de la composition du recueil plus essentiellement que dans *Napoléon-le-Petit*. De « Nox » à « Lux » en passant par « Expiation » et « Stella », le mouvement d'un progrès paradoxal mais inéluctable se trouve orchestré. Une même trajectoire anime les poèmes d'une partie à l'autre désignant le renversement de l'actualité monstrueuse en son contraire. De « Carte d'Europe » à « Force des choses » (I, 12-VI, 9), par exemple, en passant par les deux odes « Au peuple » (II, 2-VI, 9), avec en creux de l'œuvre en clôture du livre IV, « Sacer esto » et « On loge à la nuit » (IV, 1-IV, 13) [1]. L'effet global est d'une implacable complémentarité entre la réalité éprouvée, le sens dévoilé, son inscription dans une logique de l'histoire.

« J'ai passé mon hiver à faire des vers sombres. Cela sera intitulé *Châtiments*. Vous devinez ce que c'est... *Napoléon-le-Petit* étant en prose n'est que la moitié de la tâche. Le misérable n'était cuit que d'un côté, je le retourne sur le gril [2]. »

L'œuvre en vers achève le condamné. Un même réalisme, selon l'endroit du descriptif ou l'envers du grotesque, déconstruit le sens du coup d'État pour que soient définitivement rayés de l'histoire l'homme, ses sbires, leur action. Le crime de Louis Napoléon trouve son ori-

---

1. Bernard Leuilliot : « Présentation » de *Châtiments*, dans Victor Hugo, *Œuvres complètes*, édition Massin, Club français du livre, 1968, tome VIII.
2. Lettre à Esquiros du 5 mars 1853.

gine dans l'« expiation » du 18 brumaire. La légende
dorée de Napoléon Ier est un mythe et *Châtiments* en
dénonce le vide. L'histoire ne peut progresser tant qu'elle
reste soumise à l'action d'un homme usant de la force et
contre la représentation populaire. Au-delà des Bonaparte, c'est évidemment l'idée que l'histoire dépendrait
de telle ou telle personnalité qui est attaquée. Le peuple,
au fond, le sait bien qui appelle Louis Napoléon « Badin-
guet » ; *Châtiments* ne fait que restituer sur le mode
épique cette réduction à zéro du « drôle en chef ». Hitler
ne sera dans *Arturo UI* que « le gangster des gangsters »
et on sait ce qu'en fera Charlie Chaplin dans *Le Dictateur*. « La parole tue » qui a feint de croire qu'on pouvait
entrer par force dans la destinée d'un peuple :

« Tu dis dans ton orgueil : — Je vais être historique.
Non, coquin ! Le charnier des rois t'est interdit ;
Haillon humain, hibou déplumé, bête morte,
Tu resteras dehors et cloué sur la porte. » (VII, 10)

À la fin du livre VII, « Force des choses » établit la
preuve du progrès historique : la victoire au fil du temps
de la science sur la matière en est une démonstration
exemplaire. Entre ce poème et « Ultima Verba », la dernière chanson du volume, la chanson du peuple des proscrits, subordonne la vie des exilés au retour dans la patrie.
Le progrès, la « force des choses » passe par la recon-
naissance du peuple comme véritable acteur de l'histoire. Or, ce peuple est en exil, la proscription n'étant
que la figure d'un rejet, d'un retrait, plus larges. Cette
éviction a pour cause essentielle la misère (« On ne peut
pas vivre sans pain »), réalité en creux de *Châtiments*, car
la misère qui fonde la loi du profit explique la vénalité et
celle-là la passivité et l'acquiescement à la tyrannie. C'est
cependant à ce peuple que l'avenir appartient. « À
l'obéissance passive » (II, 7) célèbre le témoignage qu'en
ont donné les armées révolutionnaires ; le recueil est par-
couru d'exemples contemporains de résistance, exemples
qui privilégient les figures féminines et semblent annon-

cer que, comme le dira Aragon, « La femme est l'avenir
de l'homme ». La voix qui, dans « Lux », annonce que les
peuples seront dans les temps futurs « hors de l'abîme »
s'autorise d'un raisonnement dont l'idéalisme relève plus
de l'image que d'une méconnaissance des réalités.

Tout se recentre alors sur l'ascèse que suppose la démocratie, c'est-à-dire sur ce que Hugo appelle la conscience.
On l'a dit, le texte est obsédé par la réalité objective qu'a
représentée le vote : un suffrage universel de droit qui,
sans conscience, fonctionne évidemment à vide. Réfugiée
chez les résistants les plus radicaux, les proscrits, à mesure que s'effectueront les « rentrées », elle n'aura plus
d'asile qu'en quelques-uns, et finalement en le « celui-
là » d'« Ultima Verba ». Or, de quelle « conscience »
s'agit-il ? L'acception morale du mot chez Hugo se fonde
sur l'idée d'un ordre divin qui lui-même imprime à
l'Histoire la loi du progrès. Cela précise son sens politique. Il y a conscience lorsqu'il y a capacité de choisir
prioritairement le bien général sur le bien particulier.
Toute la stratégie du volume est orientée dans ce sens : on
peut attaquer sans vergogne les individus responsables,
les « brigands », car le fondement de leur action a été le
profit personnel, à proprement parler l'individualisme ; à
l'inverse, l'absence de réaction du peuple est justifiable :
il est, en effet, en raison des conditions matérielles qui lui
sont faites, en deçà d'une conscience possible ; ses réactions ne peuvent être que de survie individuelle, contre la
faim, la misère, la peur.

À cette fatalité de la conscience absente pour cause de
perversion ou d'impuissance s'oppose l'ascèse physique,
politique et sociale de l'exilé. Une des grandeurs du livre
est que sa violence critique passe par l'autocritique. Sur
la première liste des poèmes retenus pour le recueil, Hugo
a déjà placé les deux grands textes du trajet personnel par-
couru. « Ce que le poète se disait en 1848 », écrit en
novembre 1848, porte d'abord pour titre « à Olympio »,
titre qui fait signe aux *Voix intérieures* de 1837 ; bien
au-delà des hésitations de 1848, c'est le passé monar-

chique et libéral du poète officiel qui est mis en cause.
« Écrit le 7 juillet en descendant de la tribune », qui date
probablement de la fin de 1848, déclare le nécessaire
passage du poète à un discours de la vérité et accepte déjà
son présupposé, l'exil.

L'exil, c'est en effet ce sacrifice du *moi* au nom d'une
conscience qui transcende l'individu et permet son
assomption en voix qui, parce que son énonciateur a
accepté l'isolement, est tout à la fois message et acte. Elle
répercute celle des grands persécutés de l'histoire au premier rang desquels se situe ici le Christ. Dans le plan
primitif, « Ultima Verba » (sous le titre alors de « Moi »)
était directement précédé de « Parole d'un conservateur
à propos d'un perturbateur » (sous le titre « Jésus-
Christ »). Le novateur prêchant une philosophie d'amour
et de progrès y sanctionne le profit des marchands et des
prêtres, la propriété, l'inégalité ; situé ainsi, il annonçait
directement cette mort au monde représentée par l'« âpre
exil, n'eût-il ni fin ni terme », acceptée au nom d'une survie de la « conscience humaine ». Le plan définitif a
gardé la même disposition, mais inséré entre les deux
pièces citées plus haut « Force des choses » et « Chanson » qui élargissent la perspective historique, préparent
en le retardant le recentrement sur le sujet politique et
poétique. « Parole d'un conservateur… » répond aux
deux pièces placées successivement au livre I, « Ad majorem dei gloriam » condamne sans appel le ralliement
intéressé des jésuites au pouvoir et « À un martyr » propose l'image exemplaire du prêtre égorgé pour avoir
prononcé la loi évangélique de progrès et d'amour. Cette
ascèse, ce point de vue de la mort qui permettent à la
parole poétique de s'identifier ici à la conscience politique seront au fondement du bilan autobiographique et
métaphysique des *Contemplations*. « Écrit en 1855 »
(*Contemplations*, V, 3) rappelle le rôle essentiel de l'évolution politique dans l'aventure de la connaissance qu'a
constituée la vie du poète.

L'obsession de la conscience est aux racines du texte.
Elle explique l'interprétation selon Tacite de Juvénal parce

que la philosophie de la conscience est plus forte chez l'historien que chez le poète satirique. Elle s'affirme dans la violence générale du livre contre les traîtres au progrès, violence redoublée par le remords d'avoir été si long à accéder à la lucidité. Elle va jusqu'au bout des exigences intrinsèques à son énoncé : la « clémence implacable » qu'Hugo revendique pour les coupables correspond dans le volume à la mise en scène poétique du « crime-châtiment ». L'avènement de la conscience politique coïncidera avec celle d'une nouvelle logique de l'histoire mettant un terme à l'enchaînement des crimes commis depuis la Révolution française. « Sacer esto » exclut finalement que « Caïn » (qui deviendra « La Conscience » — dans *La Légende des siècles*) fasse partie du recueil. La fatalité du châtiment y est trop absolue. La conscience, telle que la conçoit ici Hugo ne relève que du dialogue avec Dieu. On sait la désillusion que dira *L'Année terrible* : le rejet de l'Empire n'est pas advenu selon la loi de l'avanie biblique, le châtiment dans la conscience du mal, mais selon celle du Talion, réanimé par la Commune.

Châtiments reste l'exemple grandiose d'une poésie de l'engagement qui ne recule devant aucun des procédés de l'invective. Il ne faut pas oublier que cette colère qui réduit l'adversaire à un néant dont il n'aurait jamais dû sortir n'a de sens que par son complément : le retour à venir de la juste trajectoire de l'Histoire, en marche vers la lumière, vers une « fin » dont le temps est infixable. L'utopie de « Lux » n'a de sens que considéré à la lumière de celle de « La Caravane » :

> « Ce saint voyage a nom Progrès. De temps en temps,
> Ils s'arrêtent, rêveurs, attentifs, haletants,
> Puis repartent. En route ! ils s'appellent, ils s'aident,
> Ils vont ! Les horizons aux horizons succèdent,
> Les plateaux aux plateaux, les sommets aux sommets,
> On avance toujours, on n'arrive jamais. »

Hors temps, hors lieu, l'utopie est en effet nécessaire à la poésie, à la littérature, à la philosophie de l'histoire du

XIXe siècle pour penser ce qui reste au fond l'impensable des temps modernes, ce qui est ici dit et redit, rythmé inlassablement par le poème, le vers, le chant : l'avènement d'une communauté fondée sur la conscience politique de chacun, représentants et représentés.

C'est en ce point que la fonction du poète se redéfinit, fondée sur une violence nécessaire et cohérente. La « Muse Indignation » capable de dresser « Assez de piloris pour faire une épopée » oblige à réviser radicalement « Ce que le poète se disait en 1848 ». La parole poétique était alors déjà, depuis toujours, considérée par Hugo, comme émanant d'une conscience morale, politique et sociale ; mais elle restait soumise à une philosophie du retrait de l'artiste : la position de l'énonciation marquait ses distances avec l'énoncé :

« Ton rôle est d'avertir et de rester pensif. »

Avec *Châtiments*, les choses bougent, on pourrait presque dire s'inversent. L'énoncé, sa très exacte pertinence à la réalité, tire sa force et sa validité de l'énonciation. La parole « tue » et, ce faisant, éveille les consciences parce qu'elle parle d'un ailleurs de l'histoire contemporaine indigne. Le retrait relève d'une éthique reconsidérée de l'artiste, d'un choix vital au service d'une efficace du Verbe.

NOTE SUR CETTE ÉDITION

L'édition que nous reproduisons ici est celle de 1853, dans sa version intégrale. La date que Hugo a inscrite sur le manuscrit est ajoutée entre crochets à celle donnée dans l'édition, à la suite de chaque poème.

À la suite du texte publié en 1853, viennent les pièces ajoutées à l'édition de 1870.

Le relevé des noms propres de *Châtiments* est un travail qui a maintenant une longue histoire. Nous nous sommes servis essentiellement de l'admirable répertoire composé par Jacques Seebacher, qui s'inscrit dans la suite de celui de Guy Rosa, Paul Berret, Pierre Albouy, J.-P. Yarrow et René Journet.

Un index des noms propres commentés dans les notes peut être consulté au début du dossier historique et littéraire. Il permet de se reporter à la note explicative qui accompagne la première apparition du nom et d'apprécier le trajet de chacun dans le recueil.

CHÂTIMENTS

Il a été publié, à Bruxelles, une édition tronquée de ce livre, précédée des lignes que voici :

« Le faux serment est un crime.
Le guet-apens est un crime.
La séquestration arbitraire est un crime.
La subornation de fonctionnaires publics est un crime.
La subornation de juges est un crime.
Le vol est un crime.
Le meurtre est un crime.

« Ce sera un des plus douloureux étonnements de l'avenir que, dans de nobles pays qui, au milieu de la prostration de l'Europe, avaient maintenu leur Constitution et semblaient être les derniers et sacrés asiles de la probité et de la liberté, ce sera, disons-nous, l'étonnement de l'avenir que, dans ces pays-là, il ait été fait des lois pour protéger ce que toutes les lois humaines, d'accord avec toutes les lois divines, ont dans tous les temps appelé crime.

« L'honnêteté universelle proteste contre ces lois protectrices du mal.

« Pourtant que les patriotes qui défendent la liberté, que les généreux peuples auxquels la force voudrait imposer l'immoralité, ne désespèrent pas ; que, d'un autre côté, les coupables, en apparence tout-puissants, ne se hâtent pas trop de triompher en voyant les pages tronquées de ce livre.

« Quoique fassent ceux qui règnent chez eux par la violence et hors de chez eux par la menace, quoique fassent ceux qui se croient les maîtres des peuples et qui ne sont que les tyrans des consciences, l'homme qui lutte pour la justice et la vérité, trouvera toujours le moyen d'accomplir son devoir tout entier.

« La toute-puissance du mal n'a jamais abouti qu'à des efforts inutiles. La pensée échappe toujours à qui tente de l'étouffer. Elle se fait insaisissable à la compression ; elle se réfugie d'une forme dans l'autre. Le flambeau rayonne ; si on l'éteint, si on l'engloutit dans les ténèbres, le flambeau devient une voix, et l'on ne fait pas la nuit sur la parole ; si l'on met un bâillon à la bouche qui parle, la parole se change en lumière, et l'on ne bâillonne pas la lumière.

« Rien ne dompte la conscience de l'homme, car la conscience de l'homme, c'est la pensée de Dieu.

V. H. »

Les quelques lignes qu'on vient de lire, préface d'un livre mutilé, contenaient l'engagement de publier le livre complet. Cet engagement, nous le tenons aujourd'hui.

V. H.

NOX

NOX

C'est la date choisie au fond de ta pensée,
Prince ! il faut en finir, — cette nuit est glacée,
Viens, lève-toi ! flairant dans l'ombre les escrocs,
Le dogue Liberté gronde et montre ses crocs.
Quoique mis par Carlier [1] à la chaîne, il aboie.
N'attends pas plus longtemps ! c'est l'heure de la proie.
Vois, décembre épaissit son brouillard le plus noir ;
Comme un baron voleur qui sort de son manoir,
Surprends, brusque assaillant, l'ennemi que tu cernes.
Debout ! les régiments sont là dans les casernes,
Sac au dos, abrutis de vin et de fureur,
N'attendant qu'un bandit pour faire un empereur.
Mets ta main sur ta lampe et viens d'un pas oblique,
Prends ton couteau, l'instant est bon : la République,
Confiante, et sans voir tes yeux sombres briller,
Dort, avec ton serment, prince, pour oreiller.

Cavaliers, fantassins, sortez ! dehors les hordes !
Sus aux représentants ! soldats, liez de cordes
Vos généraux jetés dans la cage aux forçats !
Poussez, la crosse aux reins, l'Assemblée à Mazas [2] !
Chassez la haute-cour à coups de plat de sabre !
Changez-vous, preux de France, en brigands de Calabre !
Vous, bourgeois, regardez, vil troupeau, vil limon,
Comme un glaive rougi qu'agite un noir démon,

---

1. Pierre Carlier (1789-1858), préfet de police en 1849, démissionna quelques jours avant le coup d'État dont il avait aidé à la préparation. Conseiller d'État en janvier 1852.
2. Prison qui avait remplacé la Force, aujourd'hui démolie, où furent enfermées les victimes du 2 décembre.

Le coup d'État qui sort flamboyant de la forge !
Les tribuns pour le droit luttent : qu'on les égorge.
Routiers, condottieri, vendus, prostitués,
Frappez ! tuez Baudin [1] ! tuez Dussoubs ! tuez !
Que fait hors des maisons ce peuple ? Qu'il s'en aille.
Soldats, mitraillez-moi toute cette canaille !
Feu ! feu ! Tu voteras ensuite, ô peuple roi !
Sabrez le droit, sabrez l'honneur, sabrez la loi !
Que sur les boulevards le sang coule en rivières !
Du vin plein les bidons ! des morts plein les civières !
Qui veut de l'eau-de-vie ? En ce temps pluvieux
Il faut boire. Soldats, fusillez-moi ce vieux.
Tuez-moi cet enfant. Qu'est-ce que cette femme ?
C'est la mère ? tuez. Que tout ce peuple infâme
Tremble, et que les pavés rougissent ses talons !
Ce Paris odieux bouge et résiste. Allons !
Qu'il sente le mépris, sombre et plein de vengeance,
Que nous, la force, avons pour lui, l'intelligence !
L'étranger respecta Paris : soyons nouveaux !
Traînons-le dans la boue aux crins de nos chevaux !
Qu'il meure ! qu'on le broie et l'écrase et l'efface !
Noirs canons, crachez-lui vos boulets à la face !

II

•❖ C'est fini ! Le silence est partout, et l'horreur.
Vive Poulmann César et Soufflard [2] empereur !
On fait des feux de joie avec les barricades ;
La Porte Saint-Denis sous ses hautes arcades
Voit les brasiers trembler au vent et rayonner.
C'est fait, reposez-vous ; et l'on entend sonner
Dans les fourreaux le sabre et l'argent dans les poches.
De la banque aux bivouacs on vide les sacoches.

1. Victor Baudin, médecin tué sur les barricades du faubourg Saint-Antoine le 3 décembre.
2. Poulmann, forçat évadé, assassin d'un aubergiste en 1843 ; Soufflard, chef de bande et assassin, rendu célèbre par *Les Mystères de Paris*.

•❖ Voir *Au fil du texte*, p. XV.

Ceux qui tuaient le mieux et qui n'ont pas bronché
Auront la croix d'honneur par-dessus le marché.
Les vainqueurs en hurlant dansent sur les décombres.
Des tas de corps saignants gisent dans les coins sombres.
Le soldat, gai, féroce, ivre, complice obscur,
Chancelle, et, de la main dont il s'appuie au mur,
Achève d'écraser quelque cervelle humaine.
On boit, on rit, on chante, on ripaille ; on amène
Des vaincus qu'on fusille, hommes, femmes, enfants.
Les généraux dorés galopent triomphants,
Regardés par les morts tombés à la renverse.
Bravo ! César a pris le chemin de traverse !
Courons féliciter l'Élysée à présent.
Du sang dans les maisons, dans les ruisseaux du sang,
Partout ! Pour enjamber ces effroyables mares,
Les juges lestement retroussent leurs simarres,
Et l'Église joyeuse en emporte un caillot
Tout fumant, pour servir d'écritoire à Veuillot [1].
Oui, c'est bien vous qu'hier, riant de vos férules,
Un caporal chassa de vos chaises curules,
Magistrats ! Maintenant que, reprenant du cœur,
Vous êtes bien certains que Mandrin [2] est vainqueur,
Que vous ne serez pas obligés d'être intègres,
Que Mandrin dotera vos dévoûments allègres,
Que c'est lui qui paiera désormais, et très-bien,
Qu'il a pris le budget, que vous ne risquez rien,
Qu'il a bien étranglé la loi, qu'elle est bien morte,
Et que vous trouverez ce cadavre à sa porte,
Accourez, acclamez, et chantez Hosanna !
Oubliez le soufflet qu'hier il vous donna,
Et, puisqu'il a tué vieillards, mères et filles,
Puisqu'il est dans le meurtre entré jusqu'aux chevilles,

1. Louis Veuillot (1813-1883), célèbre journaliste catholique, rédacteur puis, à partir de 1848, rédacteur en chef de *L'Univers*. Il s'acharnait contre Hugo depuis *Le Rhin*. Hostile aux humanités laïques, ultramontain. Cible essentielle des *Châtiments*, voir IV, 4, 6.
2. Mandrin (1724-1755), chef de bande, roué vif en 1755 dont le nom sert très souvent à désigner Louis Napoléon comme synonyme de bandit. Il était en fait chef de la résistance paysanne contre les fermiers généraux.

Prosternez-vous devant l'assassin tout-puissant,
Et léchez-lui les pieds pour effacer le sang !

III

Donc cet homme s'est dit : — « Le maître des armées,
    L'empereur surhumain
Devant qui, gorge au vent, pieds nus, les renommées
    Volaient, clairons en main,

Napoléon, quinze ans régna, dans les tempêtes
    Du Sud à l'Aquilon.
Tous les rois l'adoraient, lui, marchant sur leurs têtes,
    Eux, baisant son talon ;

Il prit, embrassant tout dans sa vaste espérance,
    Madrid, Berlin, Moscou ;
Je ferai mieux : je vais enfoncer à la France
    Mes ongles dans le cou !

La France libre et fière et chantant la concorde
    Marche à son but sacré :
Moi, je vais lui jeter par derrière une corde
    Et je l'étranglerai.

Nous nous partagerons, mon oncle et moi, l'histoire ;
    Le plus intelligent,
C'est moi, certes ! il aura la fanfare de gloire,
    J'aurai le sac d'argent.

Je me sers de son nom, splendide et vain tapage,
    Tombé dans mon berceau.
Le nain grimpe au géant. Je lui laisse sa page,
    Mais j'en prends le verso.

Je me cramponne à lui ! C'est moi qui suis le maître.
    J'ai pour sort et pour loi
De surnager sur lui dans l'histoire, ou peut-être
    De l'engloutir sous moi.

Moi, chat-huant, je prends cet aigle dans ma serre.
        Moi si bas, lui si haut,
Je le tiens ! je choisis son grand anniversaire ;
        C'est le jour qu'il me faut.

Ce jour-là, je serai comme un homme qui monte
        Le manteau sur ses yeux ;
Nul ne se doutera que j'apporte la honte
        À ce jour glorieux ;

J'irai plus aisément saisir mon ennemie
        Dans mes poings meurtriers ;
La France ce jour-là sera mieux endormie
        Sur son lit de lauriers. » —

Alors il vint, cassé de débauches, l'œil terne,
        Furtif, les traits pâlis,
Et ce voleur de nuit alluma sa lanterne
        Au soleil d'Austerlitz !

                        IV

Victoire ! il était temps, prince, que tu parusses !
Les filles d'opéra manquaient de princes russes ;
Les révolutions apportent de l'ennui
Aux Jeannetons d'hier, Pamélas d'aujourd'hui ;
Dans don Juan qui s'effraye un Harpagon éclate :
Un maigre filet d'or sort de sa bourse plate ;
L'argent devenait rare aux tripots ; les journaux
Faisaient le vide autour des confessionnaux ;
Le sacré-cœur, mourant de sa mort naturelle,
Maigrissait ; les protêts, tourbillonnant en grêle,
Drus et noirs, aveuglaient le portier de Magnan [1] ;

1. Le général Magnan (1791-1865) avait participé en 1848 à la
répression, à Paris et à Lyon ; un des organisateurs du coup d'État,
criblé de dettes.

On riait aux sermons de l'abbé Ravignan [1] ;
Plus de pur-sang piaffant aux portes des donzelles ;
L'hydre de l'anarchie apparaissait aux belles
Sous la forme effroyable et triste d'un cheval
De fiacre les traînant pour trente sous au bal.
La désolation était sur Babylone.
Mais tu surgis, bras fort ; tu te dresses, colonne ;
Tout renaît, tout revit, tout est sauvé. Pour lors
Les figurantes vont récolter des mylords ;
Tous sont contents, soudards, francs viveurs, gent dévote ;
Tous chantent, monseigneur l'archevêque, et Javotte.
Allons ! congratulons, triomphons, partageons !
Les vieux partis, coiffés en ailes de pigeons [2],
Vont s'inscrire, adorant Mandrin chez son concierge.
Falstaff allume un punch, Tartufe brûle un cierge.
Vers l'Élysée en joie, où sonne le tambour,
Tous se hâtent ; Parieu, Montalembert, Sibour,
R....., cette catin, T......., cette servante [3] ;
Grecs, juifs, quiconque a mis sa conscience en vente ;
Quiconque vole et ment *cum privilegio* ;
L'homme du bénitier, l'homme de l'agio ;

---

1. Le père de Ravignan (1795-1858) prêcha le carême à Notre-Dame de 1837 à 1847, en alternance avec Lacordaire, puis aux Tuileries en 1855. Orateur sans talent.

2. Coiffure ancien régime, celle du Père Goriot en 1813.

3. Esquiros de Parieu (1815-1893), ministre de l'Instruction publique en 1849-1851, au moment de la discussion de la loi cléricale sur l'enseignement.

Montalembert (1810-1870), catholique libéral qui rompit avec Lamennais en 1833. Il entretint de bonnes relations avec Hugo jusqu'en 1848 ; il s'opposa à lui, à l'Assemblée, sur l'expédition de Rome, la loi Falloux, les questions sociales. Alors dans l'opposition modérée.

Monseigneur Sibour (1792-1857), évêque de Digne en 1839 comme monseigneur Myriel dont il serait un contre-modèle. Archevêque de Paris en 1848, responsable du *Te Deum* du 1er janvier 1852.

Eugène Rouher (1814-1884), ministre de la Justice en 1849, personnage important de l'Empire autoritaire.

Théodore Trolong (1795-1869), « légiste glorificateur de la violation des lois, jurisconsulte apologiste du coup d'État, magistrat flatteur du parjure, juge panégyriste du meurtre » (*Histoire d'un crime*, IV, 8). Sous l'Empire, président du Conseil d'État et du Sénat.

Quiconque est méprisable et désire être infâme ;
Quiconque, se jugeant dans le fond de son âme,
Se sent assez forçat pour être sénateur.
Myrmidon de César admire la hauteur.
Lui, fait la roue et trône au centre de la fête.
— Eh bien, messieurs, la chose est-elle un peu bien faite ?
Qu'en pense Papavoine et qu'en dit Loyola [1] ?
Maintenant nous ferons voter ces drôles-là.
Partout en lettres d'or nous écrirons le chiffre. —
Gai ! tapez sur la caisse et soufflez dans le fifre ;
Braillez vos *Salvum fac*, messeigneurs ; en avant
Des églises, abri profond du Dieu vivant,
On dressera des mâts avec des oriflammes ;
Victoire ! venez voir les cadavres, mesdames.

V [2]

Où sont-ils ? Sur les quais, dans les cours, sous les ponts ;
Dans l'égout, dont Maupas [3] fait lever les tampons,
Dans la fosse commune affreusement accrue,
Sur le trottoir, au coin des portes, dans la rue,
Pêle-mêle entassés, partout ; dans les fourgons
Que vers la nuit tombante escortent les dragons,
Convoi hideux qui vient du Champ-de-Mars, et passe,
Et dont Paris tremblant s'entretient à voix basse.
Ô vieux mont des martyrs [4], hélas ! garde ton nom !
Les morts sabrés, hachés, broyés par le canon,

1. Papavoine (1783-1825), assassin, probablement irresponsable, exécuté en 1825.
Ignace de Loyola (1491-1556), fondateur et premier général de la société de Jésus (1540) ; canonisé en 1622.
2. Après la fusillade des boulevards du 4 décembre, les morts furent à demi enterrés à Montmartre. Voir *Napoléon-le-Petit*, III, 9.
3. Charlemagne-Émile Maupas (1818-1888), préfet de police en 1851 et ministre de la Police, général en janvier 1852. Organisateur du coup d'État ; filou caractérisé.
4. Étymologie communément reçue de Montmartre, mont des martyrs, compagnons de Saint Denis.

Dans ce champ que la tombe emplit de son mystère,
Étaient ensevelis la tête hors de terre.
Cet homme les avait lui-même ainsi placés,
Et n'avait pas eu peur de tous ces fronts glacés.
Ils étaient là, sanglants, froids, la bouche entrouverte,
La face vers le ciel, blêmes dans l'herbe verte,
Effroyables à voir dans leur tranquillité,
Éventrés, balafrés, le visage fouetté
Par la ronce qui tremble au vent du crépuscule,
Tous, l'homme du faubourg qui jamais ne recule,
Le riche à la main blanche et le pauvre au bras fort,
La mère qui semblait montrer son enfant mort,
Cheveux blancs, tête blonde, au milieu des squelettes,
La belle jeune fille aux lèvres violettes,
Côte à côte rangés dans l'ombre au pied des ifs,
Livides, stupéfaits, immobiles, pensifs,
Spectres du même crime et des mêmes désastres,
De leur œil fixe et vide ils regardaient les astres.
Dès l'aube, on s'en venait chercher dans ce gazon
L'absent qui n'était pas rentré dans la maison ;
Le peuple contemplait ces têtes effarées ;
La nuit, qui de décembre abrège les soirées,
Pudique, les couvrait du moins de son linceul.
Le soir, le vieux gardien des tombes, resté seul,
Hâtait le pas parmi les pierres sépulcrales,
Frémissant d'entrevoir toutes ces faces pâles ;
Et, tandis qu'on pleurait dans les maisons en deuil,
L'âpre bise soufflait sur ces fronts sans cercueil,
L'ombre froide emplissait l'enclos aux murs funèbres.
Ô morts, que disiez-vous à Dieu dans ces ténèbres ?

On eût dit en voyant ces morts mystérieux
Le cou hors de la terre et le regard aux cieux,
Que dans le cimetière où le cyprès frissonne,
Entendant le clairon du jugement qui sonne,
Tous ces assassinés s'éveillaient brusquement,
Qu'ils voyaient, Bonaparte, au seuil du firmament,
Amener devant Dieu ton âme horrible et fausse,
Et que, pour témoigner, ils sortaient de leur fosse.

Montmartre ! enclos fatal ! quand vient le soir obscur
Aujourd'hui le passant évite encor ce mur.

VI

Un mois après, cet homme allait à Notre-Dame.

Il entra le front haut ; la myrrhe et le cinname
Brûlaient ; les tours vibraient sous le bourdon sonnant ;
L'archevêque était là, de gloire rayonnant ;
Sa chape avait été taillée en un suaire ;
Sur une croix dressée au fond du sanctuaire
Jésus avait été cloué pour qu'il restât.
Cet infâme apportait à Dieu son attentat.
Comme un loup qui se lèche après qu'il vient de mordre,
Caressant sa moustache, il dit : — J'ai sauvé l'ordre !
Anges, recevez-moi dans votre légion !
J'ai sauvé la famille et la religion ! —
Et dans son œil féroce où Satan se contemple,
On vit luire une larme… — Ô colonnes du temple !
Abîmes qu'à Patmos vit s'entrouvrir saint Jean,
Cieux qui vîtes Néron, soleil qui vit Séjan,
Vents qui jadis meniez Tibère vers Caprée [1],
Et poussiez sur les flots sa galère dorée,
Ô souffles de l'aurore et du septentrion,
Dites si l'assassin dépasse l'histrion !

VII

Toi qui bats de ton flux fidèle
La roche où j'ai ployé mon aile,
Vaincu, mais non pas abattu,

1. Tibère (42 av. J.-C.-37 ap. J.-C.) et Néron (37-68), empereurs de Rome, types de tyrans devenus mythiques. Séjan, ministre traître à Tibère. Caprée, île où Tibère se retira.

Gouffre où l'air joue, où l'esquif sombre,
Pourquoi me parles-tu dans l'ombre ?
Ô sombre mer, que me veux-tu ?

Tu n'y peux rien ! Ronge tes digues,
Épands l'onde que tu prodigues,
Laisse-moi souffrir et rêver ;
Toutes les eaux de ton abîme,
Hélas ! passeraient sur ce crime,
Ô vaste mer, sans le laver !

Je comprends, tu veux m'en distraire ;
Tu me dis : — Calme-toi, mon frère,
Calme-toi, penseur orageux ! —
Mais toi-même alors, mer profonde,
Calme ton flot puissant qui gronde,
Toujours amer, jamais fangeux !

Tu crois en ton pouvoir suprême,
Toi qu'on admire, toi qu'on aime,
Toi qui ressembles au destin,
Toi que les cieux ont azurée,
Toi qui, dans ton onde sacrée,
Laves l'étoile du matin !

Tu me dis : — Viens, contemple, oublie !
Tu me montres le mât qui plie,
Les blocs verdis, les caps croulants,
L'écume au loin, dans les décombres,
S'abattant sur les rochers sombres
Comme une troupe d'oiseaux blancs ;

La pêcheuse aux pieds nus qui chante,
L'eau bleue où fuit la nef penchante,
Le marin, rude laboureur,
Les hautes vagues en démence ;
Tu me montres ta grâce immense
Mêlée à ton immense horreur ;

Tu me dis : — Donne-moi ton âme ;
Proscrit, éteins en moi ta flamme,
Marcheur, jette aux flots ton bâton ;
Tourne vers moi ta vue ingrate. —
Tu me dis : — J'endormais Socrate ! —
Tu me dis : — J'ai calmé Caton !

Non ! respecte l'âpre pensée,
L'âme du juste courroucée,
L'esprit qui songe aux noirs forfaits !
Parle aux vieux rochers, tes conquêtes,
Et laisse en repos mes tempêtes !
D'ailleurs, mer sombre, je te hais !

Ô mer ! n'est-ce pas toi, servante !
Qui traînes sur ton eau mouvante,
Parmi les vents et les écueils,
Vers Cayenne aux fosses profondes,
Ces noirs pontons qui sur tes ondes
Passent comme de grands cercueils !

N'est-ce pas toi qui les emportes
Vers le sépulcre ouvrant ses portes,
Tous nos martyrs au front serein,
Dans la cale où manque la paille,
Où les canons pleins de mitraille,
Béants, passent leur cou d'airain !

Et s'ils pleurent, si les tortures
Font fléchir ces hautes natures,
N'est-ce pas toi, gouffre exécré,
Qui te mêles à leur supplice,
Et qui, de ta rumeur complice,
Couvres leur cri désespéré !

VIII

Voilà ce qu'on a vu ! l'histoire le raconte,
Et lorsqu'elle a fini pleure, rouge de honte...

Quand se réveillera la grande nation,
Quand viendra le moment de l'expiation,
Glaive des jours sanglants, oh ! ne sors pas de l'ombre !
Non ! non ! il n'est pas vrai qu'en plus d'une âme sombre,
Pour châtier ce traître et cet homme de nuit,
À cette heure, ô douleur ! ta nécessité luit !
Souvenirs où l'esprit grave et pensif s'arrête.
Gendarmes, sabre nu, conduisant la charrette,
Roulements des tambours, peuple criant : frappons !
Foule encombrant les toits, les seuils, les quais, les ponts,
Grèves des temps passés, mornes places publiques
Où l'on entrevoyait des triangles obliques,
Oh ! ne revenez pas, lugubres visions !
Ciel ! nous allions en paix devant nous, nous faisions
Chacun notre travail dans le siècle où nous sommes,
Le poète chantait l'œuvre immense des hommes,
La tribune parlait avec sa grande voix,
On brisait échafauds, trônes, carcans, pavois,
Chaque jour décroissaient la haine et la souffrance,
Le genre humain suivait le progrès saint, la France
Marchait devant avec sa flamme sur le front,
Ces hommes sont venus ! Lui, ce vivant affront,
Lui, ce bandit qu'on lave avec l'huile du sacre !
Ils sont venus, portant le deuil et le massacre,
Le meurtre, les linceuls, le fer, le sang, le feu ;
Ils ont semé cela sur l'avenir, grand Dieu !

Et maintenant, pitié, voici que tu tressailles
À ces mots effrayants : vengeance ! représailles !

Et moi, proscrit qui saigne aux ronces des chemins,
Triste, je rêve et j'ai mon front dans mes deux mains,
Et je sens, par instants, d'une aile hérissée
Dans les jours qui viendront s'enfoncer ma pensée !
Géante aux chastes yeux, à l'ardente action,
Que jamais on ne voie, ô Révolution,
Devant ton fier visage où la colère brille,
L'Humanité, tremblante et te criant : ma fille !

Et couvrant de son corps même les scélérats,
Se traîner à tes pieds en se tordant les bras !
Ah ! tu respecteras cette douleur amère,
Et tu t'arrêteras, vierge, devant la mère !

Ô travailleur robuste, ouvrier demi-nu,
Moissonneur envoyé par Dieu même, et venu
Pour faucher en un jour dix siècles de misère,
Sans peur, sans pitié, vrai, formidable et sincère,
Égal par la stature au colosse romain,
Toi qui vainquis l'Europe et qui pris dans ta main
Les rois, et les brisas les uns contre les autres,
Né pour clore les temps d'où sortirent les nôtres,
Toi qui par la terreur sauvas la liberté,
Toi qui portes ce nom sombre : Nécessité,
Dans l'histoire où tu luis comme en une fournaise,
Reste seul à jamais, Titan quatre-vingt-treize !
Rien d'aussi grand que toi ne viendrait après toi.

D'ailleurs, né d'un régime où dominait l'effroi,
Ton éducation sur ta tête affranchie
Pesait, et malgré toi, fils de la monarchie,
Nourri d'enseignements et d'exemples mauvais,
Comme elle tu versas le sang ; tu ne savais
Que ce qu'elle t'avait appris : Le mal, la peine,
La loi de mort mêlée avec la loi de haine ;
Et jetant bas tyrans, parlements, rois, Capets,
Tu te levais contre eux et comme eux tu frappais.

Nous, grâce à toi, géant qui gagnas notre cause,
Fils de la liberté, nous savons autre chose.
Ce que la France veut pour toujours désormais,
C'est l'amour rayonnant sur ses calmes sommets,
La loi sainte du Christ, la fraternité pure.
Ce grand mot est écrit dans toute la nature :
Aimez-vous ! aimez-vous ! — Soyons frères ; ayons
L'œil fixé sur l'Idée, ange aux divins rayons.
L'Idée à qui tout cède et qui toujours éclaire
Prouve sa sainteté même dans sa colère,

Elle laisse toujours les principes debout.
Être vainqueurs, c'est peu, mais rester grands, c'est tout.
Quand nous tiendrons ce traître, abject, frissonnant, blême,
Affirmons le progrès dans le châtiment même ;
La honte, et non la mort. — Peuples, couvrons d'oubli
L'affreux passé des rois, pour toujours aboli,
Supplices, couperets, billots, gibets, tortures !
Hâtons l'heure promise aux nations futures
Où, calme et souriant aux bons, même aux ingrats,
La Concorde, serrant les hommes dans ses bras,
Penchera sur nous tous sa tête vénérable !
Oh ! qu'il ne soit pas dit que, pour ce misérable,
Le monde en son chemin sublime a reculé !
Que Jésus et Voltaire auront en vain parlé !
Qu'il n'est pas vrai qu'après tant d'effort et de peine,
Notre époque ait enfin sacré la vie humaine,
Hélas ! et qu'il suffit d'un moment indigné
Pour perdre le trésor par les siècles gagné !
On peut être sévère et de sang économe.
Oh ! qu'il ne soit pas dit qu'à cause de cet homme,
La guillotine au noir panier, qu'avec dégoût
Février avait prise et jetée à l'égout,
S'est réveillée avec les bourreaux dans leurs bouges,
A ressaisi sa hache entre ses deux bras rouges,
Et, dressant son poteau dans les tombes scellé,
Sinistre, a reparu sous le ciel étoilé !

IX

Toi qu'aimait Juvénal, gonflé de lave ardente,
Toi dont la clarté luit dans l'œil fixe de Dante,
Muse Indignation ! Viens, dressons maintenant,
Dressons sur cet empire heureux et rayonnant,
Et sur cette victoire au tonnerre échappée,
Assez de piloris pour faire une épopée !

Jersey, novembre 1853.
[16 (I-VIII) et 22 (IX) novembre 1852.]

LIVRE PREMIER

LA SOCIÉTÉ EST SAUVÉE

I

France ! à l'heure où tu te prosternes,
Le pied d'un tyran sur ton front,
La voix sortira des cavernes ;
Les enchaînés tressailleront.

Le banni, debout sur la grève,
Contemplant l'étoile et le flot,
Comme ceux qu'on entend en rêve,
Parlera dans l'ombre tout haut ;

Et ses paroles, qui menacent,
Ses paroles, dont l'éclair luit,
Seront comme des mains qui passent
Tenant des glaives dans la nuit.

Elles feront frémir les marbres
Et les monts que brunit le soir ;
Et les chevelures des arbres
Frissonneront sous le ciel noir.

Elles seront l'airain qui sonne,
Le cri qui chasse les corbeaux,
Le souffle inconnu dont frissonne
Le brin d'herbe sur les tombeaux ;

Elles crieront : honte aux infâmes,
Aux oppresseurs, aux meurtriers !
Elles appelleront les âmes
Comme on appelle des guerriers !

Sur les races qui se transforment,
Sombre orage, elles planeront ;
Et si ceux qui vivent s'endorment,
Ceux qui sont morts s'éveilleront.

Jersey, août 1853.
[30 mars 1853.]

II

TOULON

I

En ces temps-là, c'était une ville tombée
Au pouvoir des Anglais, maîtres des vastes mers,
Qui, du canon battue et de terreur courbée,
            Disparaissait dans les éclairs.

C'était une cité qu'ébranlait le tonnerre
À l'heure où la nuit tombe, à l'heure où le jour naît,
Qu'avait prise en sa griffe Albion, qu'en sa serre
            La République reprenait.

Dans la rade couraient les frégates meurtries ;
Les pavillons pendaient troués par le boulet ;
Sur le front orageux des noires batteries
            La fumée à longs flots roulait.

On entendait gronder les forts, sauter les poudres ;
Le brûlot flamboyait sur la vague qui luit ;
Comme un astre effrayant qui se disperse en foudres
            La bombe éclatait dans la nuit.

Sombre histoire ! Quel temps ! Et quelle illustre page !
Tout se mêlait, le mât coupé, le mur détruit,
Les obus, le sifflet des maîtres d'équipage,
            Et l'ombre, et l'horreur, et le bruit.

Ô France ! Tu couvrais alors toute la terre
Du choc prodigieux de tes rébellions.
Les rois lâchaient sur toi le tigre et la panthère,
     Et toi, tu lâchais les lions.

Alors la République avait quatorze armées.
On luttait sur les monts et sur les océans.
Cent victoires jetaient au vent cent renommées.
     On voyait surgir les géants !

Alors apparaissaient les aubes rayonnantes.
Des inconnus, soudain éblouissant les yeux,
Se dressaient, et faisaient aux trompettes sonnantes
     Dire leurs noms mystérieux.

Ils faisaient de leurs jours de sublimes offrandes ;
Ils criaient : Liberté ! guerre aux tyrans ! mourons !
Guerre ! — et la gloire ouvrait ses ailes toutes grandes
     Au-dessus de ces jeunes fronts !

II

Aujourd'hui c'est la ville où toute honte échoue.
Là, quiconque est abject, horrible et malfaisant,
Quiconque un jour plongea son honneur dans la boue,
     Noya son âme dans le sang.

Là, le faux-monnayeur pris la main sur sa forge.
L'homme du faux serment et l'homme du faux poids,
Le brigand qui s'embusque et qui saute à la gorge
     Des passants, la nuit, dans les bois,

Là, quand l'heure a sonné, cette heure nécessaire,
Toujours, quoi qu'il ait fait pour fuir, quoi qu'il ait dit,
Le pirate hideux, le voleur, le faussaire,
     Le parricide, le bandit,

Qu'il sorte d'un palais ou qu'il sorte d'un bouge,
Vient, et trouve une main, froide comme un verrou,
Qui sur le dos lui jette une casaque rouge
      Et lui met un carcan au cou !

L'aurore luit, pour eux sombre et pour nous vermeille.
Allons ! debout ! Ils vont vers le sombre Océan.
Il semble que leur chaîne avec eux se réveille,
      Et dit : me voilà ; viens-nous-en !

Ils marchent, au marteau présentant leurs manilles,
À leur chaîne cloués, mêlant leurs pas bruyants,
Traînant leur pourpre infâme en hideuses guenilles,
      Humbles, furieux, effrayants.

Les pieds nus, leur bonnet baissé sur leurs paupières,
Dès l'aube harassés, l'œil mort, les membres lourds,
Ils travaillent, creusant des rocs, roulant des pierres,
      Sans trêve, hier, demain, toujours.

Pluie ou soleil, hiver, été, que juin flamboie,
Que janvier pleure, ils vont, leur destin s'accomplit,
Avec le souvenir de leurs crimes pour joie,
      Avec une planche pour lit.

Le soir, comme un troupeau l'argousin vit les comptes.
Ils montent deux à deux l'escalier du ponton,
Brisés, vaincus, le cœur incliné sous la honte,
      Le dos courbé sous le bâton.

La pensée implacable habite encore leurs têtes.
Morts vivants, aux labeurs voués, marqués au front,
Ils rampent, recevant le fouet comme des bêtes,
      Et comme des hommes l'affront.

III

Ville que l'infamie et la gloire ensemencent,
Où du forçat pensif le fer tond les cheveux,
Ô Toulon ! c'est par toi que les oncles commencent,
　　　Et que finissent les neveux !

Va, maudit ! Ce boulet que, dans des temps stoïques,
Le grand soldat, sur qui ton opprobre s'assied,
Mettait dans les canons de ses mains héroïques,
　　　Tu le traîneras à ton pied !

Écrit en arrivant à Bruxelles, 12 décembre 1851.
[28 octobre 1852.]

III

Approchez-vous ; ceci, c'est le tas des dévots.
Cela hurle en grinçant un *benedicat vos* ;
C'est laid, c'est vieux, c'est noir. Cela fait des gazettes.
Pères fouetteurs du siècle, à grands coups de garcettes
Ils nous mènent au ciel. Ils font, blêmes grimauds,
De l'âme et de Jésus des querelles de mots
Comme à Byzance au temps des Jeans et des Eudoxes [1].
Méfions-nous ; ce sont des gredins orthodoxes.
Ils auraient fait pousser des cris à Juvénal.
La douairière aux yeux gris s'ébat sur leur journal
Comme sur les marais la grue et la bécasse.
Ils citent Poquelin, Pascal, Rousseau, Boccace,
Voltaire, Diderot, l'aigle au vol inégal,
Devant l'official et le théologal.
L'esprit étant gênant, ces saints le congédient.
Ils mettent Escobar [2] sous bande et l'expédient
Aux bedeaux rayonnants pour quatre francs par mois.
Avec le vieux savon des jésuites sournois
Ils lavent notre époque incrédule et pensive,
Et le bûcher fournit sa cendre à leur lessive.

1. Une controverse opposa au IVe siècle l'orthodoxie défendue par
saint Jean Chrysostome, « Bouche d'or », à l'arianisme d'Eudoxe.
2. Antonio Escobar (1589-1669), jésuite et casuiste espagnol, cible de
Pascal dans *Les Provinciales*.

Leur gazette, où les mots de venin sont verdis,
Est la seule qui soit reçue au paradis.
Ils sont, là, tout-puissants ; et tandis que leur bande
Prêche ici-bas la dîme et défend la prébende,
Ils font chez Jéhovah la pluie et le beau temps.
L'ange au glaive de feu leur ouvre à deux battants
La porte bienheureuse, effrayante et vermeille ;
Tous les matins, à l'heure où l'oiseau se réveille,
Quand l'aube, se dressant au bord du ciel profond,
Rougit en regardant ce que les hommes font,
Et que des pleurs de honte emplissent sa paupière,
Gais, ils grimpent là-haut, et, cognant chez Saint-Pierre,
Jettent à ce portier leur journal impudent.
Ils écrivent à Dieu comme à leur intendant
Critiquant, gourmandant, et lui demandant compte
Des révolutions, des vents, du flot qui monte,
De l'astre au pur regard qu'ils voudraient voir loucher,
De ce qu'il fait tourner notre terre et marcher
Notre esprit, et, d'un timbre ornant l'Eucharistie,
Ils cachettent leur lettre immonde avec l'hostie.
Jamais marquis, voyant son carrosse broncher,
N'a plus superbement tutoyé son cocher,
Si bien, que ne sachant comment mener le monde,
Ce pauvre vieux bon Dieu, sur qui leur foudre gronde,
Tremblant, cherchant un trou dans ses cieux éclatants,
Ne sait où se fourrer quand ils sont mécontents.
Ils ont supprimé Rome ; ils auraient détruit Sparte.
Ces drôles sont charmés de monsieur Bonaparte.

Bruxelles, janvier 1852.
[Novembre 1852?]

AUX MORTS DU 4 DÉCEMBRE

Jouissez du repos que vous donne le maître.
Vous étiez autrefois des cœurs troublés peut-être,
     Qu'un vain songe poursuit ;
L'erreur vous tourmentait, ou la haine, ou l'envie ;
Vos bouches, d'où sortait la vapeur de la vie,
     Étaient pleines de bruit.

Faces confusément l'une à l'autre apparues,
Vous alliez et veniez en foule dans les rues,
     Ne vous arrêtant pas,
Inquiets comme l'eau qui coule des fontaines,
Tous, marchant au hasard, souffrant les mêmes peines,
     Mêlant les mêmes pas.

Peut-être un feu creusait votre tête embrasée :
Projets, espoirs, briser l'homme de l'Élysée,
     L'homme du Vatican,
Verser le libre esprit à grands flots sur la terre ;
Car dans ce siècle ardent toute âme est un cratère
     Et tout peuple un volcan.

Vous aimiez, vous aviez le cœur lié de chaînes,
Et le soir vous sentiez, livrés aux craintes vaines,
     Pleins de soucis poignants,
Ainsi que l'Océan sent remuer ses ondes,
Se soulever en vous mille vagues profondes
     Sous les cieux rayonnants.

Tous, qui que vous fussiez, tête ardente, esprit sage,
Soit qu'en vos yeux brillât la jeunesse, ou que l'âge
    Vous prît et vous courbât,
Que le destin pour vous fût deuil, énigme ou fête,
Vous aviez dans vos cœurs l'amour, cette tempête,
    La douleur, ce combat.

Grâce au quatre décembre, aujourd'hui, sans pensée,
Vous gisez étendus dans la fosse glacée
    Sous les linceuls épais ;
Ô morts, l'herbe sans bruit croît sur vos catacombes,
Dormez dans vos cercueils ! taisez-vous dans vos tombes !
    L'empire, c'est la paix [1].

Jersey, décembre 1852.
[10 novembre 1852.]

---

1. Allusion au discours de Louis Napoléon à Bordeaux le 9 octobre 1852 : « Par esprit de défiance, certaines personnes disent : l'Empire, c'est la guerre ; moi, je dis : l'Empire, c'est la paix. »

V

CETTE NUIT-LÀ

Trois amis l'entouraient. C'était à l'Élysée,
On voyait du dehors luire cette croisée.
Regardant venir l'heure et l'aiguille marcher,
Il était là, pensif ; et, rêvant d'attacher
Le nom de Bonaparte aux exploits de Cartouche [1],
Il sentait approcher son guet-apens farouche.
D'un pied distrait dans l'âtre il poussait le tison,
Et voici ce que dit l'homme de trahison :
— « Cette nuit vont surgir mes projets invisibles.
Les Saint-Barthélemy sont encore possibles.
Paris dort comme aux temps de Charles de Valois ;
Vous allez dans un sac mettre toutes les lois,
Et par-dessus le pont les jeter dans la Seine. » —
Ô ruffians ! bâtards de la fortune obscène,
Nés du honteux coït de l'intrigue et du sort !
Rien qu'en songeant à vous, mon vers indigné sort
Et mon cœur orageux dans ma poitrine gronde
Comme le chêne au vent dans la forêt profonde !

Comme ils sortaient tous trois de la maison Bancal [2],
Morny, Maupas le Grec, Saint-Arnaud [3] le chacal,

1. Louis Dominique Bourguignon, dit Cartouche (1693?-1721),
voleur et bandit parisien sous la Régence, roué vif en grève.
2. Maison close de Rodez où fut assassiné en 1817 le magistrat
Fualdès.
3. Charles-Auguste-Louis-Joseph, comte puis duc de Morny (1811-
1865), fils naturel du général Flahaut et demi-frère de Louis Napoléon ;

(suite de la note page suivante)

Voyant passer ce groupe oblique et taciturne,
Les clochers de Paris, sonnant l'heure nocturne,
S'efforçaient vainement d'imiter le tocsin ;
Les pavés de Juillet criaient à l'assassin !
Tous les spectres sanglants des antiques carnages,
Réveillés, se montraient du doigt ces personnages ;
La Marseillaise, archange aux chants aériens,
Murmurait dans les cieux : Aux armes, citoyens !
Paris dormait, hélas ! et bientôt, sur les places,
Sur les quais, les soldats, dociles populaces,
Janissaires conduits par Reybell et Sauboul [1],
Payés comme à Bysance, ivres comme à Stamboul,
Ceux de Dulac, et ceux de Korte et d'Espinasse [2],
La cartouchière au flanc et dans l'œil la menace,
Vinrent, le régiment après le régiment,
Et le long des maisons ils passaient lentement,
À pas sourds, comme on voit les tigres dans les jongles
Qui rampent sur le ventre en allongeant leurs ongles ;
Et la nuit était morne, et Paris sommeillait
Comme un aigle endormi pris sous un noir filet.

Les chefs attendaient l'aube en fumant leurs cigares.

Ô Cosaques ! voleurs ! chauffeurs ! routiers ! Bulgares !
Ô généraux brigands ! bagne, je te les rends !

---

député de droite et exécuteur du coup d'État ; son nom est toujours
accolé dans *Châtiments* à celui de Maupas.
   Leroy de Saint-Arnaud (1798-1854), militaire et aventurier, responsable de l'expédition très brutale menée en Kabylie en mai 1851 ; pré-
para et exécuta le coup d'État. Commandant en chef en Crimée,
vainqueur à l'Alma en 1854. Mort du choléra. Voir *Histoire d'un crime*,
III, 1 et les poèmes : « Quelqu'un » (IV, 5) et « Saint-Arnaud ».

   1. Reybell, un des responsables de la fusillade des boulevards du
4 décembre.
   Sauboul, général au 2 décembre qui, rapporte Schoelcher, fit exécuter trente-cinq prisonniers « presque tous sans armes ».

   2. Dulac, général de brigade, un des sabreurs du 4 décembre.
   Korte, un des généraux du 2 décembre et de la fusillade du 4.
   Espinasse, colonel chargé le 2 décembre du contrôle de l'Assemblée.

Les juges d'autrefois pour des crimes moins grands
Ont brûlé la Voisin et roué vif Desrues [1] !

Éclairant leur affiche infâme au coin des rues
Et le lâche armement de ces filous hardis,
Le jour parut. La nuit, complice des bandits,
Prit la fuite, et traînant à la hâte ses voiles,
Dans les plis de sa robe emporta les étoiles,
Et les mille soleils dans l'ombre étincelant,
Comme les sequins d'or qu'emporte en s'en allant
Une fille, aux baisers du crime habituée,
Qui se rhabille après s'être prostituée !

> Bruxelles, janvier 1852.
> [17 janvier 1853.]

---

1. Desrues, empoisonneur du XVIIIe siècle, La Voisin, empoisonneuse du siècle précédent.

VI

LE *TE DEUM* DU 1er JANVIER 1852

Prêtre, ta messe, écho des feux de peloton,
        Est une chose impie.
Derrière toi, le bras ployé sous le menton,
        Rit la mort accroupie.

Prêtre, on voit frissonner, aux cieux d'où nous venons,
        Les anges et les vierges
Quand un évêque prend la mèche des canons
        Pour allumer les cierges.

Tu veux être au sénat, voir ton siège élevé
        Et ta fortune accrue ;
Soit ; mais pour bénir l'homme, attends qu'on ait lavé
        Le pavé de la rue.

Peuples, gloire à Gessler ! meure Guillaume Tell [1] !
        Un râle sort de l'orgue.
Archevêque, on a pris, pour bâtir ton autel,
        Les dalles de la morgue.

Quand tu dis : — *Te Deum !* Nous vous louons, Dieu fort !
        Sabaoth des armées ! —
Il se mêle à l'encens une vapeur qui sort
        Des fosses mal fermées.

1. Guillaume Tell, héros de l'indépendance suisse contre le tyran
Gessler, représentant de l'empereur d'Autriche.

On a tué, la nuit, on a tué, le jour,
    L'homme, l'enfant, la femme !
Crime et deuil ! Ce n'est plus l'aigle, c'est le vautour
    Qui vole à Notre-Dame.

Va, prodigue au bandit les adorations ;
    Martyrs, vous l'entendîtes !
Dieu te voit, et là-haut tes bénédictions,
    Ô prêtre, sont maudites !

Les proscrits sont partis, aux flancs du ponton noir,
    Pour Alger, pour Cayenne ;
Ils ont vu Bonaparte à Paris, ils vont voir
    En Afrique l'hyène.

Ouvriers, paysans qu'on arrache au labour,
    Le sombre exil vous fauche !
Bien, regarde à ta droite, archevêque Sibour,
    Et regarde à ta gauche.

Ton diacre est Trahison et ton sous-diacre est Vol
    Vends ton Dieu, vends ton âme.
Allons, coiffe ta mitre, allons, mets ton licol,
    Chante, vieux prêtre infâme !

Le meurtre à tes côtés suit l'office divin,
    Criant : feu sur qui bouge !
Satan tient la burette, et ce n'est pas de vin
    Que ton ciboire est rouge.

                Bruxelles, 3 janvier 1852.
                 [7 novembre 1852.]

VII

AD MAJOREM DEI GLORIAM [1]

« Vraiment, notre siècle est étrangement délicat. S'ima-
gine-t-il donc que la cendre des bûchers soit totalement
éteinte ? qu'il n'en soit pas resté le plus petit tison pour
allumer une seule torche ? Les insensés ! en nous appe-
lant *jésuites*, ils croient nous couvrir d'opprobre ! Mais
ces *jésuites* leur réservent la censure, un bâillon et du
feu... Et, un jour, ils seront les maîtres de leurs maîtres. »

Le Père Roothaan, *général des jésuites*,
à la conférence de Chiéri [2].

Ils ont dit : « Nous serons les vainqueurs et les maîtres.
Soldats par la tactique et par la robe prêtres,
Nous détruirons progrès, lois, vertus, droits, talents.
Nous nous ferons un fort avec tous ces décombres,
Et pour nous y garder, comme des dogues sombres,
Nous démusèlerons les préjugés hurlants.

« — Oui, l'échafaud est bon ; la guerre est nécessaire ;
Acceptez l'ignorance, acceptez la misère ;
L'enfer attend l'orgueil du tribun triomphant ;
L'homme parvient à l'ange en passant par la buse. —
Notre gouvernement fait de force et de ruse
Bâillonnera le père, abrutira l'enfant.

1. Devise des Jésuites : « Pour la plus grande gloire de Dieu ».
2. Prononcée en 1824, publiée en 1848.

« Notre parole, hostile au siècle qui s'écoule,
Tombera de la chaire en flocons sur la foule ;
Elle refroidira les cœurs irrésolus,
Y glacera tout germe utile ou salutaire,
Et puis elle y fondra comme la neige à terre,
Et qui la cherchera ne la trouvera plus.

« Seulement un froid sombre aura saisi les âmes ;
Seulement nous aurons tué toutes les flammes ;
Et si quelqu'un leur crie, à ces Français d'alors :
Sauvez la liberté pour qui luttaient vos pères ! —
Ils riront, ces Français sortis de nos repaires,
De la liberté morte et de leurs pères morts.

« Prêtres, nous écrirons sur un drapeau qui brille :
— Ordre, Religion, Propriété, Famille. —
Et si quelque bandit, corse, juif ou payen,
Vient nous aider avec le parjure à la bouche,
Le sabre aux dents, la torche au poing, sanglant, farouche,
Volant et massacrant, nous lui dirons : c'est bien !

« Vainqueurs, fortifiés aux lieux inabordables,
Nous vivrons arrogants, vénérés, formidables.
Que nous importe au fond Christ, Mahomet, Mithra !
Régner est notre but, notre moyen proscrire.
Si jamais ici-bas on entend notre rire,
Le fond obscur du cœur de l'homme tremblera.

« Nous garrotterons l'âme au fond d'une caverne.
Nations, l'idéal du peuple qu'on gouverne
C'est le moine d'Espagne ou le fellah du Nil,
À bas l'esprit ! à bas le droit ! vive l'épée !
Qu'est-ce que la pensée ? une chienne échappée.
Mettons Jean-Jacques au bagne et Voltaire au chenil.

« Si l'esprit se débat, toujours nous l'étouffâmes.
Nous parlerons tout bas à l'oreille des femmes.

Nous aurons les pontons, l'Afrique, le Spielberg[1].
Les vieux bûchers sont morts, nous les ferons revivre ;
N'y pouvant jeter l'homme, on y jette le livre :
À défaut de Jean Huss[2], nous brûlons Guttemberg.

« Et quant à la raison, qui prétend juger Rome,
Flambeau qu'allume Dieu sous le crâne de l'homme,
Dont s'éclairait Socrate et qui guidait Jésus,
Nous, pareils au voleur qui se glisse et qui rampe,
Et commence en entrant par éteindre la lampe,
En arrière et furtifs, nous soufflerons dessus.

« Alors dans l'âme humaine obscurité profonde.
Sur le néant des cœurs le vrai pouvoir se fonde.
Tout ce que nous voudrons, nous le ferons sans bruit.
Pas un souffle de voix, pas un battement d'aile
Ne remuera dans l'ombre, et notre citadelle
Sera comme une tour plus noire que la nuit.

« Nous régnerons. La tourbe obéit comme l'onde.
Nous serons tout-puissants, nous régirons le monde ;
Nous posséderons tout : force, gloire et bonheur ;
Et nous ne craindrons rien, n'ayant ni foi ni règles… — »
— Quand vous habiteriez la montagne des aigles,
Je vous arracherais de là, dit le Seigneur !

Jersey, novembre 1852.
[8 novembre 1852.]

---

1. Spielberg, prison d'État autrichienne.
2. Jean Huss (1373-1415), prêtre de Bohême, précurseur de la Réforme, et héros national contre l'empereur ; excommunié et brûlé vif.

VIII

À UN MARTYR

— On lit dans les *Annales de la Propagation de la Foi* :
« Une lettre de Hong Kong (Chine), en date du 24 juillet
1852, nous annonce que M. Bonnard, missionnaire du
Tong-King, a été décapité pour la foi le 1er mai dernier.

« Ce nouveau martyr était né dans le diocèse de Lyon
et appartenait à la Société des Missions étrangères. Il
était parti pour le Tong-King en 1849. »

I

Ô saint prêtre ! grande âme ! oh ! je tombe à genoux !
Jeune, il avait encor de longs jours parmi nous ;
     Il n'en a pas compté le nombre ;
Il était à cet âge où le bonheur fleurit ;
Il a considéré la croix de Jésus-Christ
     Toute rayonnante dans l'ombre.

Il a dit : — « C'est le Dieu de progrès et d'amour.
Jésus, qui voit ton front croit voir le front du jour.
     Christ sourit à qui le repousse.
Puisqu'il est mort pour nous, je veux mourir pour lui.
Dans son tombeau, dont j'ai la pierre pour appui,
     Il m'appelle d'une voix douce.

« Sa doctrine est le ciel entr'ouvert ; par la main,
Comme un père l'enfant, il tient le genre humain ;
     Par lui nous vivons et nous sommes ;

Au chevet des geôliers dormant dans leurs maisons,
Il dérobe les clefs de toutes les prisons
    Et met en liberté les hommes.

« Or il est, loin de nous, une autre humanité
Qui ne le connaît point, et dans l'iniquité
    Rampe enchaînée, et souffre et tombe ;
Ils font pour trouver Dieu de ténébreux efforts ;
Ils s'agitent en vain ; ils sont comme des morts
    Qui tâtent le mur de leur tombe.

« Sans loi, sans but, sans guide, ils errent ici-bas.
Ils sont méchants étant ignorants ; ils n'ont pas
    Leur part de la grande conquête.
J'irai. Pour les sauver, je quitte le saint lieu.
Ô mes frères, je viens vous apporter mon Dieu ;
    Je viens vous apporter ma tête ! » —

Prêtre, il s'est souvenu, calme en nos jours troublés,
De la parole dite aux apôtres : — allez,
    Bravez les bûchers et les claies ! —
Et de l'adieu du Christ au suprême moment :
— Ô vivants, aimez-vous ! aimez. En vous aimant,
    Frères, vous fermerez mes plaies. —

Il s'est dit qu'il est bon d'éclairer dans leur nuit
Ces peuples, égarés loin du progrès qui luit,
    Dont l'âme est couverte de voiles ;
Puis il s'en est allé, dans les vents, dans les flots,
Vers les noirs chevalets et les sanglants billots,
    Les yeux fixés sur les étoiles.

II

Ceux vers qui cet apôtre allait, l'ont égorgé.

III

Oh ! tandis que là-bas, hélas ! chez ces barbares,
S'étale l'échafaud de tes membres chargé,
Que le bourreau, rangeant ses glaives et ses barres,
Frotte au gibet son ongle où ton sang s'est figé ;

Ciel ! tandis que les chiens dans ce sang viennent boire,
Et que la mouche horrible, essaim au vol joyeux,
Comme dans une ruche entre en ta bouche noire
Et bourdonne au soleil dans les trous de tes yeux ;

Tandis qu'échevelée, et sans voix, sans paupières,
Ta tête blême est là sur un infâme pieu,
Livrée aux vils affronts, meurtrie à coups de pierres,
Ici, derrière toi, martyr, on vend ton Dieu !

Ce Dieu qui n'est qu'à toi, martyr, on te le vole !
On le livre à Mandrin, ce Dieu pour qui tu meurs !
Des hommes, comme toi revêtus de l'étole,
Pour être cardinaux, pour être sénateurs,

Des prêtres, pour avoir des palais, des carrosses,
Et des jardins, l'été, riant sous le ciel bleu,
Pour argenter leur mitre et pour dorer leurs crosses,
Pour boire de bon vin assis près d'un bon feu,

Au forban dont la main dans le meurtre est trempée,
Au larron chargé d'or qui paye et qui sourit,
Grand Dieu ! retourne-toi vers nous, tête coupée !
Ils vendent Jésus-Christ ! ils vendent Jésus-Christ !

Ils livrent au bandit, pour quelques sacs sordides,
L'évangile, la loi, l'autel épouvanté,
Et la justice aux yeux sévères et candides,
Et l'étoile du cœur humain, la vérité !

Les bons, jetés, vivants, au bagne, ou morts, aux fleuves,
L'homme juste proscrit par Cartouche Sylla [1],
L'innocent égorgé, le deuil sacré des veuves,
Les pleurs de l'orphelin ; ils vendent tout cela !

Tout ! la foi, le serment que Dieu tient sous sa garde,
Le saint temple où, mourant, tu dis : *Introïbo*,
Ils livrent tout ! pudeur, vertu ! — martyr, regarde,
Rouvre tes yeux qu'emplit la lueur du tombeau, —

Ils vendent l'arche auguste où l'hostie étincelle !
Ils vendent Christ, te dis-je ! et ses membres liés !
Ils vendent la sueur qui sur son front ruisselle,
Et les clous de ses mains, et les clous de ses pieds !

Ils vendent au brigand qui chez lui les attire,
Le grand crucifié sur les hommes penché ;
Ils vendent sa parole, ils vendent son martyre,
Et ton martyre à toi par-dessus le marché !

Tant pour les coups de fouet qu'il reçut à la porte !
César ! tant pour l'amen ! tant pour l'alleluia !
Tant pour la pierre où vint heurter sa tête morte !
Tant pour le drap rougi que sa barbe essuya !

Ils vendent ses genoux meurtris, sa palme verte,
Sa plaie au flanc, son œil tout baigné d'infini,
Ses pleurs, son agonie, et sa bouche entr'ouverte,
Et le cri qu'il poussa, Lamma Sabactani [2] !

Ils vendent le sépulcre ! ils vendent les ténèbres !
Les séraphins chantant au seuil profond des cieux,
Et la mère debout sous l'arbre aux bras funèbres,
Qui, sentant là son fils, ne levait pas les yeux !

1. Sylla (138?-78 av. J.-C.), dictateur romain célèbre pour ses proscriptions.
2. « Pourquoi m'as-tu abandonné ? », cri poussé sur la croix par Jésus s'adressant à son père.

Oui, ces évêques, oui, ces marchands, oui, ces prêtres,
À l'histrion du crime, assouvi, couronné,
À ce Néron repu qui rit parmi les traîtres,
Un pied sur Thraséas, un coude sur Phryné [1],

Au voleur qui tua les lois à coups de crosse,
Au pirate empereur Napoléon dernier,
Ivre deux fois, immonde encor plus que féroce,
Pourceau dans le cloaque et loup dans le charnier,

Ils vendent, ô martyr, le Dieu pensif et pâle
Qui, debout sur la terre et sous le firmament
Triste et nous souriant dans notre nuit fatale
Sur le noir Golgotha saigne éternellement.

Jersey, décembre 1852.
[5/8 décembre 1852.]

---

1. Thraséas, sénateur romain, contraint au suicide par Néron. Phryné, courtisane grecque du IVᵉ siècle avant J.-C., célèbre pour sa beauté.

L'ART ET LE PEUPLE

I

L'art, c'est la gloire et la joie ;
Dans la tempête il flamboie,
Il éclaire le ciel bleu.
L'art, splendeur universelle,
Au front du peuple étincelle
Comme l'astre au front de Dieu.

L'art est un chant magnifique
Qui plaît au cœur pacifique,
Que la cité dit aux bois,
Que l'homme dit à la femme,
Que toutes les voix de l'âme
Chantent en chœur à la fois !

L'art, c'est la pensée humaine
Qui va brisant toute chaîne !
L'art, c'est le doux conquérant !
À lui le Rhin et le Tibre !
Peuple esclave, il te fait libre ;
Peuple libre, il te fait grand !

II

Ô bonne France invincible,
Chante ta chanson paisible !

Chante, et regarde le ciel !
Ta voix joyeuse et profonde
Est l'espérance du monde,
Ô grand peuple fraternel !

Bon peuple, chante à l'aurore !
Quand vient le soir, chante encore !
Le travail fait la gaîté.
Ris du vieux siècle qui passe !
Chante l'amour à voix basse
Et tout haut la liberté !

Chante la sainte Italie,
La Pologne ensevelie,
Naples qu'un sang pur rougit,
La Hongrie agonisante… [1] —
Ô tyrans ! le peuple chante
Comme le lion rugit !

Paris, 6 novembre 1851.
[7 novembre 1851.]

1. Après son succès en 1848, la révolution nationale hongroise fut écrasée en 1849 avec l'aide du tzar Nicolas.

CHANSON

Courtisans ! attablés dans la splendide orgie,
La bouche par le rire et la soif élargie,
Vous célébrez César, très-bon, très-grand, très-pur ;
Vous buvez, apostats à tout ce qu'on révère,
Le chypre à pleine coupe et la honte à plein verre... —
    Mangez, moi je préfère,
    Vérité, ton pain dur.

Boursier qui tonds le peuple, usurier qui le triches,
Gais soupeurs de Chevet, ventrus, coquins et riches,
Amis de Fould [1] le juif et de Maupas le Grec,
Laissez le pauvre en pleurs sous la porte cochère ;
Engraissez-vous, vivez, et faites bonne chère... —
    Mangez, moi je préfère,
    Probité, ton pain sec.

L'opprobre est une lèpre et le crime une dartre.
Soldats qui revenez du boulevard Montmartre,
Le vin, au sang mêlé, jaillit sur vos habits ;
Chantez ! la table emplit l'école militaire,
Le festin fume, on trinque, on boit, on roule à terre... —
    Mangez, moi je préfère,
    Ô gloire, ton pain bis.

1. Achille Fould (1800-1867), ministre des Finances en 1849 et de façon presque continue jusqu'à sa mort.

Ô peuple des faubourgs, je vous ai vu sublime,
Aujourd'hui vous avez, serf grisé par le crime,
Plus d'argent dans la poche, au cœur moins de fierté.
On va, chaîne au cou, rire et boire à la barrière,
Et vive l'empereur ! et vive le salaire !... —
        Mangez, moi je préfère,
        Ton pain noir, liberté !

Jersey, décembre 1852.
[19 décembre 1852.]

XI [1]

I

Oh ! je sais qu'ils feront des mensonges sans nombre
Pour s'évader des mains de la Vérité sombre ;
Qu'ils nieront, qu'ils diront : ce n'est pas moi, c'est lui !
Mais, n'est-il pas vrai, Dante, Eschyle, et vous, prophètes ?

      Jamais, du poignet des poètes,
Jamais, pris au collet, les malfaiteurs n'ont fui.
J'ai fermé sur ceux-ci mon livre expiatoire ;
      J'ai mis des verrous à l'histoire ;
      L'histoire est un bagne aujourd'hui.

Le poète n'est plus l'esprit qui rêve et prie ; —
Il a la grosse clef de la conciergerie.
Quand ils entrent au greffe, où pend leur chaîne au clou,
On regarde le prince aux poches comme un drôle,
      Et les empereurs à l'épaule ; —
Macbeth est un escroc, César est un filou.
Vous gardez des forçats, ô mes strophes ailées !
      Les Calliopes étoilées
      Tiennent des registres d'écrou.

1. Première apparition dans le volume d'une définition de la fonction agissante du poète « verrouillant » l'histoire contemporaine.

Voir *Au fil du texte*, p. XV.

II

Ô peuples douloureux, il faut bien qu'on vous venge !
Les rhéteurs froids m'ont dit : le poète, c'est l'ange ;
Il plane, ignorant Fould, Magnan, Morny, Maupas ;
Il contemple la nuit sereine avec délices… —
      Non, tant que vous serez complices
De ces crimes hideux que je suis pas à pas,
Tant que vous couvrirez ces brigands de vos voiles,
      Cieux azurés, soleils, étoiles,
      Je ne vous regarderai pas !

Tant qu'un gueux forcera les bouches à se taire,
Tant que la liberté sera couchée à terre
Comme une femme morte et qu'on vient de noyer,
Tant que dans les pontons on entendra des râles,
      J'aurai des clartés sépulcrales
Pour tous ces fronts abjects qu'un bandit fait ployer.
Je crierai : lève-toi, peuple ! ciel, tonne et gronde !
      La France, dans sa nuit profonde,
      Verra ma torche flamboyer !

III

Ces coquins vils qui font de la France une Chine,
On entendra mon fouet claquer sur leur échine.
Ils chantent : *Te Deum*, je crierai : *Memento !*
Je fouaillerai les gens, les faits, les noms, les titres,
      Porte-sabres et porte-mitres ;
Je les tiens dans mon vers comme dans un étau.
On verra choir surplis, épaulettes, bréviaires,
      Et César, sous mes étrivières,
      Se sauver, troussant son manteau !

Et les champs, et les prés, le lac, la fleur, la plaine,
Les nuages pareils à des flocons de laine,

L'eau qui fait frissonner l'algue et les goémons,
Et l'énorme Océan, hydre aux écailles vertes,
        Les forêts de rumeurs couvertes,
Le phare sur les flots, l'étoile sur les monts,
Me reconnaîtront bien et diront à voix basse :
        C'est un esprit vengeur qui passe,
        Chassant devant lui les démons !

                              Jersey, novembre 1852.
                              [13 novembre 1852.]

XII

CARTE D'EUROPE

Des sabres sont partout posés sur les provinces.
L'autel ment. On entend ceux qu'on nomme les princes
Jurer, d'un front tranquille et sans baisser les yeux,
De faux serments qui font, tant ils navrent les âmes,
Tant ils sont monstrueux, effroyables, infâmes,
Remuer le tonnerre endormi dans les cieux.

Les soldats ont fouetté des femmes dans les rues.
Où sont la liberté, la vertu ? disparues !
Dans l'exil ! dans l'horreur des pontons étouffants !
Ô nations ! où sont vos âmes les plus belles ?
Le boulet, c'est trop peu contre de tels rebelles ;
Haynau [1] dans les canons met des têtes d'enfants [2].

Peuple russe, tremblant et morne, tu chemines ;
Serf à Saint-Pétersbourg, ou forçat dans les mines.
Le pôle est pour ton maître un cachot vaste et noir ;
Russie et Sibérie, ô czar ! tyran ! vampire !
Ce sont les deux moitiés de ton funèbre empire ;
L'une est l'Oppression, l'autre est le Désespoir.

---

1. Haynau (1786-1853), fils de l'électeur de Hesse, auteur de représailles atroces contre les révolutionnaires italiens et hongrois en 1848-1849.
2. Sac de Brescia. Voir les *Mémoires du général Pépe*.

Les supplices d'Ancône [1] emplissent les murailles.
Le pape Mastaï fusille ses ouailles ;
Il pose là l'hostie et commande le feu.
Simoncelli périt le premier ; tous les autres
Le suivent sans pâlir, tribuns, soldats, apôtres ;
Ils meurent, et s'en vont parler du prêtre à Dieu.

Saint-Père, sur tes mains laisse tomber tes manches !
Saint-Père, on voit du sang à tes sandales blanches !
Borgia te sourit, le pape empoisonneur.
Combien sont morts ? combien mourront ? qui sait le
                                              [nombre ?
Ce qui mène aujourd'hui votre troupeau dans l'ombre,
Ce n'est pas le berger, c'est le boucher, seigneur !

Italie ! Allemagne ! ô Sicile ! ô Hongrie !
Europe, aïeule en pleurs, de misère amaigrie,
Vos meilleurs fils sont morts ; l'honneur sombre est absent.
Au midi l'échafaud, au nord un ossuaire.
La lune chaque nuit se lève en un suaire,
Le soleil chaque soir se couche dans du sang.

Sur les Français vaincus un saint-office pèse.
Un brigand les égorge, et dit : je les apaise.
Paris lave à genoux le sang qui l'inonda ;
La France garrottée assiste à l'hécatombe.
Par les pleurs, par les cris, réveillés dans la tombe,
— Bien ! dit Laubardemont ; — Va ! dit Torquemada [2].

---

1. Ancône, ville forte des États du pape, reconquise par les Autrichiens en 1849 et où Simoncelli fut fusillé en 1852.
2. Laubardemont (1590-1653?), magistrat aux ordres de Richelieu qui fit exécuter Urbain Grandier, Cinq-Mars et de Thou. Voir *Cinq-Mars* de Vigny, (1825).
Torquemada (1420-1498), dominicain, inquisiteur général de Castille en 1483 ; responsable de l'expulsion des juifs d'Espagne, maniaque des supplices et des confiscations. Hugo écrivit en 1862 un drame, *Torquemada*, publié en 1882.

Batthyani, Sandor, Poèrio [1], victimes !
Pour le peuple et le droit en vain nous combattîmes.
Baudin tombe, agitant son écharpe en lambeau ;
Pleurez dans les forêts, pleurez sur les montagnes !
Où Dieu mit des édens les rois mettent des bagnes ;
Venise est une chiourme et Naples est un tombeau.

Le gibet sur Arad ! le gibet sur Palerme [2] !
La corde à ces héros qui levaient d'un bras ferme
Leur drapeau libre et fier devant les rois tremblants !
Tandis qu'on va sacrer l'empereur Schinderhannes [3],
Martyrs, la pluie à flots ruisselle sur vos crânes,
Et le bec des corbeaux fouille vos yeux sanglants.

Avenir ! avenir ! voici que tout s'écroule !
Les pâles rois ont fui, la mer vient, le flot roule,
Peuples ! le clairon sonne aux quatre coins du ciel ;
Quelle fuite effrayante et sombre ! les armées
S'en vont dans la tempête en cendres enflammées,
L'épouvante se lève ; — Allons, dit l'éternel !

Jersey, novembre 1852.
[5 novembre 1852.]

1. Batthyani (1809-1849), président du conseil hongrois en 1848
rallié à Kossuth, fusillé par les Autrichiens.
   Sandor, général hongrois pendu en 1849 à Arad.
   Poèrio (1803-1867), ministre populaire italien en 1848, député
d'opposition en 1849 ; condamné à vingt-quatre ans de travaux forcés,
persécuté ; grâcié en 1859.
   2. Venise, Naples, Palerme, la Hongrie, après une courte indépendance obtenue en 1848, furent reprises par les Autrichiens en 1849.
   3. Schinderhannes, célèbre bandit des bords du Rhin.

XIII

CHANSON

La femelle ? elle est morte.
Le mâle ? un chat l'emporte
Et dévore ses os.
Au doux nid qui frissonne
Qui reviendra ? personne.
Pauvres petits oiseaux !

Le pâtre absent par fraude !
Le chien mort ! le loup rôde,
Et tend ses noirs panneaux ;
Au bercail qui frissonne,
Qui veillera ? personne.
Pauvres petits agneaux !

L'homme au bagne ! la mère
À l'hospice ! ô misère !
Le logis tremble aux vents ;
L'humble berceau frissonne.
Que reste-t-il ? personne.
Pauvres petits enfants !

Jersey, février 1853.
[22 février 1853.]

XIV

C'est la nuit ; la nuit noire, assoupie et profonde.
L'ombre immense élargit ses ailes sur le monde.
Dans vos joyeux palais gardés par le canon,
Dans vos lits de velours, de damas, de linon,
Sous vos chauds couvre-pieds de martres zibelines,
Sous le nuage blanc des molles mousselines,
Derrière vos rideaux qui cachent sous leurs plis
Toutes les voluptés avec tous les oublis,
Aux sons d'une fanfare amoureuse et lointaine,
Tandis qu'une veilleuse, en tremblant, ose à peine
Éclairer le plafond de pourpre et de lampas,
Vous, duc de Saint-Arnaud, vous, comte de Maupas,
Vous, sénateurs, préfets, généraux, juges, princes,
Toi, César, qu'à genoux adorent tes provinces,
Toi qui rêvas l'empire et le réalisas,
Dormez, maîtres... — Voici le jour. Debout, forçats !

Jersey, octobre 1852.
[28 octobre 1852.]

XV

CONFRONTATIONS

Ô cadavres, parlez ! quels sont vos assassins ?
Quelles mains ont plongé ces stylets dans vos seins ?
Toi d'abord, que je vois dans cette ombre apparaître,
Ton nom ? — Religion. — Ton meurtrier ? — Le prêtre.
— Vous, vos noms ? — Probité, Pudeur, Raison, Vertu.
— Et qui vous égorgea ? — L'Église. — Toi, qu'es-tu ?
— Je suis la Foi publique. — Et qui t'a poignardée ?
— Le Serment. — Toi, qui dors de ton sang inondée ?
— Mon nom était Justice. — Et quel est ton bourreau ?
— Le juge. — Et toi, géant, sans glaive en ton fourreau,
Et dont la boue éteint l'auréole enflammée ?
— Je m'appelle Austerlitz. — Qui t'a tué ? — L'armée.

Bruxelles, 5 janvier 1852.
[30 janvier 1853.]

LIVRE II

L'ORDRE EST RÉTABLI

I

IDYLLES

LE SÉNAT

Vibrez, trombone et chanterelle !
Les oiseaux chantent dans les nids.
La joie est chose naturelle.
Que Magnan danse la trénis [1]
Et Saint-Arnaud la pastourelle !

LES CAVES DE LILLE

Miserere !
Miserere !

LE CONSEIL D'ÉTAT

Des lampions dans les charmilles !
Des lampions dans les buissons !
Mêlez-vous, sabres et mantilles !
Chantez en chœur, les beaux garçons !
Dansez en rond, les belles filles !

1. Contredanse.

LES GRENIERS DE ROUEN

Miserere !
Miserere !

LE CORPS LÉGISLATIF

Jouissons ; l'amour nous réclame.
Chacun, pour devenir meilleur,
Cueille son miel, nourrit son âme,
L'abeille aux lèvres de la fleur,
Le sage aux lèvres de la femme !

BRUXELLES, LONDRES, BELLISLE, JERSEY

Miserere !
Miserere !

L'HÔTEL DE VILLE

L'empire se met aux croisées :
Rions, jouons, soupons, dînons.
Des pétards aux Champs-Élysées !
À l'oncle il fallait des canons,
Il faut au neveu des fusées.

LES PONTONS

Miserere !
Miserere !

L'ARMÉE

Pas de scrupules ! pas de morgue !
À genoux ! un bedeau paraît.
Le tambour obéit à l'orgue.
Notre ardeur sort du cabaret
Et notre gloire est à la morgue.

LAMBESSA

Miserere !
Miserere !

LA MAGISTRATURE

Mangeons, buvons, tout le conseille !
Heureux l'ami du raisin mûr,
Qui toujours, riant sous sa treille,
Trouve une grappe sur son mur
Et dans sa cave une bouteille !

CAYENNE

Miserere !
Miserere !

LES ÉVÊQUES

Jupiter l'ordonne, on révère
Le succès, sur le trône assis.
Trinquons ! Le prêtre peu sévère
Vide son âme de soucis
Et de vin vieux emplit son verre !

LE CIMETIÈRE MONTMARTRE

Miserere !
Miserere !

Jersey, avril 1853.
[7 avril 1853.]

II

AU PEUPLE

Partout pleurs, sanglots, cris funèbres.
Pourquoi dors-tu dans les ténèbres ?
Je ne veux pas que tu sois mort.
Pourquoi dors-tu dans les ténèbres ?
Ce n'est pas l'instant où l'on dort.
La pâle liberté gît sanglante à ta porte ?
    Tu le sais, toi mort, elle est morte.
    Voici le chacal sur ton seuil,
    Voici les rats et les belettes,
Pourquoi t'es-tu laissé lier de bandelettes ?
    Ils te mordent dans ton cercueil !
    De tous les peuples on prépare
        Le convoi !... —
    Lazare ! Lazare ! Lazare !
        Lève-toi !

    Paris sanglant, au clair de lune,
    Rêve sur la fosse commune ;
    Gloire au général Trestaillon [1] !
    Plus de presse, plus de tribune.
    Quatre-vingt-neuf porte un bâillon.
La Révolution, terrible à qui la touche,
    Est couchée à terre ! un Cartouche
    Peut ce qu'aucun Titan ne put.
    Escobar rit d'un rire oblique.

1. Jacques Dupont, dit Trestaillon, chef de bande de la Terreur blanche après 1815.

On voit traîner sur toi, Géante République,
    Tous les sabres de Lilliput.
    Le juge, marchand en simarre,
        Vend la loi... —
    Lazare ! Lazare ! Lazare !
        Lève-toi !

    Sur Milan, sur Vienne punie,
    Sur Rome étranglée et bénie,
    Sur Pesth, torturé sans répit,
    La vieille louve Tyrannie,
    Fauve et joyeuse, s'accroupit.
Elle rit ; son repaire est orné d'amulettes ;
    Elle marche sur des squelettes,
    De la Vistule au Tanaro ;
    Elle a ses petits qu'elle couve.
Qui la nourrit ? qui porte à manger à la louve ?
    C'est l'évêque, c'est le bourreau.
    Qui s'allaite à son flanc barbare ?
        C'est le roi... —
    Lazare ! Lazare ! Lazare !
        Lève-toi !

    Jésus parlant à ses apôtres,
    Dit : aimez-vous les uns les autres.
    Et voilà bientôt deux mille ans
    Qu'il appelle nous et les nôtres
    Et qu'il ouvre ses bras sanglants.
Rome commande et règne au nom du doux prophète.
    De trois cercles sacrés est faite
    La tiare du Vatican ;
    Le premier est une couronne,
Le second est le nœud des gibets de Vérone,
    Et le troisième est un carcan.
    Mastaï [1] met cette tiare

1. Mastaï, élu pape sous le nom de Pie IX, en 1846. Il s'enfuit de Rome devant l'insurrection en 1848 et réclama l'intervention de l'étranger. La France, c'est-à-dire Louis Napoléon et Montalembert, envoya le général Oudinot qui entra dans Rome le 5 juillet 1849. Voir « La Vision de Dante ».

Sans effroi… —
Lazare ! Lazare ! Lazare !
Lève-toi !

Ils bâtissent des prisons neuves ;
Ô dormeur sombre, entends les fleuves
Murmurer, teints de sang vermeil ;
Entends pleurer les pauvres veuves,
Ô noir dormeur au dur sommeil !
Martyrs, adieu ! le vent souffle, les pontons flottent ;
Les mères aux fronts gris sanglotent ;
Leurs fils sont en proie aux vainqueurs ;
Elles gémissent sur la route ;
Les pleurs qui de leurs yeux s'échappent goutte à goutte
Filtrent en haine dans nos cœurs.
Les juifs triomphent, groupe avare
Et sans foi… —
Lazare ! Lazare ! Lazare !
Lève-toi !

Mais, il semble qu'on se réveille !
Est-ce toi que j'ai dans l'oreille,
Bourdonnement du sombre essaim ?
Dans la ruche frémit l'abeille ;
J'entends sourdre un vague tocsin.
Les Césars, oubliant qu'il est des gémonies,
S'endorment dans les symphonies
Du lac Baltique au mont Etna ;
Les peuples sont dans la nuit noire ;
Dormez, rois ; le clairon dit aux tyrans : victoire !
Et l'orgue leur chante : hosanna !
Qui répond à cette fanfare ?
Le beffroi… —
Lazare ! Lazare ! Lazare !
Lève-toi !

Jersey, mai 1853.
[9 novembre 1852.]

III

SOUVENIR DE LA NUIT DU 4

L'enfant avait reçu deux balles dans la tête.
Le logis était propre, humble, paisible, honnête ;
On voyait un rameau bénit sur un portrait.
Une vieille grand'mère était là qui pleurait.
Nous le déshabillions en silence. Sa bouche,
Pâle, s'ouvrait ; la mort noyait son œil farouche ;
Ses bras pendants semblaient demander des appuis.
Il avait dans sa poche une toupie en buis.
On pouvait mettre un doigt dans les trous de ses plaies.
Avez-vous vu saigner la mûre dans les haies ?
Son crâne était ouvert comme un bois qui se fend.
L'aïeule regarda déshabiller l'enfant,
Disant : — Comme il est blanc ! approchez donc la lampe !
Dieu ! ses pauvres cheveux sont collés sur sa tempe ! —
Et quand ce fut fini, le prit sur ses genoux.
La nuit était lugubre ; on entendait des coups
De fusil dans la rue où l'on en tuait d'autres.
— Il faut ensevelir l'enfant, dirent les nôtres,
Et l'on prit un drap blanc dans l'armoire en noyer.
L'aïeule cependant l'approchait du foyer
Comme pour réchauffer ses membres déjà roides.
Hélas ! ce que la mort touche de ses mains froides
Ne se réchauffe plus aux foyers d'ici-bas !
Elle pencha la tête et lui tira ses bas,
Et dans ses vieilles mains prit les pieds du cadavre.
— Est-ce que ce n'est pas une chose qui navre,

●◆ Voir *Au fil du texte*, p. XVI.

Cria-t-elle ! monsieur, il n'avait pas huit ans !
Ses maîtres, il allait en classe, étaient contents.
Monsieur, quand il fallait que je fisse une lettre,
C'est lui qui l'écrivait. Est-ce qu'on va se mettre
À tuer les enfants maintenant ? Ah ! mon Dieu !
On est donc des brigands ! Je vous demande un peu,
Il jouait ce matin, là, devant la fenêtre !
Dire qu'ils m'ont tué ce pauvre petit être !
Il passait dans la rue, ils ont tiré dessus.
Monsieur, il était bon et doux comme un Jésus.
Moi, je suis vieille, il est tout simple que je parte ;
Cela n'aurait rien fait à monsieur Bonaparte
De me tuer au lieu de tuer mon enfant ! —
Elle s'interrompit, les sanglots l'étouffant,
Puis elle dit, et tous pleuraient près de l'aïeule :
— Que vais-je devenir à présent toute seule ?
Expliquez-moi cela, vous autres, aujourd'hui.
Hélas ! je n'avais plus de sa mère que lui.
Pourquoi l'a-t-on tué ? je veux qu'on me l'explique.
L'enfant n'a pas crié vive la République. —
Nous nous taisions, debout et graves, chapeau bas,
Tremblant devant ce deuil qu'on ne console pas.

Vous ne compreniez point, mère, la politique.
Monsieur Napoléon, c'est son nom authentique,
Est pauvre et même prince ; il aime les palais ;
Il lui convient d'avoir des chevaux, des valets,
De l'argent pour son jeu, sa table, son alcôve,
Ses chasses ; par la même occasion, il sauve
La famille, l'église et la société ;
Il veut avoir Saint-Cloud, plein de roses l'été,
Où viendront l'adorer les préfets et les maires,
C'est pour cela qu'il faut que les vieilles grand'mères,
De leurs pauvres doigts gris que fait trembler le temps,
Cousent dans le linceul des enfants de sept ans.

Jersey, 2 décembre 1852.
[2 décembre 1852.]

IV

Ô soleil, ô face divine,
Fleurs sauvages de la ravine,
Grottes où l'on entend des voix,
Parfums que sous l'herbe on devine,
Ô ronces farouches des bois,

Monts sacrés, hauts comme l'exemple,
Blancs comme le fronton d'un temple,
Vieux rocs, chêne des ans vainqueur,
Dont je sens, quand je vous contemple,
L'âme éparse entrer dans mon cœur,

Ô vierge forêt, source pure,
Lac limpide que l'ombre azure,
Eau chaste où le ciel resplendit,
Conscience de la nature,
Que pensez-vous de ce bandit ?

Jersey, 2 décembre 1852.
[22 novembre 1852.]

Puisque le juste est dans l'abîme,
Puisqu'on donne le sceptre au crime,
Puisque tous les droits sont trahis,
Puisque les plus fiers restent mornes,
Puisqu'on affiche au coin des bornes
Le déshonneur de mon pays ;

Ô République de nos pères,
Grand Panthéon plein de lumières,
Dôme d'or dans le libre azur,
Temple des ombres immortelles,
Puisqu'on vient avec des échelles
Coller l'empire sur ton mur ;

Puisque toute âme est affaiblie ;
Puisqu'on rampe ; puisqu'on oublie
Le vrai, le pur, le grand, le beau,
Les yeux indignés de l'histoire,
L'honneur, la loi, le droit, la gloire,
Et ceux qui sont dans le tombeau ;

Je t'aime, exil ! douleur, je t'aime !
Tristesse, sois mon diadème.
Je t'aime, altière pauvreté !
J'aime ma porte aux vents battue.
J'aime le deuil, grave statue
Qui vient s'asseoir à mon côté.

J'aime le malheur qui m'éprouve ;
Et cette ombre où je vous retrouve,

Voir *Au fil du texte*, p. XVI.

Ô vous à qui mon cœur sourit,
Dignité, foi, vertu voilée,
Toi, liberté, fière exilée,
Et toi, dévouement, grand proscrit !

J'aime cette île solitaire,
Jersey, que la libre Angleterre
Couvre de son vieux pavillon,
L'eau noire, par moments accrue,
Le navire, errante charrue,
Le flot, mystérieux sillon.

J'aime ta mouette, ô mer profonde,
Qui secoue en perles ton onde
Sur son aile aux fauves couleurs,
Plonge dans les lames géantes,
Et sort de ces gueules béantes
Comme l'âme sort des douleurs !

J'aime la roche solennelle
D'où j'entends la plainte éternelle,
Sans trêve comme le remords,
Toujours renaissant dans les ombres,
Des vagues sur les écueils sombres,
Des mères sur leurs enfants morts !

Jersey, décembre 1852.
[10 décembre 1852.]

VI

L'AUTRE PRÉSIDENT

I

Donc, vieux partis, voilà notre homme consulaire !
Aux jours sereins, quand rien ne nous vient assiéger,
Dogue aboyant, dragon farouche, hydre en colère ;
      Taupe aux jours du danger !

Pour le mettre à leur tête, en nos temps que visite
La tempête, brisant le cèdre et le sapin,
Ils prirent le plus lâche, et n'ayant pas Thersite,
      Ils choisirent Dupin [1].

Tandis que ton bras fort pioche, laboure et bêche,
Ils te trahissaient, peuple, ouvrier souverain ;
Ces hommes opposaient le président Bobèche [2]
      Au président Mandrin.

1. Thersite, soldat troyen de l'*Iliade*, connu pour sa lâcheté, tué par Achille.
Jean-Jacques Dupin (1783-1865), président de l'assemblée législative en 1848 ; il ne fit aucune résistance au coup d'État. Voir « L'autre président », II, 6, « Déjà nommé », IV, 8, et la Note I de Hugo.
2. Bobèche, pitre de parade au boulevard du Temple sous l'Empire et la Restauration.

II

Sa voix aigre sonnait comme une calebasse ;
Ses quolibets mordaient l'orateur au cœur chaud ;
Ils avaient, insensés, mis l'âme la plus basse
      Au faîte le plus haut ;

Si bien qu'un jour, ce fut un dénouement immonde,
Des soldats, sabre au poing, quittant leur noir chevet,
Entrèrent dans ce temple auguste où, pour le monde,
      L'aurore se levait !

Devant l'autel des lois qu'on renverse et qu'on brûle,
Honneur, devoir, criaient à cet homme : — Debout !
Dresse-toi, foudre en main, sur ta chaise curule ! —
      Il plongea dans l'égout.

III

Qu'il y reste à jamais ! qu'à jamais il y dorme !
Que ce vil souvenir soit à jamais détruit !
Qu'il se dissolve là ! qu'il y devienne informe,
      Et pareil à la nuit !

Que, même en l'y cherchant, on le distingue à peine
Dans ce profond cloaque, affreux, morne, béant !
Et que tout ce qui rampe et tout ce qui se traîne
      Se mêle à son néant !

Et que l'histoire un jour ne s'en rende plus compte,
Et dise en le voyant dans la fange étendu :
— On ne sait ce que c'est. C'est quelque vieille honte
      Dont le nom s'est perdu ! —

Oh ! si ces âmes-là par l'enfer sont reçues,
S'il ne les chasse pas dans son amer orgueil,
Poètes qui, portant dans vos mains des massues,
      Gardez ce sombre seuil,

N'est-ce pas ? dans ce gouffre où la justice habite,
Dont l'espérance fuit le flamboyant fronton,
Dites, toi de Patmos lugubre cénobite,
   Toi Dante, toi Milton,

Toi, vieil Eschyle ami des plaintives Électres,
Ce doit être une joie, ô vengeurs des vertus,
De faire souffleter les masques par les spectres,
   Et Dupin par Brutus !

Bruxelles, décembre 1851.
[24 décembre 1852.]

VII

À L'OBÉISSANCE PASSIVE

I

Ô soldats de l'an deux [1] ! ô guerres ! épopées !
Contre les rois tirant ensemble leurs épées,
    Prussiens, Autrichiens,
Contre toutes les Tyrs et toutes les Sodomes,
Contre le tzar du Nord, contre ce chasseur d'hommes
    Suivi de tous ses chiens,

Contre toute l'Europe avec ses capitaines,
Avec ses fantassins couvrant au loin les plaines,
    Avec ses cavaliers,
Tout entière debout comme une hydre vivante,
Ils chantaient, ils allaient, l'âme sans épouvante
    Et les pieds sans souliers !

Au levant, au couchant, partout, au sud, au pôle,
Avec de vieux fusils sonnant sur leur épaule,
    Passant torrents et monts,
Sans repos, sans sommeil, coudes percés, sans vivres,
Ils allaient, fiers, joyeux, et soufflant dans des cuivres
    Ainsi que des démons !

1. C'est-à-dire de 1793.

◆◆ Voir *Au fil du texte*, p. XVI.

La liberté sublime emplissait leurs pensées.
Flottes prises d'assaut, frontières effacées
    Sous leur pas souverain,
Ô France, tous les jours c'était quelque prodige,
Chocs, rencontres, combats ; et Joubert sur l'Adige,
    Et Marceau [1] sur le Rhin !

On battait l'avant-garde, on culbutait le centre ;
Dans la pluie et la neige et de l'eau jusqu'au ventre,
    On allait ! en avant !
Et l'un offrait la paix, et l'autre ouvrait ses portes,
Et les trônes, roulant comme des feuilles mortes,
    Se dispersaient au vent !

Oh ! que vous étiez grands au milieu des mêlées,
Soldats ! l'œil plein d'éclairs, faces échevelées
    Dans le noir tourbillon,
Ils rayonnaient, debout, ardents, dressant la tête ;
Et comme les lions aspirent la tempête
    Quand souffle l'aquilon,

Eux, dans l'emportement de leurs luttes épiques,
Ivres, ils savouraient tous les bruits héroïques,
    Le fer heurtant le fer,
La Marseillaise ailée et volant dans les balles,
Les tambours, les obus, les bombes, les cymbales,
    Et ton rire, ô Kléber !

La Révolution leur criait : — Volontaires,
Mourez pour délivrer tous les peuples vos frères ! —
    Contents, ils disaient oui.
— Allez, mes vieux soldats, mes généraux imberbes ! —
Et l'on voyait marcher ces va-nu-pieds superbes
    Sur le monde ébloui !

1. Joubert et Marceau, généraux de la République comme plus bas
Kléber.

La tristesse et la peur leur étaient inconnues ;
Ils eussent, sans nul doute, escaladé les nues,
    Si ces audacieux,
En retournant les yeux dans leur course olympique,
Avaient vu derrière eux la grande République
    Montrant du doigt les cieux !

II

Oh ! vers ces vétérans quand notre esprit s'élève,
Nous voyons leur front luire et resplendir leur glaive,
    Fertile en grands travaux,
C'étaient là les anciens. Mais ce temps les efface !
France, dans ton histoire ils tiennent trop de place.
    France, gloire aux nouveaux !

Oui, gloire à ceux d'hier ! ils se mettent cent mille,
Sabres nus, vingt contre un, sans crainte, et par la ville
    S'en vont, tambours battants.
À mitraille ! leur feu brille, l'obusier tonne.
Victoire ! ils ont tué, carrefour Tiquetonne [1],
    Un enfant de sept ans !

Ceux-ci sont des héros qui n'ont pas peur des femmes !
Ils tirent sans pâlir, gloire à ces grandes âmes !
    Sur les passants tremblants.
On voit, quand dans Paris leur troupe se promène,
Aux fers de leurs chevaux de la cervelle humaine
    Avec des cheveux blancs !

Ils montent à l'assaut des lois ; sur la patrie
Ils s'élancent ; chevaux, fantassins, batterie,
    Bataillon, escadron,

---

1. Entre la rue Montmartre et la rue Montorgueil, où fut tué « l'enfant de sept ans » dans « La nuit du 4 » (II, 3).

Gorgés, payés, repus, joyeux, fous de colère,
Sonnant la charge, avec Maupas pour vexillaire
    Et Veuillot pour clairon !

Tout, le fer et le plomb, manque à nos bras farouches ;
Le peuple est sans fusils, le peuple est sans cartouches ;
    Braves ! c'est le moment !
Avec quelques tribuns la loi demeure seule.
Derrière vos canons chargés jusqu'à la gueule
    Risquez-vous hardiment !

Ô soldats de décembre ! ô soldats d'embuscades
Contre votre pays ! Honte à vos cavalcades
    Sur Paris consterné !
Vos pères, je l'ai dit, brillaient comme le phare ;
Ils bravaient, en chantant une haute fanfare,
    La mort, spectre étonné ;

Vos pères combattaient les plus fières armées,
Le Prussien blond, le Russe aux foudres enflammées,
    Le Catalan bruni ;
Vous, vous tuez des gens de bourse et de négoce !
Vos pères, ces géants, avaient pris Saragosse ;
    Vous prenez Tortoni [1] !

Histoire, qu'en dis-tu ? les vieux dans les batailles
Couraient sur les canons vomissant les mitrailles ;
    Ceux-ci vont, sans trembler,
Foulant aux pieds vieillards sanglants, femmes mourantes,
Droit au crime. Ce sont deux façons différentes
    De ne pas reculer.

III

Cet homme fait venir, à l'heure où la nuit voile
    Paris dormant encor,

---

1. Célèbre café du boulevard des Italiens.

Des généraux français portant la triple étoile
        Sur l'épaulette d'or ;

Il leur dit : — « Écoutez, pour vos yeux seuls j'écarte
        L'ombre que je répands ;
Vous crûtes jusqu'ici que j'étais Bonaparte,
        Mon nom est Guet-apens.

C'est demain le grand jour, le jour des funérailles
        Et le jour des douleurs.
Vous allez vous glisser sans bruit sous les murailles
        Comme font les voleurs ;

Vous prendrez cette pince, à mon service usée,
        Que je cache sur moi,
Et vous soulèverez avec une pesée
        La porte de la loi ;

Puis, hourrah ! sabre au vent, et la police en tête !
        Et main-basse sur tout,
Sur vos chefs africains, sur quiconque est honnête,
        Sur quiconque est debout,

Sur les représentants, et ceux qu'ils représentent,
        Sur Paris terrassé !
Et je vous paierai bien ! » — Ces généraux consentent ;
        Vidocq [1] eût refusé.

                            IV

        Maintenant, largesse au prétoire !
        Trinquez, soldats ! et depuis quand
        A-t-on peur de rire et de boire ?
        Fête aux casernes ! fête au camp !

1. Vidocq (1775-1857), bagnard mis à la tête d'une brigade de police en 1809 ; indicateur sous la monarchie de Juillet. Il publia ses *Mémoires* en 1828 et inspira Balzac (Vautrin) aussi bien que Hugo (*Les Misérables*).

L'orgie a rougi leur moustache,
Les rouleaux d'or gonflent leur sac ;
Pour capitaine ils ont Gamache,
Ils ont Cocagne [1] pour bivouac.

La bombance après l'équipée.
On s'attable. Hier on tua,
Ô Napoléon, ton épée
Sert de broche à Gargantua.

Le meurtre est pour eux la victoire ;
Leur œil, par l'ivresse endormi,
Prend le déshonneur pour la gloire
Et les Français pour l'ennemi.

France, ils t'égorgèrent la veille.
Ils tiennent, c'est leur lendemain,
Dans une main une bouteille
Et la tête dans l'autre main.

Ils dansent en rond, noirs quadrilles,
Comme des gueux dans le ravin ;
Troplong leur amène des filles,
Et Sibour leur verse du vin.

Et leurs banquets sans fin ni trêves
D'orchestres sont environnés… —
Nous faisions pour vous d'autres rêves,
Ô nos soldats infortunés !

Nous rêvions pour vous l'âpre bise,
La neige au pied du noir sapin,
La brèche où la bombe se brise,
Les nuits sans feu, les jours sans pain.

---

1. Gamache, riche paysan dans *Don Quichotte* qui offre un repas pan-tagruélique. Le pays de Cocagne est une utopie de l'abondance.

Nous rêvions les marches forcées,
La faim, le froid, les coups hardis,
Les vieilles capotes usées,
Et la victoire un contre dix !

Nous rêvions, ô soldats esclaves,
Pour vous et pour vos généraux,
La sainte misère des braves,
La grande tombe des héros !

Car l'Europe en ses fers soupire,
Car dans les cœurs un ferment bout,
Car voici l'heure où Dieu va dire :
Chaînes, tombez ! Peuples, debout !

L'histoire ouvre un nouveau registre ;
Le penseur, amer et serein,
Derrière l'horizon sinistre
Entend rouler des chars d'airain.

Un bruit profond trouble la terre ;
Dans les fourreaux s'émeut l'acier ;
Ce vent qui souffle sort, ô guerre,
Des naseaux de ton noir coursier !

Vers l'heureux but où Dieu nous mène,
Soldats ! rêveurs, nous vous poussions,
Tête de la colonne humaine,
Avant-garde des nations !

Nous rêvions, bandes aguerries,
Pour vous, fraternels conquérants,
La grande guerre des patries,
La chute immense des tyrans !

Nous réservions notre effort juste,
Vos fiers tambours, vos rangs épais,
Soldats, pour cette guerre auguste
D'où sortira l'auguste paix !

Dans nos songes visionnaires,
Nous vous voyions, ô nos guerriers,
Marcher joyeux dans les tonnerres,
Courir sanglants dans les lauriers,

Sous la fumée et la poussière
Disparaître en noirs tourbillons,
Puis tout à coup dans la lumière
Surgir, radieux bataillons,

Et passer, légion sacrée
Que les peuples venaient bénir,
Sous la haute porte azurée
De l'éblouissant avenir !

V

Donc les soldats français auront vu, jours infâmes !
Après Brune et Desaix, après ces grandes âmes
        Que nous admirons tous,
Après Turenne, après Saintraille, après Lahire,
Poulailler[1] leur donner des drapeaux et leur dire :
        Je suis content de vous !

Ô drapeaux du passé, si beaux dans les histoires,
Drapeaux de tous nos preux et de toutes nos gloires,
        Redoutés du fuyard,
Percés, troués, criblés, sans peur et sans reproche,
Vous qui, dans vos lambeaux mêlez le sang de Hoche
        Et le sang de Bayard,

1. Brune, maréchal de Napoléon Ier, Desaix, officier d'ancien régime rallié à la Révolution, puis à l'Empire ; Turenne, maréchal sous Louis XIV.
Saintraille et Lahire, compagnons de Jeanne d'Arc.
Poulailler, voleur pendu à Paris en 1785, surnom de Louis Napoléon.

Ô vieux drapeaux ! sortez des tombes, des abîmes !
Sortez en foule, ailés de vos haillons sublimes.
     Drapeaux éblouissants !
Comme un sinistre essaim qui sur l'horizon monte,
Sortez, venez, volez, sur toute cette honte
     Accourez frémissants !

Délivrez nos soldats de ces bannières viles !
Vous qui chassiez les rois, vous qui preniez les villes,
     Vous en qui l'âme croit,
Vous qui passiez les monts, les gouffres et les fleuves,
Drapeaux sous qui l'on meurt, chassez ces aigles neuves
     Drapeaux sous qui l'on boit !

Que nos tristes soldats fassent la différence !
Montrez-leur ce que c'est que les drapeaux de France,
     Montrez vos sacrés plis
Qui flottaient sur le Rhin, sur la Meuse et la Sambre,
Et faites, ô drapeaux, auprès du Deux-décembre
     Frissonner Austerlitz !

VI

Hélas ! tout est fini ! fange ! néant ! nuit noire !
Au-dessus de ce gouffre où croula notre gloire,
     Flamboyez, noms maudits !
Maupas, Morny, Magnan, Saint-Arnaud, Bonaparte !
Courbons nos fronts ! Gomorrhe a triomphé de Sparte !
     Cinq hommes ! cinq bandits !

Toutes les nations tour à tour sont conquises :
L'Angleterre, pays des antiques franchises,
     Par les vieux Neustriens [1],

1. Normands.

Rome par Alaric, par Mahomet Byzance,
La Sicile par trois chevaliers [1], et la France
        Par cinq galériens !

Soit. Régnez ! emplissez de dégoût la pensée,
Notre-Dame d'encens, de danses l'Élysée,
        Montmartre d'ossements.
Régnez ! liez ce peuple, à vos yeux populace,
Liez Paris, liez la France à la culasse
        De vos canons fumants !

VII

Quand sur votre poitrine il jeta sa médaille,
Ses rubans et sa croix, après cette bataille
        Et ce coup de lacet,
Ô soldats dont l'Afrique avait hâlé la joue,
N'avez-vous donc pas vu que c'était de la boue
        Qui vous éclaboussait ?

Oh ! quand je pense à vous, mon œil se mouille encore !
Je vous pleure, soldats ! je pleure votre aurore,
        Et ce qu'elle promit.
Je pleure ! car la gloire est maintenant voilée,
Car il est parmi vous plus d'une âme accablée
        Qui songe et qui frémit !

Ô soldats, nous aimions votre splendeur première,
Fils de la république et fils de la chaumière,
        Que l'honneur échauffait,
Pour servir ce bandit qui dans leur sang se vautre,
Hélas ! pour trahir l'une et déshonorer l'autre,
        Que vous ont-elles fait ?

1. Alaric (370?-410), roi des Wisigoths qui pilla Rome en 410. Mahomet II s'empara de Constantinople en 1453. Les trois fils aînés du seigneur normand Tancrède de Hauteville avaient conquis une partie de la Sicile en 1036.

Après qui marchez-vous, ô légion trompée ?
L'homme à qui vous avez prostitué l'épée,
    Ce criminel flagrant,
Cet aventurier vil en qui vous semblez croire,
Sera Napoléon-le-Petit dans l'histoire
    Ou Cartouche-le-Grand.

Armée ! ainsi ton sabre a frappé par derrière
Le serment, le devoir, la loyauté guerrière,
    Le droit au vent jeté,
La révolution sur ce grand siècle empreinte,
Le progrès, l'avenir, la république sainte,
    La sainte liberté,

Pour qu'il puisse asservir ton pays que tu navres,
Pour qu'il puisse s'asseoir sur tous ces grands cadavres,
    Lui, ce nain tout-puissant,
Qui préside l'orgie immonde et triomphale,
Qui cuve le massacre et dont la gorge exhale
    L'affreux hoquet du sang !

VIII

Ô Dieu, puisque voilà ce qu'a fait cette armée,
Puisque, comme une porte est barrée et fermée,
    Elle est sourde à l'honneur,
Puisque tous ces soldats rampent sans espérance,
Et puisque dans le sang ils ont éteint la France,
    Votre flambeau, seigneur !

Puisque la conscience en deuil est sans refuge ;
Puisque le prêtre assis dans la chaire, et le juge
    D'hermine revêtu,
Adorent le succès, seul vrai, seul légitime,
Et disent qu'il vaut mieux réussir par le crime
    Que choir par la vertu ;

Puisque les âmes sont pareilles à des filles ;
Puisque ceux-là sont morts qui brisaient les bastilles,
    Ou bien sont dégradés ;
Puisque l'abjection aux conseils misérables,
Sortant de tous les cœurs, fait les bouches semblables
    Aux égouts débordés ;

Puisque l'honneur décroît pendant que César monte ;
Puisque dans ce Paris on n'entend plus, ô honte,
    Que des femmes gémir ;
Puisqu'on n'a plus de cœur devant les grandes tâches ;
Puisque les vieux faubourgs, tremblant comme des lâches,
    Font semblant de dormir ;

Ô Dieu vivant, mon Dieu ! prêtez-moi votre force,
Et, moi qui ne suis rien, j'entrerai chez ce Corse
    Et chez cet inhumain ;
Secouant mon vers sombre et plein de votre flamme,
J'entrerai là, seigneur, la justice dans l'âme
    Et le fouet à la main ;

Et, retroussant ma manche ainsi qu'un belluaire,
Seul, terrible, des morts agitant le suaire
    Dans ma sainte fureur,
Pareil aux noirs vengeurs devant qui l'on se sauve,
J'écraserai du pied l'antre et la bête fauve,
    L'empire et l'empereur !

Jersey, janvier 1853.
[7/13 janvier 1853.]

LIVRE III

LA FAMILLE EST RESTAURÉE

I

APOTHÉOSE

Méditons ! Il est bon que l'esprit se repaisse
De ces spectacles-là. L'on n'était qu'une espèce
De perroquet ayant un grand nom pour perchoir ;
Pauvre diable de prince, usant son habit noir,
Auquel mil-huit-cent-quinze avait coupé les vivres.
On n'avait pas dix sous, on emprunte cinq livres.
Maintenant remarquons l'échelle, s'il vous plaît :
De l'écu de cinq francs on s'élève au billet
Signé Garat [1] ; bravo ! puis du billet de banque
On grimpe au million, rapide saltimbanque ;
Le million gobé fait mordre au milliard.
On arrive au lingot en partant du liard.
Puis carrosses, palais, bals, festins, opulence ;
On s'attable au pouvoir et l'on mange la France.
C'est ainsi qu'un filou devient homme d'État.

Qu'a-t-il fait ? un délit ? fi donc ! un attentat ;
Un grand acte, un massacre, un admirable crime

1. Jusqu'en 1848, les grosses coupures portent la signature de ce
secrétaire général à la Banque de France.

Auquel la Haute-cour prête serment. L'abîme
Se referme en poussant un grognement bourru.
La Révolution sous terre a disparu
En laissant derrière elle une senteur de soufre.
Romieu [1] montre la trappe et dit : voyez le gouffre !
Vivat Mascarillus [2] ! roulement de tambours.
On tient sous le bâton parqués dans les faubourgs
Les ouvriers ainsi que des noirs dans leurs cases ;
Paris sur ses pavés voit neiger les ukases ;
La Seine devient glace autant que la Néva.
Quant au maître, il triomphe ; il se promène, va
De préfet en préfet, vole de maire en maire,
Orné du deux-décembre et du dix-huit brumaire,
Bombardé de bouquets, voituré dans des chars,
Laid, joyeux, salué par des chœurs de mouchards.
Puis il rentre empereur au Louvre, il parodie
Napoléon, il lit l'histoire, il étudie
L'honneur et la vertu dans Alexandre six [3] ;
Il s'installe au palais du spectre Médicis ;
Il quitte par moments sa pourpre ou sa casaque,
Flâne autour du bassin en pantalon cosaque,
Et riant, et, semant les miettes sur ses pas,
Donne aux poissons le pain que les proscrits n'ont pas.
La caserne l'adore, on le bénit au prône ;
L'Europe est sous ses pieds et tremble sous son trône ;
Il règne par la mître et par le hausse-col.
Ce trône a trois degrés : parjure, meurtre et vol.

Ô Carrare ! ô Paros ! ô marbres pentéliques !
Ô tous les vieux héros des vieilles républiques !
Ô tous les dictateurs de l'empire latin !
Le moment est venu d'admirer le destin,
Voici qu'un nouveau dieu monte au fronton du temple.
Regarde, peuple, et toi, froide histoire, contemple.

---

1. Auguste Romieu (1800-1855) auteur dramatique. Partisan de
l'Empire, nommé directeur des Beaux-Arts en 1852.
2. « Vivat Mascarillus, fourbum imperator », *L'Étourdi*, III, 8.
3. Alexandre VI Borgia, pape en 1492, type du tyran.

Tandis que nous, martyrs du droit, nous expions,
Avec les Périclès, avec les Scipions,
Sur les frises où sont les Victoires aptères,
Au milieu des Césars traînés par des panthères,
Vêtus de pourpre et ceints du laurier souverain,
Parmi les aigles d'or et les louves d'airain,
Comme un astre apparaît parmi ses satellites,
Voici qu'à la hauteur des empereurs stylites,
Entre Auguste à l'œil calme et Trajan au front pur,
Resplendit, immobile en l'éternel azur,
Sur vous, ô panthéons, sur vous, ô propylées,
Robert Macaire [1] avec ses bottes éculées !

Jersey, décembre 1852.
[31 janvier 1853.]

---

1. Forban, héros de *L'Auberge des Adrets*, mélodrame joué en 1822, dans lequel Frédéric Lemaître obtint un triomphe ; il accentua le côté cynique du personnage dans la pièce qu'il composa ensuite avec les auteurs de *L'Auberge*, *Robert Macaire*, jouée en 1834 ; le scélérat de mélodrame y devient un homme d'affaires louche. Le rapprochement avec Louis Napoléon avait été souvent effectué.

II

L'HOMME A RI

« M. Victor Hugo vient de publier à Bruxelles un livre qui a pour titre : *Napoléon le petit*, et qui renferme les calomnies les plus odieuses contre le prince-président.

« On raconte, qu'un des jours de la semaine dernière, un fonctionnaire apporta ce libelle à Saint-Cloud. Lorsque Louis Napoléon le vit, il le prit, l'examina, un instant avec le sourire du mépris sur les lèvres ; puis, s'adressant aux personnes qui l'entouraient, il dit, en leur montrant le pamphlet : "Voyez, messieurs, voici Napoléon-le-petit, par Victor Hugo-le-grand." »

Journaux Élyséens, août 1852.

Ah ! tu finiras bien par hurler, misérable !
Encor tout haletant de ton crime exécrable,
Dans ton triomphe abject, si lugubre et si prompt,
Je t'ai saisi. J'ai mis l'écriteau sur ton front ;
Et maintenant la foule accourt et te bafoue.
Toi, tandis qu'au poteau le châtiment te cloue,
Que le carcan te force à lever le menton,
Tandis que, de ta veste arrachant le bouton,
L'histoire à mes côtés met à nu ton épaule,
Tu dis : je ne sens rien ! et tu nous railles, drôle,
Ton rire sur mon nom gaîment vient écumer ;
Mais je tiens le fer rouge et vois ta chair fumer.

Jersey, août 1852.
[30 octobre 1852.]

III

FABLE OU HISTOIRE

Un jour, maigre et sentant un royal appétit,
Un singe d'une peau de tigre se vêtit.
Le tigre avait été méchant, lui, fut atroce.
Il avait endossé le droit d'être féroce.
Il se mit à grincer des dents, criant : je suis
Le vainqueur des halliers, le roi sombre des nuits !
Il s'embusqua, brigand des bois, dans les épines ;
Il entassa l'horreur, le meurtre, les rapines,
Égorgea les passants, dévasta la forêt,
Fit tout ce qu'avait fait la peau qui le couvrait.
Il vivait dans un antre, entouré de carnage.
Chacun, voyant la peau, croyait au personnage.
Il s'écriait, poussant d'affreux rugissements :
Regardez, ma caverne est pleine d'ossements ;
Devant moi tout recule et frémit, tout émigre,
Tout tremble ; admirez-moi, voyez, je suis un tigre !
Les bêtes l'admiraient, et fuyaient à grands pas.
Un belluaire vint, le saisit dans ses bras,
Déchira cette peau comme on déchire un linge,
Mit à nu ce vainqueur, et dit : tu n'es qu'un singe.

Jersey, septembre 1852.
[6 novembre 1852.]

◆◆ Voir *Au fil du texte*, p. XVI.

IV

Ainsi les plus abjects, les plus vils, les plus minces
Vont régner ! ce n'était pas assez des vrais princes
Qui de leur sceptre d'or insultent le ciel bleu,
Et sont rois et méchants par la grâce de Dieu !
Quoi ! tel gueux qui, pourvu d'un titre en bonne forme,
A pour toute splendeur sa bâtardise énorme,
Tel enfant du hasard, rebut des échafauds,
Dont le nom fut un vol et la naissance un faux,
Tel bohême pétri de ruse et d'arrogance,
Tel intrus entrera dans le sang de Bragance,
Dans la maison d'Autriche ou dans la maison d'Est,
Grâce à la fiction légale *is pater est*,
Criera : je suis Bourbon, ou : je suis Bonaparte,
Mettra cyniquement ses deux poings sur la carte,
Et dira : c'est à moi ! je suis le grand vainqueur !
Sans que les braves gens, sans que les gens de cœur
Rendent à Curtius [1] ce monarque de cire !
Et, quand je dis : faquin ! l'écho répondra : Sire !
Quoi ! ce royal croquant, ce maraud couronné,
Qui, d'un boulet de quatre à la cheville orné,
Devrait dans un ponton pourrir à fond de cale,
Cette altesse en ruolz, ce prince en chrysocale,
Se fait devant la France, horrible, ensanglanté,
Donner de l'empereur et de la majesté,
Il trousse sa moustache en croc et la caresse,
Sans que sous les soufflets sa face disparaisse,
Sans que, d'un coup de pied l'arrachant à Saint-Cloud,

---

1. Curtius, Allemand qui lança à Paris vers 1770 la mode des cabinets
(collection de compositions) de cire.

On le jette au ruisseau, dût-on salir l'égout !
— Paix, disent cent crétins ! c'est fini. Chose faite.
Le Trois-pour-cent est Dieu, Mandrin est son prophète.
Il règne. Nous avons voté ! *Vox populi* [1]. —
Oui, je comprends, l'opprobre est un fait accompli.
Mais qui donc a voté ? Mais qui donc tenait l'urne ?
Mais qui donc a vu clair dans ce scrutin nocturne ?
Où donc était la loi dans ce tour effronté ?
Où donc la nation ? où donc la liberté ?
Ils ont voté !
          Troupeau que la peur mène paître
Entre le sacristain et le garde-champêtre,
Vous qui, pleins de terreur, voyez, pour vous manger,
Pour manger vos maisons, vos bois, votre verger,
Vos meules de luzerne et vos pommes à cidre,
S'ouvrir tous les matins les mâchoires d'une hydre ;
Braves gens qui croyez en vos foins, et mettez
De la religion dans vos propriétés ;
Âmes que l'argent touche et que l'or fait dévotes ;
Maires narquois, traînant vos paysans aux votes ;
Marguilliers au regard vitreux ; curés camus
Hurlant à vos lutrins : *dæmonem laudamus* ;
Sots, qui vous courroucez comme flambe une bûche ;
Marchands dont la balance incorrecte trébuche ;
Vieux bonshommes crochus, hiboux hommes d'État,
Qui déclarez, devant la fraude et l'attentat,
La tribune fatale et la presse funeste ;
Fats qui, tout effrayés de l'esprit, cette peste,
Criez, quoique à l'abri de la contagion ;
Voltairiens, viveurs, fervente légion,
Saints gaillards, qui jetez dans la même gamelle
Dieu, l'orgie et la messe, et prenez pêle-mêle
La défense du ciel et la taille à Goton ;
Bons dos, qui vous courbez, adorant le bâton ;
Contemplateurs béats des gibets de l'Autriche ;
Gens de bourse effarés qui trichez et qu'on triche ;

---

1. Les composantes du drame : la Bourse et le vote. Voir *Napoléon-le-Petit*, VI et III, 7.

Invalides, lions transformés en toutous ;
Niais pour qui cet homme est un sauveur ; vous tous
Qui vous ébahissez, bestiaux de Panurge,
Aux miracles que fait Cartouche thaumaturge ;
Noircisseurs de papier timbré, planteurs de choux,
Est-ce que vous croyez que la France, c'est vous,
Que vous êtes le peuple, et que jamais vous eûtes
Le droit de nous donner un maître, ô tas de brutes !

Ce droit, sachez-le bien, chiens du berger Maupas,
Et la France et le peuple eux-mêmes ne l'ont pas.
L'altière Vérité jamais ne tombe en cendre.
La Liberté n'est pas une guenille à vendre,
Jetée au tas, pendue au clou chez un fripier.
Quand un peuple se laisse au piège estropier,
Le droit sacré, toujours à soi-même fidèle,
Dans chaque citoyen trouve une citadelle ;
On s'illustre en bravant un lâche conquérant,
Et le moindre du peuple en devient le plus grand.
Donc, trouvez du bonheur, ô plates créatures,
À vivre dans la fange et dans les pourritures,
Adorez ce fumier sous ce dais de brocart,
L'honnête homme recule et s'accoude à l'écart.
Dans la chute d'autrui je ne veux pas descendre.
L'honneur n'abdique point. Nul n'a droit de me prendre
Ma liberté, mon bien, mon ciel bleu, mon amour.
Tout l'univers aveugle est sans droit sur le jour.
Fût-on cent millions d'esclaves, je suis libre.
Ainsi parle Caton. Sur la Seine ou le Tibre,
Personne n'est tombé tant qu'un seul est debout.
Le vieux sang des aïeux qui s'indigne et qui bout,
La vertu, la fierté, la justice, l'histoire,
Toute une nation avec toute sa gloire
Vit dans le dernier front qui ne veut pas plier.
Pour soutenir le temple il suffit d'un pilier ;
Un Français, c'est la France ; un Romain contient Rome,
Et ce qui brise un peuple avorte aux pieds d'un homme.

Jersey, novembre 1852.
[4 mai 1853.]

V

QUERELLES DU SÉRAIL

Ciel ! après tes splendeurs qui rayonnaient naguères,
Liberté sainte ; après toutes ces grandes guerres,
    Tourbillon inouï ;
Après ce Marengo qui brille sur la carte,
Et qui ferait lâcher le premier Bonaparte
    A Tacite ébloui ;

Après ces messidors, ces prairials, ces frimaires,
Et tant de préjugés, d'hydres et de chimères,
    Terrassés à jamais ;
Après le sceptre en cendre et la Bastille en poudre,
Le trône en flamme ; après tous ces grands coups de foudre
    Sur tous ces grands sommets ;

Après tous ces géants, après tous ces colosses,
S'acharnant, malgré Dieu, comme d'ardents molosses,
    Quand Dieu disait : va-t'en !
Après ton océan, République Française,
Où nos pères ont vu passer Quatre-vingt-treize
    Comme Léviathan ;

Après Danton, Saint-Just et Mirabeau, ces hommes,
Ces titans — aujourd'hui, cette France où nous sommes !
    Contemple l'embryon !
L'infiniment petit, monstrueux et féroce !
Et, dans la goutte d'eau, les guerres du volvoce
    Contre le vibrion !

Honte ! France, aujourd'hui, voici ta grande affaire :
Savoir si c'est Maupas ou Morny qu'on préfère,
  Là-haut, dans le palais ;
Tous deux ont sauvé l'ordre et sauvé les familles ;
Lequel l'emportera ? l'un a pour lui les filles,
  Et l'autre, les valets.

Bruxelles, janvier 1852.
[Fin janvier 1852 ou 1853?]

VI

ORIENTALE

Lorsque Abd-el-Kader [1] dans sa geôle
Vit entrer l'homme aux yeux étroits
Que l'histoire appelle — ce drôle, —
Et Troplong — Napoléon trois ; —

Qu'il vit venir, de sa croisée,
Suivi du troupeau qui le sert,
L'homme louche de l'Élysée, —
Lui, l'homme fauve du désert ;

Lui, le sultan né sous les palmes,
Le compagnon des lions roux,
Le hadji farouche aux yeux calmes,
L'émir pensif, féroce et doux,

Lui, sombre et fatal personnage
Qui, spectre pâle au blanc burnous,
Bondissait, ivre de carnage,
Puis tombait dans l'ombre à genoux ;

Qui, de sa tente ouvrant les toiles,
Et priant au bord du chemin,
Tranquille, montrait aux étoiles
Ses mains teintes de sang humain ;

1. Abd El-Kader s'était rendu en 1847 ; Louis Napoléon le libéra en octobre 1852.

Qui donnait à boire aux épées,
Et qui, rêveur mystérieux,
Assis sur des têtes coupées,
Contemplait la beauté des cieux ;

Voyant ce regard fourbe et traître,
Ce front bas de honte obscurci,
Lui, le beau soldat, le beau prêtre,
Il dit : quel est cet homme-ci ?

Devant ce vil masque à moustaches,
Il hésita ; mais on lui dit :
« — Regarde, émir, passer les haches ;
Cet homme, c'est César bandit.

Écoute ces plaintes amères
Et cette clameur qui grandit.
Cet homme est maudit par les mères,
Par les femmes il est maudit ;

Il les fait veuves, il les navre ;
Il prit la France et la tua,
Il ronge à présent son cadavre. »
Alors le hadji salua.

Mais au fond toutes ses pensées
Méprisaient le sanglant gredin ;
Le tigre aux narines froncées
Flairait ce loup avec dédain.

Jersey, novembre 1852.
[20 novembre 1852.]

VII

UN BON BOURGEOIS DANS SA MAISON

« Mais que je suis donc heureux d'être né en Chine ! Je possède une maison pour m'abriter, j'ai de quoi manger et boire, j'ai toutes les commodités de l'existence, j'ai des habits, des bonnets et une multitude d'agréments ; en vérité la félicité la plus grande est mon partage ! »

Tien-Ki-Chi, *lettré chinois.*

Il est certains bourgeois, prêtres du Dieu Boutique,
Plus voisins de Chrysès [1] que de Caton d'Utique,
Mettant par-dessus tout la rente et le coupon,
Qui, voguant à la bourse et tenant un harpon,
Honnêtes gens d'ailleurs, mais de la grosse espèce,
Acceptent Phalaris [2] par amour pour leur caisse ;
Et le taureau d'airain à cause du veau d'or.
Ils ont voté. Demain ils voteront encor.
Si quelque libre écrit entre leurs mains s'égare,
Les pieds sur les chenets et fumant son cigare,
Chacun de ces votants tout bas raisonne ainsi :
— Ce livre est fort choquant. De quel droit celui-ci
Est-il généreux, ferme et fier, quand je suis lâche ?
En attaquant monsieur Bonaparte, on me fâche.
Je pense comme lui que c'est un gueux ; pourquoi
Le dit-il ? Soit ; d'accord, Bonaparte est sans foi
Ni loi ; c'est un parjure, un brigand, un faussaire,
C'est vrai ; sa politique est armée en corsaire ;

1. En grec, le mot évoque l'or.
2. Tyran de Syracuse, VIe siècle av. J.-C., qui faisait cuire ses victimes dans un taureau de bronze.

Il a banni jusqu'à des juges suppléants ;
Il a coupé leur bourse aux princes d'Orléans ;
C'est le pire gredin qui soit sur cette terre ;
Mais puisque j'ai voté pour lui, l'on doit se taire.
Écrire contre lui, c'est me blâmer au fond ;
C'est me dire : voilà comment les braves font ;
Et c'est une façon, à nous qui restons neutres,
De nous faire sentir que nous sommes des pleutres.
J'en conviens, nous avons une corde au poignet.
Que voulez-vous ? la bourse allait mal ; on craignait
La république rouge, et même un peu la rose ;
Il fallait bien finir par faire quelque chose ;
On trouve ce coquin, on le fait empereur ;
C'est tout simple. — On voulait éviter la terreur,
Le spectre de monsieur Romieu, la jacquerie ;
On s'est réfugié dans cette escroquerie.
Or, quand on dit du mal de ce gouvernement,
Je me sens chatouillé désagréablement.
Qu'on fouaille avec raison cet homme, c'est possible ;
Mais c'est m'insinuer à moi, bourgeois paisible
Qui fis ce scélérat empereur ou consul
Que j'ai dit oui par peur et vivat par calcul.
Je trouve impertinent, parbleu, qu'on me le dise.
M'étant enseveli dans cette couardise,
Il me déplaît qu'on soit intrépide aujourd'hui,
Et je tiens pour affront le courage d'autrui. —

Penseurs, quand vous marquez au front l'homme punique
Qui de la loi sanglante arracha la tunique,
Quand vous vengez le peuple à la gorge saisi,
Le serment et le droit ; vous êtes, songez-y,
Entre Sbogar [1] qui règne et Géronte qui vote ;
Et votre plume ardente, anarchique, indévote,
Démagogique, impie, attente d'un côté
À ce crime ; de l'autre, à cette lâcheté.

Jersey, novembre 1852.
[Novembre 1852/janvier 1853.]

1. Jean Sbogar, bandit qui donna son nom au roman de Charles
Nodier (1818).

VIII

SPLENDEUR

I

À présent que c'est fait, dans l'avilissement
Arrangeons-nous chacun notre compartiment ;
Marchons d'un air auguste et fier ; la honte est bue.
Que tout à composer cette cour contribue,
Tout, excepté l'honneur, tout, hormis les vertus.
Faites vivre, animez, envoyez vos fœtus
Et vos nains monstrueux, bocaux d'anatomie ;
Donne ton crocodile et donne ta momie,
Vieille Égypte ; donnez, tapis-francs, vos filous ;
Shakespeare, ton Falstaff ; noires forêts, vos loups ;
Donne, ô bon Rabelais, ton Grandgousier qui mange ;
Donne ton diable, Hoffmann ; Veuillot, donne ton ange ;
Scapin, apporte-nous Géronte dans ton sac ;
Beaumarchais, prête-nous Bridoison ; que Balzac
Donne Vautrin ; Dumas, la Carchonte [1] ; Voltaire,
Son Frélon [2] que l'argent fait parler et fait taire ;
Mabile [3], les beautés de son jardin d'hiver ;
Lesage, cède-nous Gil Blas ; que Gulliver
Donne tout Lilliput dont l'aigle est une mouche,
Et Scarron Bruscambille [4] et Callot Scaramouche.

1. Personnage de mégère dans *Le Comte de Monte-Cristo*.
2. Erreur typographique pour Fréron.
3. Bal ouvert en 1840, avenue Montaigne.
4. Nom d'acteur et d'emploi grotesque datant du XVIIe siècle. Scaramouche, personnage de la Comédie italienne.

Il nous faut un dévot dans ce tripot payen ;
Molière, donne-nous Montalembert. C'est bien ;
L'ombre à l'horreur s'accouple et le mauvais au pire.
Tacite, nous avons de quoi faire l'empire ;
Juvénal, nous avons de quoi faire un sénat.

II

Ô Ducos [1] le gascon, ô Rouher l'auvergnat,
Et vous, juifs, Fould-Shylock, Sibour-Iscariote,
Toi Parieu, toi Bertrand [2], horreur du patriote,
Bauchart, bourreau douceâtre et proscripteur plaintif,
Baroche [3], dont le nom n'est plus qu'un vomitif,
Ô valets solennels, ô majestueux fourbes,
Travaillant votre échine à produire des courbes,
Bas, hautains, ravissant les Daumiers [4] enchantés
Par vos convexités et vos concavités,
Convenez avec moi, vous tous qu'ici je nomme,
Que Dieu dans sa sagesse a fait exprès cet homme
Pour régner sur la France, ou bien sur Haïti.
Et vous autres, créés pour grossir son parti,
Philosophes gênés de cuissons à l'épaule,
Et vous, viveurs rapés, frais sortis de la geôle,
Saluez l'être unique et providentiel,
Ce gouvernant tombé d'une trappe du ciel,
Ce César moustachu, gardé par cent guérites,

1. Théodore Ducos (1801-1855), ministre de la Marine en 1850, puis à partir du coup d'État jusqu'à sa mort. Un des inventeurs du bagne de Cayenne.
2. Alexandre Bertrand (1811-1878), général chargé de la répression du coup d'État ; nom de l'acolyte de Robert Macaire.
3. Alexandre Quentin-Bauchart (1809-1887), avocat, député, signa la déchéance de Louis-Napoléon le 2 décembre puis se rallia ; rapporteur des Commissions mixtes et conseiller d'État.
Pierre-Jules Baroche (1802-1870), député d'opposition en 1847, ministre de l'Intérieur en 1850, puis rallié à Louis-Napoléon ; président du Conseil d'État. Ennemi déclaré de Hugo qui le lui rendait bien. Les graines de l'arroche passaient pour émétiques et purgatives.
4. Honoré de Daumier (1808-1879), caricaturiste bien connu de la bourgeoisie louis-philipparde.

Qui sait apprécier les gens et les mérites,
Et qui, prince admirable et grand homme en effet,
Fait Poissy sénateur et Clichy sous-préfet [1].

III

Après quoi l'on ajuste au fait la théorie :
« — À bas les mots ! à bas loi, liberté, patrie !
Plus on s'aplatira, plus on prospérera.
Jetons au feu tribune et presse et cœtera.
Depuis quatre-vingt-neuf les nations sont ivres.
Les faiseurs de discours et les faiseurs de livres
Perdent tout ; le poète est un fou dangereux ;
Le progrès ment, le ciel est vide, l'art est creux,
Le monde est mort. Le peuple ? un âne qui se cabre !
La force, c'est le droit. Courbons-nous. Gloire au sabre !
À bas les Washington ! vivent les Attila ! — »
On a des gens d'esprit pour soutenir cela.

Oui, qu'ils viennent tous ceux qui n'ont ni cœur ni flamme,
Qui boitent de l'honneur et qui louchent de l'âme ;
Oui, leur soleil se lève et leur messie est né.
C'est décrété, c'est fait, c'est dit, c'est canonné,
La France est mitraillée, escroquée et sauvée.

Le hibou Trahison pond gaîment sa couvée.

IV

Et partout le néant prévaut ; pour déchirer
Notre histoire, nos lois, nos droits ; pour dévorer
L'avenir de nos fils et les os de nos pères,
Les bêtes de la nuit sortent de leurs repaires ;
Sophistes et soudards resserrent leur réseau ;
Les Radetzky flairant le gibet du museau,

1. Deux villes connues pour leur prison.

Les Giulay, poil tigré, les Buol, face verte,
Les Haynau, les Bomba [1], rôdent, la gueule ouverte,
Autour du genre humain qui, pâle et garrotté,
Lutte pour la justice et pour la vérité ;
Et de Paris à Pesth, du Tibre aux monts Carpathes,
Sur nos débris sanglants rampent ces mille-pattes.

V

Du lourd dictionnaire où Beauzée et Batteux [2]
Ont versé les trésors de leur bon sens goutteux,
Il faut, grâce aux vainqueurs, refaire chaque lettre ;
Âme de l'homme, ils ont trouvé moyen de mettre
Sur tes vieilles laideurs un tas de mots nouveaux,
Leurs noms. L'hypocrisie aux yeux bas et dévots
A nom Menjaud [3], et vend Jésus dans sa chapelle ;
On a baptisé la honte, elle s'appelle
Sibour ; la trahison, Maupas ; l'assassinat
Sous le nom de Magnan est membre du sénat ;
Quant à la lâcheté, c'est Hardouin qu'on la nomme ;
Riancey, c'est le mensonge ; il arrive de Rome
Et tient la vérité renfermée en son puits ;
La platitude a nom Montlaville-Chapuis ;
La prostitution, ingénue est princesse ;

1. Comte Joseph de Radetzki (1766-1858), officier des armées autrichiennes, vainqueur de l'insurrection piémontaise en 1849. Voir Note IV.

Comte François de Giulay (1798-1858), officier autrichien engagé contre les Italiens, ministre de la Guerre en 1849-1850.

Charles-Ferdinand Buol (1797-1865), diplomate autrichien, ministre des Affaires étrangères de 1852 à 1859 ; organisateur de la répression en Italie et en Hongrie.

« Il re Bomba », sobriquet de Ferdinand II, roi des Deux-Siciles (1810-1859), depuis le bombardement de Palerme et de Messine insurgées en 1848.

2. Nicolas Beauzée (1713-1780), encyclopédiste, auteur du *Dictionnaire de grammaire et de littérature*.

Abbé Charles Batteux (1713-1780), auteur d'un *Cours de belles-lettres* (1750).

3. Évêque de Nancy et aumônier de la chapelle impériale.

La férocité c'est Carrelet, la bassesse
Signe Rouher, avec Delangle [1] pour greffier.
Ô muse, inscris ces noms. Veux-tu qualifier
La justice vénale, atroce, abjecte et fausse ?
Commence à Partarieu pour finir par Lafosse [2].
J'appelle Saint-Arnaud, le meurtre dit : c'est moi.
Et, pour tout compléter par le deuil et l'effroi,
Le vieux calendrier remplace sur sa carte
La Saint-Barthélemy par la Saint-Bonaparte.

Quant au peuple, il admire et vote ; on est suspect
D'en douter, et Paris écoute avec respect
Sibour et ses sermons, Troplong et ses troplongues.
Les deux Napoléon s'unissent en diphtongues,
Et Berger [3] entrelace en un chiffre hardi
Le boulevard Montmartre entre Arcole et Lodi.
Spartacus agonise en un bagne fétide ;
On chasse Thémistocle, on expulse Aristide,
On jette Daniel dans la fosse aux lions ;
Et maintenant ouvrons le ventre aux millions !

                          Jersey, novembre 1852.
[20 janvier 1853 pour la version primitive en 50 vers/mars 1853?]

1. Louis-Eugène Hardouin (1785-1870), président de la Haute Cour qui s'ajourna devant le coup d'État.
    Comte de Riancey (1816-1870), avocat, journaliste spécialisé dans la lutte pour la liberté de l'enseignement aux côtés de Montalembert, auteur d'un célèbre amendement à la loi sur la presse qui interdit en 1850 la publication de romans-feuilletons dans les journaux. Tête de turc de Nerval dans *Les Faux Saulniers*, cause seconde et ironique de l'invention d'une prose narrative nervalienne dont on parle encore.
    Benoît, baron de Chapuys-Montlaville (1800-1868), préfet de Toulouse en 1852 et sénateur en 1853.
    Gilbert-Alexandre Carrelet (1789-1874), général commandant la première division militaire au coup d'État.
    Charles-Alphonse Delangle (1797-1869), rallié à Louis-Napoléon, fit une longue carrière sous l'Empire.
    2. Partarieu-Lafosse, président du tribunal qui condamna Charles Hugo pour un article contre la peine de mort, en 1851.
    3. Jean-Jacques Berger (1790-1859), préfet de la Seine de décembre 1848 à 1853. Il avait organisé en avril 1852 un banquet en l'honneur des massacreurs du 4 décembre.

IX

JOYEUSE VIE

I

Bien, pillards, intrigants, fourbes, crétins, puissances !
Attablez-vous en hâte autour des jouissances !
    Accourez ! place à tous !
Maîtres, buvez, mangez, car la vie est rapide.
Tout ce peuple conquis, tout ce peuple stupide,
    Tout ce peuple est à vous !

Vendez l'État ! coupez les bois ! coupez les bourses !
Videz les réservoirs et tarissez les sources !
    Les temps sont arrivés.
Prenez le dernier sou ! prenez, gais et faciles,
Aux travailleurs des champs, aux travailleurs des villes !
    Prenez, riez, vivez !

Bombance ! allez ! c'est bien ! vivez ! faites ripaille !
La famille du pauvre expire sur la paille,
    Sans porte ni volet.
Le père en frémissant va mendier dans l'ombre ;
La mère n'ayant plus de pain, dénûment sombre,
    L'enfant n'a plus de lait.

II

Millions ! millions ! châteaux ! liste civile !
Un jour je descendis dans les caves de Lille [1] ;
     Je vis ce morne enfer.
Des fantômes sont là sous terre dans des chambres,
Blêmes, courbés, ployés ; le rachis tord leurs membres
     Dans son poignet de fer.

Sous ces voûtes on souffre, et l'air semble un toxique ;
L'aveugle en tâtonnant donne à boire au phtisique ;
     L'eau coule à longs ruisseaux ;
Presque enfant à vingt ans, déjà vieillard à trente,
Le vivant chaque jour sent la mort pénétrante
     S'infiltrer dans ses os.

Jamais de feu ; la pluie inonde la lucarne ;
L'œil en ces souterrains où le malheur s'acharne
     Sur vous, ô travailleurs,
Près du rouet qui tourne et du fil qu'on dévide,
Voit des larves errer dans la lueur livide
     Du soupirail en pleurs.

Misère ! L'homme songe en regardant la femme.
Le père, autour de lui sentant l'angoisse infâme
     Étreindre la vertu,
Voit sa fille rentrer sinistre sous la porte,
Et n'ose, l'œil fixé sur le pain qu'elle apporte,
     Lui dire : d'où viens-tu ?

Là dort le désespoir sur son haillon sordide ;
Là, l'avril de la vie, ailleurs tiède et splendide,
     Ressemble au sombre hiver ;
La vierge, rose au jour, dans l'ombre est violette ;
Là, rampent dans l'horreur la maigreur du squelette,
     La nudité du ver ;

1. Cette visite eut lieu le 10 février 1851. Voir l'article de Bernard
Leuilliot, « Victor Hugo et la question de la misère » (cf. bibliographie).

Là, frissonnent, plus bas que les égouts des rues,
Familles de la vie et du jour disparues,
     Des groupes grelottants ;
Là, quand j'entrai, farouche, aux méduses pareille,
Une petite fille à figure de vieille
     Me dit : j'ai dix-huit ans !

Là, n'ayant pas de lit, la mère malheureuse
Met ses petits enfants dans un trou qu'elle creuse,
     Tremblants comme l'oiseau ;
Hélas ! ces innocents aux regards de colombe,
Trouvent en arrivant sur la terre une tombe,
     En place d'un berceau !

Caves de Lille ! on meurt sous vos plafonds de pierre !
J'ai vu, vu de mes yeux pleurant sous ma paupière,
     Râler l'aïeul flétri,
La fille aux yeux hagards de ses cheveux vêtue,
Et l'enfant spectre au sein de la mère statue !
     Ô Dante Alighieri !

C'est de ces douleurs-là que sortent vos richesses,
Princes ! ces dénûments nourrissent vos largesses,
     Ô vainqueurs ! conquérants !
Votre budget ruisselle et suinte à larges gouttes
Des murs de ces caveaux, des pierres de ces voûtes,
     Du cœur de ces mourants

Sous ce rouage affreux qu'on nomme tyrannie,
Sous cette vis que meut le fisc, hideux génie,
     De l'aube jusqu'au soir,
Sans trêve, nuit et jour, dans le siècle où nous sommes,
Ainsi que des raisins on écrase des hommes,
     Et l'or sort du pressoir.

C'est de cette détresse et de ces agonies,
De cette ombre, où jamais, dans les âmes ternies,
     Espoir, tu ne vibras.

C'est de ces bouges noirs pleins d'angoisses amères,
C'est de ce sombre amas de pères et de mères,
    Qui se tordent les bras,

Oui, c'est de ce monceau d'indigences terribles
Que les lourds millions, étincelants, horribles,
    Semant l'or en chemin,
Rampant vers les palais et les apothéoses,
Sortent, monstres joyeux et couronnés de roses,
    Et teints de sang humain !

III

Ô paradis ! splendeurs ! versez à boire aux maîtres !
L'orchestre rit, la fête empourpre les fenêtres,
    La table éclate et luit ;
L'ombre est là sous leurs pieds ; les portes sont fermées ;
La prostitution des vierges affamées
    Pleure dans cette nuit !

Vous tous qui partagez ces hideuses délices,
Soldats payés, tribuns vendus, juges complices,
    Évêques effrontés,
La misère frémit sous ce Louvre où vous êtes !
C'est de fièvre et de faim et de mort que sont faites
    Toutes vos voluptés !

À Saint-Cloud, effeuillant jasmins et marguerites,
Quand s'ébat sous les fleurs l'essaim des favorites,
    Bras nus et gorge au vent,
Dans le festin qu'égaie un lustre à mille branches,
Chacune en souriant, dans ses belles dents blanches
    Mange un enfant vivant !

Mais qu'importe ! riez ! Se plaindra-t-on sans cesse ?
Serait-on empereur, prélat, prince et princesse,
    Pour ne pas s'amuser ?

Ce peuple en larmes, triste, et que la faim déchire,
Doit être satisfait puisqu'il vous entend rire
     Et qu'il vous voit danser !

Qu'importe ! Allons, emplis ton coffre, emplis ta poche.
Chantez, le verre en main, Troplong, Sibour, Baroche !
     Ce tableau nous manquait.
Regorgez, quand la faim tient le peuple en sa serre,
Et faites, au-dessus de l'immense misère,
     Un immense banquet !

IV

Ils marchent sur toi, peuple ! ô barricade sombre,
Si haute hier, dressant dans les assauts sans nombre
     Ton front de sang lavé,
Sous la roue emportée, étincelante et folle,
De leur coupé joyeux qui rayonne et qui vole,
     Tu redeviens pavé !

À César ton argent, peuple ; à toi, la famine.
N'es-tu pas le chien vil qu'on bat et qui chemine
     Derrière son seigneur ?
À lui la pourpre ; à toi la hotte et les guenilles.
Peuple, à lui la beauté de ces femmes, tes filles,
     À toi leur déshonneur !

V

Ah ! quelqu'un parlera. La muse, c'est l'histoire.
Quelqu'un élèvera la voix dans la nuit noire,
     Riez, bourreaux bouffons !
Quelqu'un te vengera, pauvre France abattue,
Ma mère ! et l'on verra la parole qui tue
     Sortir des cieux profonds !

Ces gueux, pires brigands que ceux des vieilles races,
Rongeant le pauvre peuple avec leurs dents voraces,
    Sans pitié, sans merci,
Vils, n'ayant pas de cœur, mais ayant deux visages,
Disent : — Bah ! le poète ! Il est dans les nuages ! —
    Soit. Le tonnerre aussi.

Jersey, janvier 1853.
[19 janvier 1853.]

X

L'EMPEREUR S'AMUSE

CHANSON

Pour les bannis opiniâtres,
La France est loin, la tombe est près.
Prince, préside aux jeux folâtres,
Chasse aux femmes dans les théâtres,
Chasse aux chevreuils dans les forêts ;
Rome te brûle le cinname,
Les rois te disent : mon cousin. —
Sonne aujourd'hui le glas, bourdon de Notre-Dame,
      Et demain le tocsin !

Les plus frappés sont les plus dignes.
Ou l'exil ! ou l'Afrique en feu !
Prince, Compiègne est plein de cygnes,
Cours dans les bois, cours dans les vignes,
Vénus rayonne au plafond bleu ;
La bacchante aux bras nus se pâme
Sous sa couronne de raisin. —
Sonne aujourd'hui le glas, bourdon de Notre-Dame,
      Et demain le tocsin !

Les forçats bâtissent le phare,
Traînant leurs fers au bord des flots !
Hallali ! Hallali ! fanfare !
Le cor sonne, le bois s'effare,
La lune argente les bouleaux ;

À l'eau les chiens ! le cerf qui brame
Se perd dans l'ombre du bassin. —
Sonne aujourd'hui le glas, bourdon de Notre-Dame,
          Et demain le tocsin !

Le père est au bagne à Cayenne
Et les enfants meurent de faim.
Le loup verse à boire à l'hyène ;
L'homme à la mitre citoyenne
Trinque en son ciboire d'or fin ;
On voit luire les yeux de flamme
Des faunes dans l'antre voisin. —
Sonne aujourd'hui le glas, bourdon de Notre-Dame,
          Et demain le tocsin !

Les morts, au boulevard Montmartre,
Rôdent, montrant leur plaie au cœur
Pâtés de Strasbourg et de Chartres,
Sous la table au tapis de martre,
Les belles boivent au vainqueur :
Et leur sourire offre leur âme,
Et leur corset offre leur sein. —
Sonne aujourd'hui le glas, bourdon de Notre-Dame,
          Et demain le tocsin !

Captifs, expirez dans les fièvres.
Vous allez donc vous reposer !
Dans le vieux Saxe et le vieux Sèvres
On soupe, on mange, et sur les lèvres
Éclot le doux oiseau baiser ;
Et, tout en riant, chaque femme
En laisse fuir un fol essaim. —
Sonne aujourd'hui le glas, bourdon de Notre-Dame,
          Et demain le tocsin !

La Guyane, cachot fournaise,
Tue aujourd'hui comme jadis.
Couche-toi, joyeux et plein d'aise,
Au lit où coucha Louis Seize,

Puis l'empereur, puis Charles dix ;
Endors-toi, pendant qu'on t'acclame,
La tête sur leur traversin. —
Sonne aujourd'hui le glas, bourdon de Notre-Dame,
    Et demain le tocsin !

Ô deuil ! par un bandit féroce
L'avenir est mort poignardé !
C'est aujourd'hui la grande noce,
Le fiancé monte en carrosse ;
C'est lui ! César le bien gardé !
Peuples, chantez l'épithalame !
La France épouse l'assassin. —
Sonne aujourd'hui le glas, bourdon de Notre-Dame,
    Et demain le tocsin !

Jersey, décembre 1853.
[25 janvier 1853.]

XI

— Sentiers où l'herbe se balance,
Vallons, coteaux, bois chevelus,
Pourquoi ce deuil et ce silence ?
— Celui qui venait ne vient plus.

— Pourquoi personne à ta fenêtre,
Et pourquoi ton jardin sans fleurs,
Ô maison ! où donc est ton maître ?
— Je ne sais pas, il est ailleurs.

— Chien, veille au logis. — Pour quoi faire ?
La maison est vide à présent.
— Enfant, qui pleures-tu ? — Mon père.
— Femme, qui pleures-tu ? — L'absent.

— Où s'en est-il allé ? — Dans l'ombre.
— Flots qui gémissez sur l'écueil,
D'où venez-vous ? — Du bagne sombre.
— Et qu'apportez-vous ? — Un cercueil.

Juillet 1853.
[1er août 1853.]

XII

Ô Robert [1], un conseil. Ayez l'air moins candide.
Soyons homme d'esprit. Le moment est splendide,
Je le sais ; le quart d'heure est chatoyant, c'est vrai ;
Cette Californie est riche en minerai,
D'accord ; mais cependant quand un préfet, un maire,
Un évêque adorant le fils de votre mère,
Quand un Suin [2], un Parieu, payé pour sa ferveur,
Vous parlant en plein nez, vous appelle sauveur,
Vous promet l'avenir, atteste Fould et Magne [3],
Et vous fait coudoyer César et Charlemagne,
Mon cher, vous accueillez ces propos obligeants
D'un air de bonne foi qui prête à rire aux gens.
Vous avez l'œil béat d'un bailli de province.
Par ces simplicités vous affligez, ô prince,
Napoléon, votre oncle, et, moi, votre parrain.
Ne soyons pas Jocrisse ayant été Mandrin.
On vole un trône, on prend un peuple en une attrape,
Mais il est de bon goût d'en rire un peu sous cape
Et de cligner de l'œil du côté des malins.
Être sa propre dupe ! ah ! fi donc ! verres pleins,
Poche pleine, et rions ! la France rampe et s'offre ;
Soyons un sage à qui Jupiter livre un coffre ;
Dépêchons-nous, pillons, régnons vite. — Mais quoi !
Le pape nous bénit ; tzar, sultan, duc et roi

1. Robert Macaire.
2. Victor Suin (1797-1877), avocat général à Paris en février 1848 ; auteur du réquisitoire contre Charles Hugo en 1851.
3. Pierre Magne (1806-1878), sous-secrétaire d'État puis ministre des Travaux publics en janvier 1851 et de nouveau au coup d'État.

Sont nos cousins ; fonder un empire, est facile ;
Il est doux d'être chef d'une race ! — Imbécile !
Te figures-tu donc que ceci durera ?
Prends-tu pour du granit ce décor d'opéra ?
Paris dompté ! par toi ! dans quelle apocalypse
Lit-on que le géant devant le nain s'éclipse ?
Crois-tu donc qu'on va voir, gaîment, l'œil impudent,
Ta fortune cynique écraser sous sa dent
La Révolution que nos pères ont faite,
Ainsi qu'une guenon qui croque une noisette !
Ôte-toi de l'esprit ce rêve enchanteur. Crois
À Rose Tamisier [1] faisant saigner la croix,
À l'âme de Baroche entrouvrant sa corolle,
Crois à l'honnêteté de Deutz [2], à ta parole,
C'est bien ; mais ne crois pas à ton succès ; il ment.
Rose Tamisier, Deutz, Baroche, ton serment,
C'est de l'or, j'en conviens ; ton sceptre est de l'argile.
Dieu, qui t'a mis au coche, écrit sur toi : fragile.

Jersey, mai 1853.
[29 mai 1853.]

1. Rose Tamisier, visionnaire qui tenta de faire croire à ses miracles ; condamnée en 1851.
2. Simon Deutz, agent de la duchesse de Berry qu'il vendit à Thiers en 1832. Voir *Les Chants du crépuscule*, « L'Homme qui a livré une femme ».

XIII

L'histoire a pour égout des temps comme les nôtres ;
Et c'est là que la table est mise pour vous autres.
C'est là, sur cette nappe où, joyeux, vous mangez,
Qu'on voit, — tandis qu'ailleurs, nus et de fers chargés,
Agonisent, sereins, calmes, le front sévère,
Socrate à l'Agora, Jésus-Christ au Calvaire,
Colomb dans son cachot, Jean Hus sur son bûcher,
Et que l'humanité pleure et n'ose approcher
Tous ces gibets où sont les justes et les sages, —
C'est là qu'on voit trôner dans la longueur des âges,
Parmi les vins, les luths, les viandes, les flambeaux,
Sur des coussins de pourpre oubliant les tombeaux,
Ouvrant et refermant leurs féroces mâchoires,
Ivres, heureux, affreux, la tête dans des gloires,
Tout le troupeau hideux des satrapes dorés ;
C'est là qu'on entend rire et chanter, entourés
De femmes couronnant de fleurs leurs turpitudes,
Dans leur lasciveté prenant mille attitudes,
Laissant peuples et chiens en bas ronger les os,
Tous les hommes requins, tous les hommes pourceaux,
Les princes de hasard plus fangeux que les rues,
Les goinfres courtisans, les altesses ventrues,
Toute gloutonnerie et toute abjection
Depuis Cambacérès jusqu'à Trimalcion [1].

Jersey, février 1853. [4 février 1853.]

1. Cambacérès, second consul au 18 brumaire ; gastronome réputé.
Trimalcion, héros du *Satiricon* de Pétrone.

XIV

À PROPOS DE LA LOI FAIDER [1]

Ce qu'on appelle Charte ou Constitution
C'est un antre qu'un peuple en révolution
Creuse dans le granit, abri sûr et fidèle.
Joyeux, le peuple enferme en cette citadelle
Ses conquêtes, ses droits, payés de tant d'efforts,
Ses progrès, son honneur ; pour garder ces trésors,
Il installe en la haute et superbe tanière
La fauve liberté, secouant sa crinière.
L'œuvre faite, il s'apaise, il reprend ses travaux ;
Il retourne à son champ, fier de ses droits nouveaux,
Et tranquille, il s'endort sur des dates célèbres,
Sans songer aux larrons rôdant dans les ténèbres.
Un beau matin, le peuple en s'éveillant va voir
Sa constitution, temple de son pouvoir ;
Hélas ! de l'antre auguste on a fait une niche.
Il y mit un lion, il y trouve un caniche.

Jersey, décembre 1852.
[10 décembre 1852.]

1. Voir *Préface*.

XV

LE BORD DE LA MER

HARMODIUS [1]

La nuit vient. Vénus brille.

L'ÉPÉE

Harmodius ! c'est l'heure.

LA BORNE DU CHEMIN

Le tyran va passer.

HARMODIUS

J'ai froid, rentrons.

UN TOMBEAU

Demeure.

HARMODIUS

Qu'es-tu ?

1. Harmodius tua le tyran Hipparque en 514 av. J.-C.

LE TOMBEAU

Je suis la tombe. — Exécute ou péris.

UN NAVIRE À L'HORIZON

Je suis la tombe aussi, j'emporte les proscrits.

L'ÉPÉE

Attendons le tyran.

HARMODIUS

J'ai froid. Quel vent !

LE VENT

Je passe.
Mon bruit est une voix. Je sème dans l'espace
Les cris des exilés, de misère expirants,
Qui sans pain, sans abri, sans amis, sans parents,
Meurent en regardant du côté de la Grèce.

VOIX DANS L'AIR

Némésis ! Némésis ! lève-toi, vengeresse !

L'ÉPÉE

C'est l'heure. Profitons de l'ombre qui descend.

LA TERRE

Je suis pleine de morts.

LA MER

Je suis rouge de sang.
Les fleuves m'ont porté des cadavres sans nombre.

LA TERRE

Les morts saignent pendant qu'on adore son ombre.
À chaque pas qu'il fait sous le clair firmament
Je les sens s'agiter en moi confusément.

UN FORÇAT

Je suis forçat, voici la chaîne que je porte,
Hélas ! pour n'avoir pas chassé loin de ma porte
Un proscrit qui fuyait, noble et pur citoyen.

L'ÉPÉE

Ne frappe pas au cœur, tu ne trouverais rien.

LA LOI

J'étais la loi, je suis un spectre. Il m'a tuée.

LA JUSTICE

De moi, prêtresse, il fait une prostituée.

LES OISEAUX

Il a retiré l'air des cieux et nous fuyons.

LA LIBERTÉ

Je m'enfuis avec eux — ô terre sans rayons,
Grèce, adieu !

UN VOLEUR

      Ce tyran, nous l'aimons. Car ce maître
Que respecte le juge et qu'admire le prêtre,
Qu'on accueille partout de cris encourageants,
Est plus pareil à nous qu'à vous, honnêtes gens.

LE SERMENT

Dieux puissants ! à jamais, fermez toutes les bouches !
La confiance est morte au fond des cœurs farouches.
Homme, tu mens ! Soleil, tu mens ! Cieux, vous mentez !
Soufflez, vents de la nuit ! emportez, emportez
L'honneur et la vertu, cette sombre chimère !

LA PATRIE

Mon fils ! Je suis aux fers. Mon fils, je suis ta mère !
Je tends les bras vers toi du fond de ma prison.

HARMODIUS

Quoi ! le frapper, la nuit, rentrant dans sa maison !
Quoi ! devant ce ciel noir, devant ces mers sans borne !
Le poignarder, devant ce gouffre obscur et morne,
En présence de l'ombre et de l'immensité !

LA CONSCIENCE

Tu peux tuer cet homme avec tranquillité !

Jersey, octobre 1852.
[25 octobre 1852.]

XVI

NON

Laissons le glaive à Rome et le stylet à Sparte,
Ne faisons pas saisir, trop pressés de punir,
Par le spectre Brutus le brigand Bonaparte.
Gardons ce misérable au sinistre avenir.

Vous serez satisfaits, je vous le certifie,
Bannis, qui de l'exil portez le triste faix,
Captifs, proscrits, martyrs qu'il foule et qu'il défie,
Vous tous qui frémissez, vous serez satisfaits.

Jamais au criminel son crime ne pardonne ;
Mais gardez, croyez-moi, la vengeance au fourreau ;
Attendez ; ayez foi dans les ordres que donne
Dieu, juge patient, au temps, tardif bourreau !

Laissons vivre le traître en sa honte insondable.
Ce sang humilierait même le vil couteau.
Laissons venir le temps, l'inconnu formidable
Qui tient le châtiment caché sous son manteau.

Qu'il soit le couronné parce qu'il est le pire ;
Le maître des fronts plats et des cœurs abrutis ;
Que son sénat décerne à sa race l'empire,
S'il trouve une femelle et s'il a des petits ;

Qu'il règne par la messe et par la pertuisane ;
Qu'on le fasse empereur dans son flagrant délit,

Que l'église en rampant, que cette courtisane
Se glisse dans son antre et couche dans son lit ;

Qu'il soit cher à Troplong, que Sibour le vénère,
Qu'il leur donne son pied tout sanglant à baiser,
Qu'il vive, ce César ! Louvel ou Lacenaire [1]
Seraient pour le tuer forcés de se baisser.

Ne tuez pas cet homme, ô vous, songeurs sévères,
Rêveurs mystérieux, solitaires et forts,
Qui, pendant qu'on le fête et qu'il choque les verres,
Marchez, le poing crispé, dans l'herbe où sont les morts !

Avec l'aide d'en haut toujours nous triomphâmes.
L'exemple froid vaut mieux qu'un éclair de fureur.
Non, ne le tuez pas. Les piloris infâmes
Ont besoin d'être ornés parfois d'un empereur.

Jersey, octobre 1852.
[12 novembre 1852.]

1. Louis-Pierre Louvel (1783-1820), assassin du duc de Berry, fils de Charles X, en 1820.
Pierre-François Gaillard, dit Lacenaire (1800-1836), assassin condamné à mort ; l'un des personnages des *Enfants du Paradis*.

LIVRE IV

LA RELIGION EST GLORIFIÉE

I

SACER ESTO [1]

Non, Liberté ! non, Peuple, il ne faut pas qu'il meure !
Oh ! certes, ce serait trop simple, en vérité,
Qu'après avoir brisé les lois, et sonné l'heure
Où la sainte pudeur au ciel a remonté ;

Qu'après avoir gagné sa sanglante gageure,
Et vaincu par l'embûche et le glaive et le feu ;
Qu'après son guet-apens, ses meurtres, son parjure,
Son faux serment, soufflet sur la face de Dieu ;

Qu'après avoir traîné la France, au cœur frappée,
Et par les pieds liée, à son immonde char,
Cet infâme en fût quitte avec un coup d'épée
Au cou comme Pompée, au flanc comme César !

Non ! il est l'assassin qui rôde dans les plaines ;
Il a tué, sabré, mitraillé sans remords,

---

1. « Sacer », c'est-à-dire intouchable, inviolable ; le sens que Hugo
donne au mot n'est pas celui qu'il avait à Rome, où l'homme déclaré
« sacer » était au contraire condamné à être tué impunément par n'importe qui.

Il fit la maison vide, il fit les tombes pleines,
Il marche, il va, suivi par l'œil fixe des morts ;

À cause de cet homme, empereur éphémère,
Le fils n'a plus de père et l'enfant plus d'espoir,
La veuve à genoux pleure et sanglote, et la mère
N'est plus qu'un spectre assis sous un long voile noir ;

Pour filer ses habits royaux, sur les navettes
On met du fil trempé dans le sang qui coula ;
Le boulevard Montmartre a fourni ses cuvettes,
Et l'on teint son manteau dans cette pourpre-là ;

Il vous jette à Cayenne, à l'Afrique, aux sentines,
Martyrs, héros d'hier et forçats d'aujourd'hui !
Le couteau ruisselant des rouges guillotines
Laisse tomber le sang goutte à goutte sur lui ;

Lorsque la trahison, sa complice livide,
Vient et frappe à sa porte, il fait signe d'ouvrir ;
Il est le fratricide ! Il est le parricide ! —
Peuples, c'est pour cela qu'il ne doit pas mourir !

Gardons l'homme vivant. Oh ! châtiment superbe !
Oh ! S'il pouvait un jour passer par le chemin,
Nu, courbé, frissonnant, comme au vent tremble l'herbe.
Sous l'exécration de tout le genre humain !

Étreint par son passé tout rempli de ses crimes,
Comme par un carcan tout hérissé de clous,
Cherchant les lieux profonds, les forêts, les abîmes,
Pâle, horrible, effaré, reconnu par les loups ;

Dans quelque bagne vil n'entendant que sa chaîne,
Seul, toujours seul, parlant en vain aux rochers sourds,
Voyant autour de lui le silence et la haine,
Des hommes nulle part et des spectres toujours ;

Vieillissant, rejeté par la mort comme indigne,
Tremblant sous la nuit noire, affreux sous le ciel bleu… —
Peuples, écartez-vous ! cet homme porte un signe :
Laissez passer Caïn ! Il appartient à Dieu.

Jersey, octobre 1852.
[14 novembre 1852.]

II

CE QUE LE POÈTE SE DISAIT EN 1848

◈ Tu ne dois pas chercher le pouvoir, tu dois faire
Ton œuvre ailleurs ; tu dois, esprit d'une autre sphère,
Devant l'occasion reculer chastement.
De la pensée en deuil doux et sévère amant,
Compris ou dédaigné des hommes, tu dois être
Pâtre pour les garder et pour les bénir prêtre.
Lorsque les citoyens, par la misère aigris,
Fils de la même France et du même Paris,
S'égorgent ; quand, sinistre, et soudain apparue,
La morne barricade au coin de chaque rue
Monte et vomit la mort de partout à la fois,
Tu dois y courir seul et désarmé ; tu dois
Dans cette guerre impie, abominable, infâme,
Présenter ta poitrine et répandre ton âme,
Parler, prier, sauver les faibles et les forts,
Sourire à la mitraille et pleurer sur les morts ;
Puis remonter tranquille à ta place isolée,
Et là, défendre, au sein de l'ardente assemblée,
Et ceux qu'on veut proscrire et ceux qu'on croit juger,
Renverser l'échafaud, servir et protéger
L'ordre et la paix, qu'ébranle un parti téméraire,
Nos soldats trop aisés à tromper, et ton frère,
Le pauvre homme du peuple aux cabanons jeté,
Et les lois, et la triste et fière liberté ;
Consoler dans ces jours d'anxiété funeste,
L'art divin qui frissonne et pleure, et pour le reste
Attendre le moment suprême et décisif.

Ton rôle est d'avertir et de rester pensif.

Paris, juillet 1848. [27 novembre 1848.]

◈ Voir *Au fil du texte*, p. XVII.

III

LES COMMISSIONS MIXTES [1]

Ils sont assis dans l'ombre et disent : nous jugeons.
Ils peuplent d'innocents les geôles, les donjons,
    Et les pontons, nefs abhorrées,
Qui flottent au soleil, sombres comme le soir,
Tandis que le reflet des mers sur leur flanc noir
    Frissonne en écailles dorées.

Pour avoir sous son chaume abrité des proscrits,
Ce vieillard est au bagne, et l'on entend ses cris.
    À Cayenne, à Bone, aux galères,
Quiconque a combattu cet escroc du scrutin
Qui, traître, après avoir crocheté le Destin,
    Filouta les droits populaires !

Ils ont frappé l'ami des lois ; ils ont flétri
La femme qui portait du pain à son mari,
    Le fils qui défendait son père ;
le droit ? on l'a banni ; l'honneur ? on l'exila.
Cette justice-là sort de ces juges-là
    Comme des tombeaux la vipère.

Bruxelles, juillet 1852.
[7 mai 1853.]

---

1. Commissions chargées de juger les insurgés ou supposés tels, arrêtés après le coup d'État ; elles étaient composées dans chaque département du préfet, du général commandant la force militaire et, ce qui bafouait le principe de séparation des pouvoirs, d'un magistrat représentant le parquet.

IV

À DES JOURNALISTES DE ROBE COURTE [1]

Parce que, jargonnant vêpres, jeûne et vigile,
Exploitant Dieu qui rêve au fond du firmament,
Vous avez, au milieu du divin évangile,
    Ouvert boutique effrontément ;

Parce que vous feriez prendre à Jésus la verge,
Cyniques brocanteurs sortis on ne sait d'où ;
Parce que vous allez vendant la sainte Vierge
Dix sous avec miracle et sans miracle un sou ;

Parce que vous contez d'effroyables sornettes
Qui font des temples saints trembler les vieux piliers,
Parce que votre style éblouit les lunettes
    Des duègnes et des marguilliers ;

Parce que la soutane est sous vos redingotes,
Parce que vous sentez la crasse et non l'œillet,
Parce que vous bâclez un journal de bigotes
Pensé par Escobar, écrit par Patouillet ;

Parce qu'en balayant leurs portes, les concierges
Poussent dans le ruisseau ce pamphlet méprisé ;
Parce que vous mêlez à la cire des cierges
    Votre affreux suif vert-de-grisé ;

1. Il s'agit des laïcs affiliés à la Compagnie de Jésus, et plus précisément ici de Veuillot et des journalistes de *L'Univers*. Voir IV, 7.

Parce qu'à vous tout seuls vous faites une espèce ;
Parce qu'enfin, blanchis dehors et noirs dedans,
Criant mea-culpa, battant la grosse caisse,
La boue au cœur, la larme à l'œil, le fifre aux dents,

Pour attirer les sots qui donnent tête-bêche
Dans tous les vils panneaux du mensonge immortel,
Vous avez adossé le tréteau de Bobêche
          Aux saintes pierres de l'autel,

Vous vous croyez le droit, trempant dans l'eau bénite
Cette griffe qui sort de votre abject pourpoint,
De dire : je suis saint, ange, vierge et jésuite,
J'insulte les passants et je ne me bats point !

Ô pieds plats ! votre plume au fond de vos masures
Griffonne, va, vient, court, boit l'encre, rend du fiel,
Bave, égratigne et crache ; et ses éclaboussures
          Font des taches jusques au ciel !

Votre immonde journal est une charretée
De masques déguisés en prédicants camus,
Qui passent en prêchant la cohue ameutée
Et qui parlent argot entre deux oremus.

Vous insultez l'esprit, l'écrivain dans ses veilles,
Et le penseur rêvant sur les libres sommets ;
Et quand on va chez vous pour chercher vos oreilles,
          Vos oreilles n'y sont jamais.

Après avoir lancé l'affront et le mensonge,
Vous fuyez, vous courez, vous échappez aux yeux.
Chacun a ses instincts, et s'enfonce et se plonge,
Le hibou dans les trous et l'aigle dans les cieux !

Vous, où vous cachez-vous ? dans quel hideux repaire ?
Ô Dieu ! l'ombre où l'on sent tous les crimes passer
S'y fait autour de vous plus noire et la vipère
          S'y glisse et vient vous y baiser.

Là vous pouvez, dragons qui rampez sous les presses,
Vous vautrer dans la fange où vous jettent vos goûts.
Le sort qui dans vos cœurs mit toutes les bassesses
Doit faire en vos taudis passer tous les égouts.

Bateleurs de l'autel, voilà quels sont vos rôles.
Et quand un galant homme à de tels compagnons
Fait cet immense honneur de leur dire : mes drôles,
       Je suis votre homme ; dégainons !

— Un duel ! nous ! des chrétiens ! jamais ! — et ces crapules
Font des signes de croix et jurent par les saints. —
Lâches gueux, leur terreur se déguise en scrupules,
Et ces empoisonneurs ont peur d'être assassins.

Bien, écoutez : la trique est là, fraîche coupée.
On vous fera cogner le pavé du menton ;
Car sachez-le, coquins, on n'esquive l'épée
       Que pour rencontrer le bâton.

Vous conquîtes la Seine et le Rhin et le Tage.
L'esprit humain rogné subit votre compas.
Sur les publicains juifs vous avez l'avantage,
Maudits ! Judas est mort, Tartuffe ne meurt pas.

Iago n'est qu'un fat près de votre Basile.
La Bible en vos greniers pourrit mangée aux vers.
Le jour où le mensonge aurait besoin d'asile,
       Vos cœurs sont là, tout grands ouverts.

Vous insultez le juste abreuvé d'amertumes.
Tous les vices, quittant veste, cape et manteau,
Vont se masquer chez vous et trouvent des costumes.
On entre Lacenaire, on sort Contrafatto [1].

1. Joseph Contrafatto (1798-?), prêtre sicilien condamné aux travaux forcés pour attentat à la pudeur et gracié en 1845.

Les âmes sont pour vous des bourses et des banques.
Quiconque vous accueille a d'affreux repentirs.
Vous vous faites chasser, et par vos saltimbanques
        Vous parodiez les martyrs.

L'église du bon Dieu n'est que votre buvette.
Vous offrez l'alliance à tous les inhumains.
On trouvera du sang au fond de la cuvette
Si jamais, par hasard, vous vous lavez les mains.

Vous seriez des bourreaux si vous n'étiez des cuistres.
Pour vous le glaive est saint et le supplice est beau ;
Ô monstres ! vous chantez dans vos hymnes sinistres
        Le bûcher, votre seul flambeau !

Depuis dix-huit cents ans Jésus, le doux pontife,
Veut sortir du tombeau qui lentement se rompt,
Mais vous faites effort, ô valets de Caïphe,
Pour faire retomber la pierre sur son front !

Ô cafards ! votre échine appelle l'étrivière.
Le sort juste et railleur fait chasser Loyola
De France par le fouet d'un pape, et de Bavière
        Par la cravache de Lola[1].

Allez, continuez, tournez la manivelle
De votre impur journal, vils grimauds dépravés ;
Avec vos ongles noirs grattez votre cervelle ;
Calomniez, hurlez, mordez, mentez, vivez !

Dieu prédestine aux dents des chevreaux les brins d'herbes,
La mer aux coups de vent, les donjons aux boulets,
Aux rayons du soleil les parthénons superbes,
        Vos faces aux larges soufflets.

1. Lola Montès (1818?-1861), aventurière, favorite de Louis Ier de Bavière ; elle favorisa la chute du ministère jésuite qui tyrannisait la Bavière.

Sus donc ! cherchez les trous, les recoins, les cavernes !
Cachez-vous, plats vendeurs d'un fade orviétan,
Pitres dévots, marchands d'infâmes balivernes,
Vierges comme l'eunuque, anges comme satan !

Ô saints du ciel ! est-il, sous l'œil de Dieu qui règne,
Charlatans plus hideux et d'un plus lâche esprit,
Que ceux qui, sans frémir, accrochent leur enseigne
        Aux clous saignants de Jésus-Christ !

Septembre 1850.
[Septembre 1850.]

V

QUELQU'UN [1]

Donc un homme a vécu qui s'appelait Varron,
Un autre Paul-Émile [2], un autre Cicéron ;
Ces hommes ont été grands, puissants, populaires,
Ont marché, précédés des faisceaux consulaires,
Ont été généraux, magistrats, orateurs ;
Ces hommes ont parlé devant les sénateurs ;
Ils ont vu, dans la poudre et le bruit des armées,
Frissonnantes, passer les aigles enflammées ;
La foule les suivait et leur battait des mains ;
Ils sont morts ; on a fait à ces fameux Romains
Des tombeaux dans le marbre, et d'autres dans l'histoire ;
Leurs bustes, aujourd'hui, graves comme la gloire,
Dans l'ombre des palais ouvrant leurs vagues yeux,
Rêvent autour de nous, témoins mystérieux ;
Ce qui n'empêche pas, nous, gens des autres âges,
Que, lorsque nous parlons de ces grands personnages,
Nous ne disions : Tel jour Varron fut un butor,
Paul-Émile a mal fait, Cicéron eut grand tort.
Et lorsque nous traitons ainsi ces morts illustres,
Tu prétends, toi, maraud, goujat parmi les rustres,
Que je parle de toi qui lasses le dédain,
Sans dire hautement : cet homme est un gredin !

1. Saint-Arnaud.
2. Paul-Émile et Varron, généraux romains vaincus par Hannibal à la
bataille de Cannes (216 av. J.-C.).

Tu veux que nous prenions des gants et des mitaines
Avec toi qu'eût chassé Sparte aussi bien qu'Athènes !
Force gens t'ont connu jadis quand tu courais
Les brelans, les enfers, les trous, les cabarets,
Quand on voyait, le soir, tantôt dans l'ombre obscure,
Tantôt devant la porte entr'ouverte et peu sûre
D'un antre d'où sortait une rouge clarté,
Ton chef branlant couvert d'un feutre cahoté.
Tu t'es fait broder d'or par l'empereur bohême.
Ta vie est une farce et se guinde en poème.
Et que m'importe à moi, penseur, juge, ouvrier,
Que décembre, étranglant dans ses poings février,
T'installe en un palais, toi qui souillais un bouge !
Allez aux tapis-francs de Vanvre et de Montrouge,
Courez aux galets, aux caves, aux taudis,
Les échos vous diront partout ce que je dis :
Ce drôle était voleur avant d'être ministre ! —
Ah ! tu veux qu'on t'épargne, imbécile sinistre !
Ah ! te voilà content, satisfait, souriant !
Sois tranquille. J'irai par la ville criant :
Citoyens ! voyez-vous ce jésuite aux yeux jaunes ?
Jadis, c'était Brutus. Il haïssait les trônes,
Il les aime aujourd'hui. Tous métiers lui sont bons :
Il est pour le succès. Donc à bas les Bourbons,
Mais vive l'empereur ! à bas tribune et charte !
Il déteste Chambord, mais il sert Bonaparte.
On l'a fait sénateur, ce qui le rend fougueux.
Si les choses étaient à leur place, ce gueux
Qui n'a pas, nous dit-il en déclamant son rôle,
Les fleurs-de-lys au cœur, les aurait sur l'épaule.

Londres, août 1852.
[1848/10 décembre 1852.]

VI

ÉCRIT LE 17 JUILLET 1851,
EN DESCENDANT DE LA TRIBUNE

Ces hommes qui mourront, foule abjecte et grossière,
Sont de la boue avant d'être de la poussière.
Oui, certes, ils passeront et mourront. Aujourd'hui
Leur vue à l'honnête homme inspire un mâle ennui.
Envieux, consumés de rages puériles,
D'autant plus furieux qu'ils se sentent stériles,
Ils mordent les talons de qui marche en avant.
Ils sont humiliés d'aboyer, ne pouvant
Jusqu'au rugissement hausser leur petitesse.
Ils courent, c'est à qui gagnera de vitesse,
La proie est là — hurlant et jappant à la fois,
Lancés dans le sénat ainsi que dans un bois,
Tous contondus, traitant, magistrat, soldat, prêtre,
Meute autour du lion, chenil aux pieds du maître,
Ils sont à qui les veut, du premier au dernier,
Aujourd'hui Bonaparte et demain Changarnier [1] !
Ils couvrent de leur bave honneur, droit, république,
La charte populaire et l'œuvre évangélique,
Le progrès, ferme espoir des peuples désolés ;
Ils sont odieux. — Bien. Continuez, allez !
Quand l'austère penseur qui, loin des multitudes,
Rêvait hier encore au fond des solitudes,

---

1. Nicolas Changarnier (1793-1877), général royaliste, rival de
Cavaignac ; arrêté et expulsé au coup d'État.

Apparaissant soudain dans sa tranquillité,
Vient au milieu de vous dire la vérité,
Défendre les vaincus, rassurer la patrie,
Éclatez ! répandez cris, injures, furie,
Ruez-vous sur son nom comme sur un butin !
Vous n'obtiendrez de lui qu'un sourire hautain,
Et pas même un regard ! — Car cette âme sereine
Méprisant votre estime, estime votre haine.

Paris, 1851.
[Novembre 1848?]

VII

UN AUTRE [1]

Ce Zoïle [2] cagot naquit d'une Javotte.
Le diable, — ce jour-là Dieu permit qu'il créât, —
D'un peu de Ravaillac et d'un peu de Nonotte [3]
      Composa ce gredin béat.

Tout jeune, il contemplait, sans gîte et sans valise,
Les sous-diacres coiffés d'un feutre en lampion ;
Vidocq le rencontra priant dans une église,
Et l'ayant vu loucher, en fit un espion.

Alors ce va-nu-pieds songea dans sa mansarde ;
Et, se voyant sans cœur, sans style, sans esprit,
Imagina de mettre une feuille poissarde
      Au service de Jésus-Christ.

Armé d'un goupillon, il entra dans la lice
Contre les jacobins, le siècle et le péché.
Il se donna le luxe, étant de la police,
D'être jésuite et saint par-dessus le marché.

Pour mille francs par mois livrant l'Eucharistie,
Plus vif que les voleurs et que les assassins,

1. Veuillot.
2. Zoïle, érudit du IVe siècle av. J.-C., célèbre pour ses attaques contre Homère ; nom donné aux journalistes incompétents et envieux.
3. Javotte, personnage du *Roman bourgeois* de Furetière. Nonotte, jésuite qui, en raison de son nom, fut souvent pris à partie par Voltaire.

Il fut riche. Il portait un flair de sacristie
    Dans le bouge des argousins.

Il prospère ! — Il insulte, il prêche, il fait la roue ;
S'il n'était pas saint homme, il eût été sapeur ;
Comme s'il s'y lavait, il piaffe en pleine boue,
Et, voyant qu'on se sauve, il dit : comme ils ont peur !

Regardez : le voilà ! — Son journal frénétique
Plaît aux dévots et semble écrit par des bandits.
Il fait des fausses clefs dans l'arrière-boutique
    Pour la porte du paradis.

Des miracles du jour il colle les affiches ;
Il rédige l'absurde en articles de foi ;
Pharisien hideux, il trinque avec les riches,
Et dit au pauvre : ami, viens jeûner avec moi.

Il ripaille à huis clos, en public il sermonne,
Chante landerirette après alleluia,
Dit un pater, et prend le menton de Simone… —
    Que j'en ai vu, de ces saints-là !

Qui vous expectoraient des psaumes après boire,
Vendaient d'un air contrit leur pieux bric-à-brac,
Et qui passaient, selon qu'ils changeaient d'auditoire,
Des strophes de Piron aux quatrains de Pibrac [1] !

C'est ainsi qu'outrageant gloires, vertus, génies,
Charmant par tant d'horreurs quelques niais fougueux,
Il vit tranquillement dans les ignominies,
    Simple jésuite et triple gueux.

Paris, septembre 1850.
[Septembre 1850.]

---

1. Alexis Piron (1689-1773), auteur d'une *Ode à Priape* restée mémorable.
  Guy du Faur de Pibrac (1529-1586), auteur de quatrains moraux.

VIII

DÉJÀ NOMMÉ [1]

Malgré moi je reviens, et mes vers s'y résignent,
À cet homme qui fut si misérable, hélas !
Et dont Mathieu Molé, chez les morts qui s'indignent,
    Parle à Boissy d'Anglas [2].

Ô loi sainte ! Justice ! où tout pouvoir s'étaie,
Gardienne de tout droit et de tout ordre humain !
Cet homme qui, vingt ans, pour recevoir sa paie,
    T'avait tendu la main,

Quand il te vit sanglante et livrée à l'infâme,
Levant tes bras, meurtrie aux talons des soldats,
Tourna la tête et dit : qu'est-ce que cette femme ?
    Je ne la connais pas !

Les vieux partis avaient mis au fauteuil ce juste !
Ayant besoin d'un homme on prit un mannequin.
Il eût fallu Caton sur cette chaise auguste,
    On y jucha Pasquin [3].

---

1. Dupin, voir « L'Autre président », II, 6.
2. Mathieu Molé (1584-1656), président au Parlement de Paris dont il sauvegarda l'indépendance pendant la Fronde.
  Boissy d'Anglas (1756-1826) : alors qu'il présidait une séance de la Convention, il résista à l'émeute.
3. Valet de la Comédie italienne.

Opprobre ! Il dégradait à plaisir l'Assemblée ;
Souple, insolent, semblable aux valets familiers,
Ses gros lazzis marchaient sur l'éloquence ailée
    Avec leurs gros souliers.

Quand on ne croit à rien, on est prêt à tout faire.
Il eût reçu Cromwell ou Monk [1] dans Temple-Bar.
Suprême abjection ! riant avec Voltaire,
    Votant pour Escobar !

Ne sachant que lécher à droite et mordre à gauche,
Aidant, à son insu, le crime ; vil pantin,
Il entr'ouvrait la porte aux sbires en débauche
    Qui vinrent un matin.

Si l'on avait voulu, pour sauver du déluge,
Certes, son traitement, sa place, son trésor,
Et sa loque d'hermine et son bonnet de juge
    Au triple galon d'or,

Il eût été complice, il eût rempli sa tâche ;
Mais les chefs sur son nom passèrent le charbon ;
Ils n'ont pas daigné faire un traître avec ce lâche ;
    Ils ont dit : à quoi bon ?

Sous ce règne où l'on vend de la fange au pied cube,
Du moins cet homme a-t-il à jamais disparu,
Rustre exploiteur des rois, courtisan du Danube,
    Hideux flatteur bourru !

Il s'offrait aux brigands après la loi tuée ;
Et pour qu'il lâchât prise, aux yeux de tout Paris,

1. Oliver Cromwell (1599-1658), chef du gouvernement anglais après la Révolution et l'exécution de Charles Ier, en 1649. Hugo écrivit un drame intitulé *Cromwell* en 1827, précédé d'une *Préface* qui était un véritable manifeste.

George Monck (1608-1670), général, restaurateur de la monarchie anglaise après Cromwell.

Il fallût qu'on lui dît : vieille prostituée,
    Vois donc tes cheveux gris !

Aujourd'hui méprisé, même de cette clique,
On voit pendre la honte à son nom infamant,
Et le dernier lambeau de la pudeur publique
    À son dernier serment.

Si par hasard, la nuit, dans les carrefours mornes,
Fouillant du croc l'ordure où dort plus d'un secret,
Un chiffonnier trouvait cette âme au coin des bornes,
    Il la dédaignerait !

Jersey, décembre 1852.
[25 décembre 1852.]

IX

●◆ Ceux qui vivent, ce sont ceux qui luttent ; ce sont
Ceux dont un dessein ferme emplit l'âme et le front,
Ceux qui d'un haut destin gravissent l'âpre cime,
Ceux qui marchent pensifs, épris d'un but sublime,
Ayant devant les yeux sans cesse, nuit et jour,
Ou quelque saint labeur ou quelque grand amour.
C'est le prophète saint prosterné devant l'arche,
C'est le travailleur, pâtre, ouvrier, patriarche ;
Ceux dont le cœur est bon, ceux dont les jours sont pleins
Ceux-là vivent, Seigneur ! les autres, je les plains.
Car de son vague ennui le néant les enivre,
Car le plus lourd fardeau, c'est d'exister sans vivre.
Inutiles, épars, ils traînent ici-bas
Le sombre accablement d'être en ne pensant pas.
Ils s'appellent vulgus, plebs, la tourbe, la foule.
Ils sont ce qui murmure, applaudit, siffle, coule,
Bat des mains, foule aux pieds, bâille, dit oui, dit non,
N'a jamais de figure et n'a jamais de nom ;
Troupeau qui va, revient, juge, absout, délibère,
Détruit, prêt à Marat comme prêt à Tibère,
Foule triste, joyeuse, habits dorés, bras nus,
Pêle-mêle, et poussée aux gouffres inconnus.
Ils sont les passants froids, sans but, sans nœud, sans âge ;
Le bas du genre humain qui s'écroule en nuage ;
Ceux qu'on ne connaît pas, ceux qu'on ne compte pas,
Ceux qui perdent les mots, les volontés, les pas.
L'ombre obscure autour d'eux se prolonge et recule ;
Ils n'ont du plein midi qu'un lointain crépuscule,

●◆ Voir *Au fil du texte*, p. XVII.

Car, jetant au hasard les cris, les voix, le bruit,
Ils errent près du bord sinistre de la nuit.

Quoi, ne point aimer ! suivre une morne carrière
Sans un songe en avant, sans un deuil en arrière !
Quoi ! marcher devant soi sans savoir où l'on va !
Rire de Jupiter sans croire à Jéhova !
Regarder sans respect l'astre, la fleur, la femme !
Toujours vouloir le corps, ne jamais chercher l'âme !
Pour de vains résultats faire de vains efforts !
N'attendre rien d'en haut ! ciel ! oublier les morts !
Oh non, je ne suis point de ceux-là ! grands, prospères,
Fiers, puissants, ou cachés dans d'immondes repaires,
Je les fuis, et je crains leurs sentiers détestés ;
Et j'aimerais mieux être, ô fourmis des cités,
Tourbe, foule, hommes faux, cœurs morts, races déchues
Un arbre dans les bois qu'une âme en vos cohues !

Paris, décembre 1848.
[31 décembre 1848, minuit.]

X

AUBE

Un immense frisson émeut la plaine obscure.
C'est l'heure où Pythagore, Hésiode, Épicure,
Songeaient ; c'est l'heure où, las d'avoir, toute la nuit,
Contemplé l'azur sombre et l'étoile qui luit,
Pleins d'horreur, s'endormaient les pâtres de Chaldée.
Là-bas, la chute d'eau, de mille plis ridée,
Brille, comme dans l'ombre un manteau de satin ;
Sur l'horizon lugubre apparaît le matin
Face rose qui rit avec des dents de perles ;
Le bœuf rêve et mugit, les bouvreuils et les merles
Et les geais querelleurs sifflent, et dans les bois
On entend s'éveiller confusément les voix ;
Les moutons hors de l'ombre, à travers les bourrées,
Font bondir au soleil leurs toisons éclairées ;
Et la jeune dormeuse, entr'ouvrant son œil noir,
Fraîche, et ses coudes blancs sortis hors du peignoir,
Cherche de son pied nu sa pantoufle chinoise.

Louange à Dieu ! toujours, après la nuit sournoise,
Agitant sur les monts la ronce et le genêt,
La nature superbe et tranquille renaît ;
L'aube éveille le nid à l'heure accoutumée,
Le chaume dresse au vent sa plume de fumée,
Le rayon, flèche d'or, perce l'âpre forêt ;
Et plutôt qu'arrêter le soleil, on ferait
Sensibles à l'honneur et pour le bien fougueuses
Les âmes de Baroche et de Troplong, ces gueuses !

Jersey, avril 1853. [28 avril 1853.]

XI

Vicomte de Foucault, lorsque vous empoignâtes
L'éloquent Manuel [1] de vos mains auvergnates,
Comme l'Océan bout quand tressaille l'Etna,
Le peuple tout entier s'émut et frissonna ;
On vit, sombre lueur, poindre mil-huit-cent-trente ;
L'antique royauté, fière et récalcitrante,
Chancela sur son trône, et dans ce noir moment
On sentit commencer ce vaste écroulement ;
Et ces rois, qu'on punit d'oser toucher un homme,
Étaient grands, et mêlés à notre histoire, en somme ;
Ils avaient derrière eux des siècles éblouis,
Henri quatre et Coutras [2], Damiette et Saint Louis.
Aujourd'hui, dans Paris, un prince de la pègre,
Un pied plat, copiant Faustin, singe d'un nègre,
Plus faux qu'Ali Pacha, plus cruel que Rosas [3],
Fourre en prison la loi, met la gloire à Mazas,
Chasse l'honneur, le droit, les probités punies,
Orateurs, généraux, représentants, génies,
Les meilleurs serviteurs du siècle et de l'État,
Et c'est tout ! et le peuple, après cet attentat,
Souffleté mille fois sur ces faces illustres,
Va voir de l'Élysée étinceler les lustres,

1. Vicomte de Foucault, commandant de la gendarmerie à la Chambre qui fit expulser le député républicain Manuel (1823).
2. Victoire sur l'armée catholique qui permit à Henri IV d'accéder au trône en 1587.
3. Faustin Soulouque (1789-1867), empereur de Haïti en 1849 ; chassé en 1859, après un règne grotesque et sanglant.
Ali Pacha (1740-1822), tyran de Janina.
Don Manuel Ortiz de Rosas (1793-1877), dictateur argentin particulièrement sanguinaire, chassé en 1852.

Ne sent rien sur sa joue et contemple César !
Lui, souverain, il suit en esclave le char !
Il regarde danser dans le Louvre les maîtres,
Ces immondes faisant vis-à-vis à ces traîtres,
La fraude en grand habit, le meurtre en apparat,
Et le ventre Berger près du ventre Murat [1] !
On dit : — Vivons ! adieu grandeur, gloire, espérance ! —
Comme si, dans ce monde, un peuple appelé France
Alors qu'il n'est plus libre, était encor vivant !
On boit, on mange, on dort, on achète et l'on vend,
Et l'on vote, en riant des doubles fonds de l'urne ;
Et pendant ce temps-là, ce gredin taciturne,
Ce chacal à son sang froid, ce corse hollandais,
Étale, front d'airain, son crime sous le dais,
Gorge d'or et de vin sa bande scélérate,
S'accoude sur la nappe, et cuvant, noir pirate,
Son guet-apens français, son guet-apens romain,
Mâche son cure-dent taché de sang humain !

Bruxelles, mai 1852.
[20 mai 1853.]

1. Napoléon-Lucien-Charles Murat (1803-1878), fils du héros de la Moskova, roi de Naples ; cousin de Louis Napoléon, sénateur après le coup d'État.

XII

À QUATRE PRISONNIERS*

(APRÈS LEUR CONDAMNATION)

Mes fils, soyez contents ; l'honneur est où vous êtes.
Et vous, mes deux amis, la gloire, ô fiers poètes,
Couronne votre nom par l'affront désigné ;
Offrez aux juges vils, groupe abject et stupide,
     Toi, ta douceur intrépide,
     Toi, ton sourire indigné.

Dans cette salle où Dieu voit la laideur des âmes,
Devant ces froids jurés, choisis pour être infâmes,
Ces douze hommes, muets, de leur honte chargés,
Ô justice, j'ai cru, justice auguste et sombre,
     Voir autour de toi dans l'ombre
     Douze sépulcres rangés.

Ils vous ont condamnés, que l'avenir les juge !
Toi, pour avoir crié : la France est le refuge
Des vaincus, des proscrits ! — Je t'approuve, mon fils !
Toi, pour avoir, devant la hache qui s'obstine,
     Insulté la guillotine,
     Et vengé le crucifix !

---

* Paul Maurice [1], Auguste Vacquerie, Charles Hugo, François-V, Hugo, rédacteurs de *L'Événement*.
1. Faute typographique pour Meurice.

Les temps sont durs ; c'est bien. Le martyre console.
J'admire, ô vérité, plus que toute auréole,
Plus que le nimbe ardent des saints en oraison,
Plus que les trônes d'or devant qui tout s'efface,
        L'ombre que font sur ta face
        Les barreaux d'une prison !

Quoique le méchant fasse en sa bassesse noire,
L'outrage injuste et vil là-haut se change en gloire.
Quand Jésus commençait sa longue passion,
Le crachat qu'un bourreau lança sur son front blême
        Fit au ciel à l'instant même
        Une constellation !

Conciergerie, novembre 1851.
[18 janvier 1853.]

XIII

ON LOGE À LA NUIT

Aventurier conduit par le louche destin,
Pour y passer la nuit, jusqu'à demain matin,
Entre à l'auberge Louvre avec ta rosse Empire.

Molière te regarde et fait signe à Shakespeare ;
L'un te prend pour Scapin, l'autre pour Richard trois.
Entre en jurant et fais le signe de la croix.
L'antique hôtellerie est tout illuminée.
L'enseigne, par le temps salie et charbonnée,
Sur le vieux fleuve Seine, à deux pas du Pont-Neuf,
Crie et grince au balcon rouillé de Charles-Neuf ;
On y déchiffre encor ces quelques lettres : — Sacre ; —
Texte obscur et tronqué, reste du mot Massacre.

Un fourmillement sombre emplit ce noir logis.
Parmi les chants d'ivresse et les refrains mugis,
On rit, on boit, on mange, et le vin sort des outres.
Toute une boucherie est accrochée aux poutres.
Ces êtres triomphants ont fait quelque bon coup.
L'un crie : assommons tout ! et l'autre : empochons tout !
L'autre agite une torche aux clartés aveuglantes.
Par places sur les murs on voit des mains sanglantes.
Les mets fument ; la braise aux fourneaux empourprés
Flamboie ; on voit aller et venir affairés,
Des taches à leurs mains, des taches à leurs chausses,
Les Rianceys marmitons, les Nisards gâte-sauces ;

Et, — derrière la table où sont assis Fortoul,
Persil, Piétri, Carlier, Chapuys le capitoul,
Ducos et Magne au meurtre ajoutant leur paraphe,
Forey dont à Bondy l'on change l'orthographe,
Rouher et Radetzky, Haynau près de Drouyn [1], —
Le porc Sénat fouillant l'ordure du groin.
Ces gueux ont commis plus de crimes qu'un évêque
N'en bénirait. Explore, analyse, dissèque,
Dans leur âme où de Dieu le germe est étouffé,
Tu ne trouveras rien. — Sus donc, entre coiffé
Comme Napoléon, botté comme Macaire.
Le général Bertrand te précède ; tonnerre
De bravos. Cris de joie aux hurlements mêlés.
Les spectres qui gisaient dans l'ombre échevelés
Te regardent entrer et rouvrent leurs yeux mornes ;
Autour de toi s'émeut l'essaim des maritornes,
À beaucoup de jargon mêlant un peu d'argot ;
La marquise Toinon, la duchesse Margot,
Houris au cœur de verre, aux regards d'escarboucles.
Maître ; es-tu la régence ? on poudrera ses boucles ;
Es-tu le directoire ? on mettra des madras.
Fais, ô bel étranger, tout ce que tu voudras,
Ton nom est Million, entre ! — Autour de ces belles,

---

1. Jean-Marie Nisard (1806-1885), journaliste libéral, champion du classicisme et violent ennemi des romantiques ; Collège de France et Académie en 1850 ; inspecteur général de l'Enseignement supérieur après le coup d'État.

Hippolyte Fortoul (1811-1856), ministre de l'Instruction publique au coup d'État.

Jean-Charles Persil (1785-1870), ancien procureur général puis ministre de la Justice sous la monarchie de Juillet ; conseiller d'État en 1852, sénateur en 1864.

Pierre-Marie Piétri (1810-1864), ancien républicain passé au parti de l'ordre ; remplaça Maupas comme préfet de police en 1852.

Elie-Frédéric Forey (1804-1872), officier que Cavaignac fit général en 1848 ; un des hommes du coup d'État. La forêt de Bondy était un repaire de brigands.

Drouyn de Luys (1805-1881), député de l'opposition libérale sous la monarchie de Juillet, passé à droite ; membre de la Commission consultative au coup d'État.

Colombes de l'orgie, ayant toutes des ailes,
Folâtrent Suin, Mongis, Turgot et d'Aguesseau [1],
Et Saint-Arnaud qui vole autrement que l'oiseau.
Aux trois-quarts gris déjà, Reybell le traboucaire
Prend Fould pour un curé dont Sibour est vicaire.

Regarde : tout est prêt pour te fêter, bandit.

L'immense cheminée au centre resplendit.
Ton aigle, une chouette, en blasonne le plâtre.
Le bœuf Peuple rôtit tout entier devant l'âtre ;
La lèchefrite chante en recevant le sang ;
À côté sont assis, souriant et causant,
Magnan qui l'a tué, Troplong qui le fait cuire.
On entend cette chair pétiller et bruire,
Et sur son tablier de cuir, joyeux et las,
Le boucher Carrelet fourbit son coutelas.
La marmite Budget pend à la crémaillère.
Viens, toi qu'aiment les juifs et que l'église éclaire,
Espoir des fils d'Ignace et des fils d'Abraham,
Qui t'en vas vers Toulon et qui t'en viens de Ham,
Viens, la journée est faite et c'est l'heure de paître.
Prends devant ce bon feu ce bon fauteuil, ô maître.
Tout ici te vénère et te proclame roi ;
Viens ; rayonne, assieds-toi, chauffe-toi, sèche-toi,
Sois bon prince, ô brigand ! ô fils de la créole,
Dépouille ta grandeur, quitte ton auréole ;
Ce qu'on appelle ainsi dans ce nid de félons
C'est la boue et le sang collés à tes talons,
C'est la fange rouillant ton éperon sordide ;
Les héros, les penseurs portent, groupe splendide,

---

1. Mongis, avocat général au procès d'Auguste Vacquerie en 1851.
   Marquis de Turgot (1796-1866), descendant du grand Turgot, ministre de Louis XVI, rallié à Louis Napoléon, ministre des Affaires étrangères en 1851.
   Comte d'Aguesseau (1803-1889), autre descendant d'une famille justement illustre, rallié à Louis Napoléon, sénateur en 1852 et artisan du rétablissement de l'Empire.

Leur immortalité sur leur radieux front ;
Toi, tu traînes ta gloire à tes pieds. Entre donc,
Ôte ta renommée avec un tire-bottes.
Vois, les grands hommes nains et les gloires nabotes
T'entourent en chantant, ô Tom-Pouce Attila !
Ce bœuf rôtit pour toi ; Maupas, ton nègre, est là ;
Et, jappant dans sa niche au coin du feu, Baroche
Vient te lécher les pieds, tout en tournant la broche.

Pendant que dans l'auberge ils trinquent à grand bruit,
Dehors, par un chemin qui se perd dans la nuit,
Hâtant son lourd cheval dont le pas se rapproche,
Muet, pensif, avec des ordres dans sa poche,
Sous ce ciel noir qui doit redevenir ciel bleu,
Arrive l'avenir, le gendarme de Dieu.

Jersey, novembre 1852.
[1er février 1853.]

LIVRE V

L'AUTORITÉ EST SACRÉE

I

LE SACRE

— SUR L'AIR DE MALBROUCK —

Dans l'affreux cimetière,
Paris tremble, ô douleur, ô misère !
Dans l'affreux cimetière
Frémit le nénuphar.

Castaing [1] lève sa pierre,
Paris tremble, ô douleur, ô misère !
Castaing lève sa pierre,
Dans l'herbe de Clamar,

Et crie et vocifère,
Paris tremble, ô douleur, ô misère !
Et crie et vocifère :
— Je veux être César !

---

1. Edme Castaing (1797-1823), médecin accusé d'avoir empoisonné à la morphine deux fils de notaire tuberculeux pour en hériter. Condamné et exécuté après un procès peu rigoureux.

Cartouche en son suaire,
Paris tremble, ô douleur, ô misère !
Cartouche en son suaire
S'écrie ensanglanté :

— Je veux aller sur terre,
Paris tremble, ô douleur, ô misère !
Je veux aller sur terre,
Pour être majesté !

Mingrat [1] monte à sa chaire,
Paris tremble, ô douleur, ô misère !
Mingrat monte à sa chaire
Et dit, sonnant le glas :

— Je veux, dans l'ombre où j'erre,
Paris tremble, ô douleur, ô misère !
Je veux, dans l'ombre où j'erre
Avec mon coutelas,

Être appelé : mon frère,
Paris tremble, ô douleur, ô misère !
Être appelé : mon frère,
Par le tzar Nicolas !

Poulmann dans l'ossuaire,
Paris tremble, ô douleur, ô misère !
Poulmann dans l'ossuaire
S'éveillant en fureur,

Dit à Mandrin : — compère,
Paris tremble, ô douleur, ô misère !
Dit à Mandrin : — compère,
Je veux être empereur !

— Je veux, dit Lacenaire,
Paris tremble, ô douleur, ô misère !

---

1. Antoine Mingrat (1794-1725?), prêtre savoyard, assassin sadique sous la Restauration ; célèbre par le récit que fit Paul-Louis Courier de son histoire.

Je veux, dit Lacenaire,
Être empereur et roi !

Et Soufflard déblatère,
Paris tremble, ô douleur, ô misère !
Et Soufflard déblatère,
Hurlant comme un beffroi :

— Au lieu de cette bière,
Paris tremble, ô douleur, ô misère !
Au lieu de cette bière,
Je veux le Louvre, moi !

Ainsi, dans leur poussière,
Paris tremble, ô douleur, ô misère !
Ainsi, dans leur poussière,
Parlent les chenapans.

— Ça, dit Robert Macaire,
Paris tremble, ô douleur, ô misère !
— Ça, dit Robert Macaire,
Pourquoi ces cris de paons ?

Pourquoi cette colère ?
Paris tremble, ô douleur, ô misère !
Pourquoi cette colère ?
Ne sommes-nous pas rois ?

Regardez, le saint-père,
Paris tremble, ô douleur, ô misère !
Regardez, le saint-père,
Portant sa grande croix,

Nous sacre tous ensemble,
Ô misère, ô douleur, Paris tremble !
Nous sacre tous ensemble
Dans Napoléon-trois !

Jersey, juillet 1853.
[17 janvier 1853.]

II

CHANSON

Un jour Dieu sur sa table
Jouait avec le diable
Du genre humain haï ;
Chacun tenait sa carte ;
L'un jouait Bonaparte
Et l'autre Mastaï.

Un pauvre abbé bien mince !
Un méchant petit prince,
Polisson hasardeux !
Quel enjeu pitoyable !
Dieu fit tant que le diable
Les gagna tous les deux.

— Prends ! cria Dieu le père,
Tu ne sauras qu'en faire ! —
Le diable dit : — erreur ! —
Et, ricanant sous cape,
Il fit de l'un un pape,
De l'autre un empereur.

Jersey, juillet 1853.
[1er mars 1853.]

•◆ Voir *Au fil du texte*, p. XVII.

III

LE MANTEAU IMPÉRIAL

Oh ! vous dont le travail est joie,
Vous qui n'avez pas d'autre proie
Que les parfums, souffles du ciel,
Vous qui fuyez quand vient décembre,
Vous qui dérobez aux fleurs l'ambre
Pour donner aux hommes le miel,

Chastes buveuses de rosée,
Qui, pareilles à l'épousée,
Visitez le lys du coteau,
Ô sœurs des corolles vermeilles,
Filles de la lumière, abeilles,
Envolez-vous de ce manteau !

Ruez-vous sur l'homme, guerrières !
Ô généreuses ouvrières,
Vous le devoir, vous la vertu,
Ailes d'or et flèches de flamme,
Tourbillonnez sur cet infâme !
Dites-lui : — « pour qui nous prends-tu ?

Maudit ! nous sommes les abeilles !
Des chalets ombragés de treilles
Notre ruche orne le fronton ;
Nous volons, dans l'azur écloses,
Sur la bouche ouverte des roses
Et sur les lèvres de Platon.

Voir *Au fil du texte*, p. XVIII.

Ce qui sort de la fange y rentre.
Va trouver Tibère en son antre,
Et Charles-neuf sur son balcon.
Va ! sur ta pourpre il faut qu'on mette,
Non les abeilles de l'Hymète,
Mais l'essaim noir de Montfaucon [1] ! »

Et percez-le toutes ensemble,
Faites honte au peuple qui tremble,
Aveuglez l'immonde trompeur,
Acharnez-vous sur lui, farouches,
Et qu'il soit chassé par les mouches
Puisque les hommes en ont peur !

Jersey, juin 1853.
[Janvier-février 1853?]

1. Hymète : montagne de Grèce renommée pour ses abeilles et son miel.

Montfaucon : gibet et cimetière des suppliciés de l'ancien Paris, celui de *Notre-Dame de Paris*.

IV

TOUT S'EN VA

LA RAISON

Moi, je me sauve.

LE DROIT

Adieu ! je m'en vais.

L'HONNEUR

Je m'exile.

ALCESTE

Je vais chez les Hurons leur demander asile.

LA CHANSON

J'émigre. Je ne puis souffler mot, s'il vous plaît,
Dire un refrain sans être empoignée au collet
Par les sergents de ville, affreux drôles livides.

UNE PLUME

Personne n'écrit plus ; les encriers sont vides.
On dirait d'un pays mogol, russe ou persan.
Nous n'avons plus ici que faire ; allons-nous-en,
Mes sœurs, je quitte l'homme et je retourne aux oies.

LA PITIÉ

Je pars. Vainqueurs sanglants, je vous laisse à vos joies
Je vole vers Cayenne où j'entends de grands cris.

LA MARSEILLAISE

J'ouvre mon aile, et vais rejoindre les proscrits.

LA POÉSIE

Oh ! je pars avec toi, pitié, puisque tu saignes !

L'AIGLE

Quel est ce perroquet qu'on met sur vos enseignes,
Français ! de quel égout sort cette bête-là ?
Aigle selon Cartouche et selon Loyola,
Il a du sang au bec, Français ; mais c'est le vôtre.
Je regagne les monts. Je ne vais qu'avec l'autre.
Les rois à ce félon peuvent dire : merci ;
Moi, je ne connais pas ce Bonaparte-ci !
Sénateurs ! courtisans ! je rentre aux solitudes !
Vivez dans le cloaque et dans les turpitudes.
Soyez vils, vautrez-vous sous les cieux rayonnants.

LA FOUDRE

Je remonte avec l'aigle aux nuages tonnants.
L'heure ne peut tarder. Je vais attendre un ordre.

UNE LIME

Puisqu'il n'est plus permis qu'aux vipères de mordre,
Je pars, je vais couper les fers dans les pontons.

LES CHIENS

Nous sommes remplacés par les préfets ; partons.

LA CONCORDE

Je m'éloigne. La haine est dans les cœurs sinistres.

LA PENSÉE

On n'échappe aux fripons que pour choir dans les cuistres.
Il semble que tout meure et que de grands ciseaux
Vont jusque dans les cieux couper l'aile aux oiseaux.
Toute clarté s'éteint sous cet homme funeste.
Ô France ! je m'enfuis et je pleure.

LE MÉPRIS

Je reste.

Jersey, novembre 1852.
[24 novembre 1852.]

V

Ô drapeau de Wagram ! ô pays de Voltaire !
Puissance, liberté, vieil honneur militaire,
Principes, droits, pensée, ils font en ce moment
De toute cette gloire un vaste abaissement.
Toute leur confiance est dans leur petitesse.
Ils disent, se sentant d'une chétive espèce :
— Bah ! nous ne pesons rien ! régnons. — Les nobles
[cœurs !
Ils ne savent donc pas, ces pauvres nains vainqueurs,
Sautés sur le pavois du fond d'une caverne,
Que lorsque c'est un peuple illustre qu'on gouverne,
Un peuple en qui l'honneur résonne et retentit,
On est d'autant plus lourd que l'on est plus petit !
Est-ce qu'ils vont changer, est-ce là notre compte ?
Ce pays de lumière en un pays de honte ?
Il est dur de penser, c'est un souci profond,
Qu'ils froissent dans les cœurs, sans savoir ce qu'ils font,
Les instincts les plus fiers et les plus vénérables.
Ah ! ces hommes maudits, ces hommes misérables
Éveilleront enfin quelque rébellion
À force de courber la tête du lion !
La bête est étendue à terre, et fatiguée ;
Elle sommeille au fond de l'ombre reléguée ;
Le mufle fauve et roux ne bouge pas, d'accord ;
C'est vrai, la patte énorme et monstrueuse dort ;
Mais on l'excite assez pour que la griffe sorte.
J'estime qu'ils ont tort de jouer de la sorte.

Jersey, juin 1853. [Octobre 1849, ou 1848?]

VI

On est Tibère, on est Judas, on est Dracon ;
Et l'on a Lambessa [1] n'ayant plus Montfaucon.
On forge pour le peuple une chaîne ; on enferme,
On exile, on proscrit le penseur libre et ferme ;
Tout succombe. On comprime élans, espoirs, regrets,
La liberté, le droit, l'avenir, le progrès,
Comme faisait Séjan, comme fit Louis onze,
Avec des lois de fer et des juges de bronze.
Puis, — c'est bien : — on s'endort, et le maître joyeux
Dit : l'homme n'a plus d'âme et le ciel n'a plus d'yeux.
Ô rêve des tyrans ! l'heure fuit, le temps marche,
Le grain croît dans la terre et l'eau coule sous l'arche.
Un jour vient où ces lois de silence et de mort,
Se rompant tout à coup comme sous un effort
Se rouvrent à grand bruit des portes mal fermées,
Emplissent la cité de torches enflammées.

Jersey, août 1853.
[17 janvier 1853.]

1. Dracon, législateur d'Athènes au VIIe siècle av. J.-C., auteur d'un code « draconien », d'une grande sévérité.
Lambessa : pénitencier en Algérie.

VII

LES GRANDS CORPS DE L'ÉTAT

Ces hommes passeront comme un ver sur le sable.
Qu'est-ce que tu ferais de leur sang méprisable ?
     Le dégoût rend clément.
Retenons la colère âpre, ardente, électrique.
Peuple, si tu m'en crois, tu prendras une trique
     Au jour du châtiment.

Ô de Soulouque-deux burlesque cantonade !
Ô ducs de Trou-Bonbon, marquis de Cassonade [1],
     Souteneurs du larron,
Vous dont la Poésie, ou sublime ou mordante,
Ne sait que faire, gueux, trop grotesques pour Dante,
     Trop sanglants pour Scarron,

Ô jongleurs, noirs par l'âme et par la servitude,
Vous vous imaginez un lendemain trop rude,
     Vous êtes trop tremblants,
Vous croyez qu'on en veut, dans l'exil où nous sommes,
À cette peau qui fait qu'on vous prend pour des hommes ;
     Calmez-vous, nègres blancs !

Cambyse [2], j'en conviens, eût eu ce cœur de roche
De faire asseoir Troplong sur la peau de Baroche ;

---

1. Soulouque avait anobli ses partisans en leur donnant des titres grotesques.
2. Cambyse, roi de Perse après Cyrus en 529 av. J.-C. : il fit écarteler un juge prévaricateur dont la peau servit de siège et d'avertissement à son successeur.

        Au bout d'un temps peu long,
Il eût crié : cet autre est pire ! qu'on l'étrangle !
Et, j'en conviens encore, eût fait asseoir Delangle
        Sur la peau de Troplong.

Cambyse était stupide et digne d'être auguste ;
Comme s'il suffisait pour qu'un être soit juste,
        Sans vices, sans orgueil,
Pour qu'il ne soit pas traître à la loi, ni transfuge,
Que d'une peau de tigre ou d'une peau de juge
        On lui fasse un fauteuil !

Toi, peuple, tu diras : — ces hommes se ressemblent.
Voyons les mains, — et tous trembleront comme tremblent
        Les loups pris aux filets.
Bon. Les uns ont du sang, qu'au bagne on les écroue,
À la chaîne ! Mais ceux qui n'ont que de la boue,
        Tu leur diras : — Valets !

La loi râlait, ayant en vain crié : main-forte !
Vous avez partagé les habits de la morte.
        Par César achetés,
De tous nos droits livrés vous avez fait des ventes ;
Toutes ses trahisons ont trouvé pour servantes
        Toutes vos lâchetés !

Allez, fuyez, vivez ! pourvu que, mauvais prêtre,
Mauvais juge, on vous voie en vos trous disparaître,
        Rampant sur vos genoux,
Et qu'il ne reste rien, sous les cieux que Dieu dore,
Sous le splendide azur où se lève l'aurore,
        Rien de pareil à vous !

Vivez, si vous pouvez ! l'opprobre est votre asile.
Vous aurez à jamais, toi, cardinal Basile,
        Toi, sénateur Crispin,
De quoi boire et manger dans vos fuites lointaines
Si le mépris se boit comme l'eau des fontaines,
        Si la honte est du pain ! —

Peuple, alors nous prendrons au collet tous ces drôles,
Et tu les jetteras dehors par les épaules
    À grands coups de bâton ;
Et dans le Luxembourg, blancs sous les branches d'arbre,
Vous nous approuverez de vos têtes de marbre,
    Ô Lycurgue, ô Caton !

Citoyens ! le néant pour ces laquais se rouvre ;
Qu'importe, ô citoyens ! l'abjection les couvre
    De son manteau de plomb.
Qu'importe que le soir, un passant solitaire,
Voyant un récureur d'égouts sortir de terre,
    Dise : tiens ! c'est Troplong !

Qu'importe que Rouher sur le Pont-Neuf se carre,
Que Baroche et Delangle, en quittant leur simarre,
    Prennent des tabliers,
Qu'ils s'offrent pour trois sous, oubliés quoiqu'infâmes,
Et qu'ils aillent, après avoir sali leurs âmes,
    Nettoyer vos souliers !

Jersey, juin 1853.
[23 novembre 1852.]

VIII

Le Progrès, calme et fort et toujours innocent,
Ne sait pas ce que c'est que de verser le sang.
Il règne, conquérant désarmé, quoiqu'on fasse.
De la hache et du glaive il détourne sa face,
Car le doigt éternel écrit dans le ciel bleu
Que la terre est à l'homme et que l'homme est à Dieu ;
Car la force invincible est la force impalpable, —
Peuple, jamais de sang ! — Vertueux ou coupable,
Le sang qu'on a versé monte des mains au front.
Quand sur une mémoire, indélébile affront,
Il jaillit, plus d'espoir ; cette fatale goutte
Finit par la couvrir et la dévorer toute ;
Il n'est pas dans l'histoire une tache de sang
Qui sur les noirs bourreaux n'aille s'élargissant.
Sachons-le bien, la honte est la meilleure tombe.
Le même homme sur qui son crime enfin retombe,
Sort sanglant du sépulcre et fangeux du mépris.
Le bagne dédaigneux sur les coquins flétris
Se ferme, et tout est dit ; l'obscur tombeau se rouvre ;
Qu'on le fasse profond et muré, qu'on le couvre
D'une dalle de marbre et d'un plafond massif,
Quand vous avez fini, le fantôme pensif
Lève du front la pierre et lentement se dresse.
Mettez sur ce tombeau toute une forteresse,
Tout un mont de granit, impénétrable et sourd,
Le fantôme est plus fort que le granit n'est lourd.
Il soulève ce mont comme une feuille morte.
Le voici, regardez, il sort ; il faut qu'il sorte !
Il faut qu'il aille et marche et traîne son linceul !
Il surgit devant vous dès que vous êtes seul ;

Il dit : c'est moi ; tout vent qui souffle vous l'apporte ;
La nuit, vous l'entendez qui frappe à votre porte.
Les exterminateurs, avec ou sans le droit,
Je les hais, mais surtout je les plains. On les voit,
À travers l'âpre histoire où le vrai seul demeure,
Pour s'être délivrés de leurs rivaux d'une heure,
D'ennemis innocents, ou même criminels,
Fuir dans l'ombre entourés de spectres éternels.

					Jersey, octobre 1852.
					[25 mars 1853.]

IX

LE CHANT DE CEUX QUI S'EN VONT SUR MER

— AIR BRETON —

Adieu, patrie !
L'onde est en furie.
Adieu, patrie,
Azur !

Adieu, maison, treille au fruit mûr,
Adieu, les fleurs d'or du vieux mur !

Adieu, patrie !
Ciel, forêt, prairie !
Adieu, patrie,
Azur !

Adieu, patrie !
L'onde est en furie.
Adieu, patrie,
Azur !

Adieu, fiancée au front pur,
Le ciel est noir, le vent est dur.

Adieu, patrie !
Lise, Anna, Marie !
Adieu, patrie,
Azur !

Adieu, patrie !
L'onde est en furie.
Adieu, patrie,
Azur !

Notre œil, que voile un deuil futur,
Va du flot sombre au sort obscur !

Adieu, patrie !
Pour toi mon cœur prie.
Adieu, patrie !
Azur !

En mer, 1er août 1852.
[31 juillet 1853.]

X

À UN QUI VEUT SE DÉTACHER

I

Maintenant il se dit : — l'empire est chancelant ;
　　　La victoire est peu sûre. —
Il cherche à s'en aller, furtif et reculant.
　　　Reste dans la masure !

Tu dis : — le plafond croule. Ils vont, si l'on me voit,
　　　Empêcher que je sorte. —
N'osant rester ni fuir, tu regardes le toit,
　　　Tu regardes la porte ;

Tu mets timidement la main sur le verrou.
　　　Reste en leurs rangs funèbres !
Reste ! la loi qu'ils ont enfouie en un trou
　　　Est là dans les ténèbres.

Reste ! elle est là, le flanc percé de leur couteau,
　　　Gisante, et sur sa bière
Ils ont mis une dalle. Un pan de ton manteau
　　　Est pris sous cette pierre !

Pendant qu'à l'Élysée en fête et plein d'encens,
　　　On chante, on déblatère,
Qu'on oublie et qu'on rit, toi tu pâlis ; tu sens
　　　Ce spectre sous la terre !

Tu ne t'en iras pas ! quoi ! quitter leur maison !
      Et fuir leur destinée !
Quoi ! tu voudrais trahir jusqu'à la Trahison,
      Elle-même indignée !

Quoi ! tu veux renier ce larron au front bas
      Qui t'admire et t'honore !
Quoi ! Judas pour Jésus, tu veux pour Barabbas
      Être Judas encore !

Quoi ! n'as-tu pas tenu l'échelle à ces fripons,
      En pleine connivence ?
Le sac de ces voleurs, ne fut-il pas, réponds,
      Cousu par toi d'avance !

Les mensonges, la haine au dard froid et visqueux,
      Habitent ce repaire ;
Tu t'en vas ! de quel droit ? étant plus renard qu'eux,
      Et plus qu'elle vipère !

II

Quand l'Italie en deuil dressa, du Tibre au Pô,
      Son drapeau magnifique,
Quand ce grand peuple, après s'être couché troupeau,
      Se leva république,

C'est toi, quand Rome aux fers jeta le cri d'espoir,
      Toi qui brisas son aile,
Toi qui fis retomber l'affreux capuchon noir
      Sur sa face éternelle !

C'est toi qui restauras Montrouge et Saint-Acheul [1],
      Écoles dégradées

1. Montrouge : maison des Jésuites au sud de Paris. Saint-Acheul :
collège jésuite près d'Amiens.

Où l'on met à l'esprit frémissant un linceul,
        Un bâillon aux idées.

C'est toi qui, pour progrès rêvant l'homme animal,
        Livras l'enfant victime
Aux jésuites lascifs, sombres amants du mal,
        En rut devant le crime !

Ô pauvres chers enfants qu'ont nourris de leur lait
        Et qu'ont bercés nos femmes,
Ces blêmes oiseleurs ont pris dans leur filet
        Toutes vos douces âmes !

Hélas ! ce triste oiseau, sans plumes sur la chair,
        Rongé de lèpre immonde,
Qui rampe et qui se meurt dans leur cage de fer,
        C'est l'avenir du monde !

Si nous les laissons faire, on aura dans vingt ans,
        Sous les cieux que Dieu dore,
Une France aux yeux ronds, aux regards clignotants,
        Qui haïra l'aurore.

Ces noirs magiciens, ces jongleurs tortueux
        Dont la fraude est la règle,
Pour en faire sortir le hibou monstrueux,
        Ont volé l'œuf de l'aigle !

III

Donc comme les Baskirs [1], sur Paris étouffé
        Et comme les Croates,
Créateurs du néant, vous avez triomphé
        Dans vos haines béates ;

1. Population de l'Oural dont la cavalerie occupa Paris en 1815.

Et vous êtes joyeux, vous, constructeurs savants
    Des préjugés sans nombre,
Qui, pareils à la nuit, versez sur les vivants
    Des urnes pleines d'ombre !

Vous courez saluer le nain Napoléon :
    Vous dansez dans l'orgie !
Ce grand siècle est souillé ! c'était le Panthéon,
    Et c'est la tabagie !

Et vous dites : c'est bien ! vous sacrez parmi nous
    César au nom de Rome
L'assassin qui, la nuit, se met à deux genoux
    Sur le ventre d'un homme !

Ah ! malheureux ! louez César qui fait trembler,
    Adorez son étoile ;
Vous oubliez le Dieu vivant qui peut rouler
    Les cieux comme une toile !

Encore un peu de temps, et ceci tombera ;
    Dieu vengera sa cause !
Les villes chanteront, le lieu désert sera
    Joyeux comme une rose !

Encore un peu de temps, et vous ne serez plus,
    Et je viens vous le dire.
Vous êtes les maudits, nous sommes les élus ;
    Regardez-nous sourire !

Je le sais, moi qui vis au bord du gouffre amer,
    Sur les rocs centenaires,
Moi qui passe mes jours à contempler la mer
    Pleine de sourds tonnerres !

IV

Toi, leur chef, sois leur chef ! c'est là ton châtiment.
    Sois l'homme des discordes !

Ces fourbes ont saisi le genre humain dormant
        Et l'ont lié de cordes !

Ah ! tu voulus défaire, épouvantable affront !
        Les âmes que Dieu crée ?
Eh bien, frissonne et pleure, atteint toi-même au front
        Par ton œuvre exécrée !

À mesure que vient l'ignorance, et l'oubli,
        Et l'erreur qu'elle amène,
À mesure qu'aux cieux décroît, soleil pâli,
        L'intelligence humaine,

Et que son jour s'éteint, laissant l'homme méchant
        Et plus froid que les marbres,
Votre honte, ô maudits, grandit comme au couchant
        Grandit l'ombre des arbres !

                    V

Oui, reste leur apôtre ! oui, tu l'as mérité.
        C'est là ta peine énorme !
Regarde en frémissant dans la postérité
        Ta mémoire difforme.

On voit, louche rhéteur des vieux partis hurlants,
        Qui mens et qui t'emportes,
Pendre à tes noirs discours, comme à des clous sanglants,
        Toutes les grandes mortes,

La Justice, la Foi, bel ange souffleté
        Par la goule papale,
La Vérité, fermant les yeux, la Liberté
        Échevelée et pâle,

Et ces deux sœurs, hélas ! nos mères toutes deux,
        Rome qu'en pleurs je nomme,

Et la France sur qui, raffinement hideux,
    Coule le sang de Rome !

Homme fatal ! l'histoire en ses enseignements
    Te montrera dans l'ombre,
Comme on montre un gibet entouré d'ossements
    Sur la colline sombre !

                 Jersey, janvier 1853.
           [22 (I-IV)/24 (V) janvier 1853.]

XI

PAULINE ROLAND [1]

Elle ne connaissait ni l'orgueil ni la haine ;
Elle aimait ; elle était pauvre, simple et sereine ;
Souvent le pain qui manque abrégeait son repas.
Elle avait trois enfants, ce qui n'empêchait pas
Qu'elle ne se sentît mère de ceux qui souffrent.
Les noirs événements qui dans la nuit s'engouffrent,
Les flux et les reflux, les abîmes béants,
Les nains, sapant sans bruit l'ouvrage des géants,
Et tous nos malfaiteurs inconnus ou célèbres,
Ne l'épouvantaient point ; derrière ces ténèbres,
Elle apercevait Dieu construisant l'avenir.
Elle sentait sa foi sans cesse rajeunir ;
De la liberté sainte elle attisait les flammes ;
Elle s'inquiétait des enfants et des femmes ;
Elle disait, tendant la main aux travailleurs :
La vie est dure ici, mais sera bonne ailleurs.
Avançons ! — Elle allait, portant de l'un à l'autre
L'espérance ; c'était une espèce d'apôtre
Que Dieu, sur cette terre où nous gémissons tous,
Avait fait mère et femme afin qu'il fût plus doux.
L'esprit le plus farouche aimait sa voix sincère.

1. Pauline Roland (1805-1852), militante socialiste, disciple de Pierre Leroux ; arrêtée puis déportée en Algérie en raison de l'aide qu'elle avait apportée aux familles des proscrits ; sur intervention de George Sand, elle fut rapatriée de Lambessa mais sa santé était si compromise qu'elle mourut à son retour en France.

Tendre, elle visitait, sous leur toit de misère,
Tous ceux que la famine ou la douleur abat,
Les malades pensifs, gisant sur leur grabat,
La mansarde où languit l'indigence morose ;
Quand, par hasard moins pauvre, elle avait quelque chose,
Elle le partageait à tous comme une sœur ;
Quand elle n'avait rien, elle donnait son cœur.
Calme et grande, elle aimait comme le soleil brille.
Le genre humain pour elle était une famille
Comme ses trois enfants étaient l'humanité.
Elle criait : progrès ! amour ! fraternité !
Elle ouvrait aux souffrants des horizons sublimes.

Quand Pauline Roland eut commis tous ces crimes,
Le sauveur de l'église et de l'ordre la prit
Et la mit en prison. Tranquille, elle sourit,
Car l'éponge de fiel plaît à ces lèvres pures.
Cinq mois elle subit le contact des souillures,
L'oubli, le rire affreux du vice, les bourreaux,
Et le pain noir qu'on jette à travers les barreaux,
Édifiant la geôle au mal habituée,
Enseignant la voleuse et la prostituée.
Ces cinq mois écoulés, un soldat, un bandit,
Dont le nom souillerait ces vers, vint et lui dit :
— Soumettez-vous sur l'heure au règne qui commence,
Reniez votre foi ; sinon, pas de clémence,
Lambessa ! choisissez. — Elle dit : Lambessa.
Le lendemain la grille en frémissant grinça,
Et l'on vit arriver un fourgon cellulaire.
— Ah ! voici Lambessa, dit-elle sans colère.
Elles étaient plusieurs qui souffraient pour le droit
Dans la même prison. Le fourgon trop étroit
Ne put les recevoir dans ses cloisons infâmes ;
Et l'on fit traverser tout Paris à ces femmes,
Bras dessus bras dessous avec les argousins.
Ainsi que des voleurs et que des assassins,
Les sbires les frappaient de paroles bourrues.
S'il arrivait parfois que les passants des rues,
Surpris de voir mener ces femmes en troupeau,

S'approchaient et mettaient la main à leur chapeau,
L'argousin leur jetait des sourires obliques,
Et les passants fuyaient, disant : filles publiques !
Et Pauline Roland disait : courage, sœurs !
L'océan au bruit rauque, aux sombres épaisseurs,
Les emporta. Durant la rude traversée,
L'horizon était noir, la bise était glacée,
Sans l'ami qui soutient, sans la voix qui répond,
Elles tremblaient. La nuit il pleuvait sur le pont,
Pas de lit pour dormir, pas d'abri sous l'orage,
Et Pauline Roland criait : mes sœurs, courage !
Et les durs matelots pleuraient en les voyant.
On atteignit l'Afrique au rivage effrayant,
Les sables, les déserts qu'un ciel d'airain calcine,
Les rocs sans une source et sans une racine ;
L'Afrique, lieu d'horreur pour les plus résolus ,
Terre au visage étrange où l'on ne se sent plus
Regardé par les yeux de la douce patrie.
Et Pauline Roland, souriante et meurtrie,
Dit aux femmes en pleurs : courage, c'est ici.
Et quand elle était seule, elle pleurait aussi.
Ses trois enfants ! loin d'elle ! Oh ! quelle angoisse amère !
Un jour un des geôliers dit à la pauvre mère
Dans la casbah de Bône aux cachots étouffants :
— Voulez-vous être libre et revoir vos enfants ?
Demandez grâce au prince. — Et cette femme forte
Dit : — J'irai les revoir lorsque je serai morte.
Alors sur la martyre, humble cœur indompté,
On épuisa la haine et la férocité.
Bagnes d'Afrique ! enfers qu'a sondés Ribeyrolles [1] !
Oh ! la pitié sanglote et manque de paroles,
Une femme, une mère, un esprit ! ce fut là
Que malade, accablée et seule, on l'exila.
Le lit de camp, le froid et le chaud, la famine,
Le jour, l'affreux soleil, et la nuit, la vermine,

---

1. Charles de Ribeyrolles (1812-1861), journaliste républicain, déporté en 1848, réfugié à Londres ; auteur des *Bagnes d'Afrique*.

Les verrous, le travail sans repos, les affronts,
Rien ne plia son âme ; elle disait : — Souffrons ;
Souffrons comme Jésus, souffrons comme Socrate.
Captive, on la traîna sur cette terre ingrate ;
Et, lasse, et quoiqu'un ciel torride l'écrasât,
On la faisait marcher à pied comme un forçat.
La fièvre la rongeait ; sombre, pâle, amaigrie,
Le soir elle tombait sur la paille pourrie,
Et de la France aux fers murmurait le doux nom.
On jeta cette femme au fond d'un cabanon.
Le mal brisait sa vie et grandissait son âme.
Grave, elle répétait : — il est bon qu'une femme,
Dans cette servitude et cette lâcheté,
Meure pour la justice et pour la liberté. —
Voyant qu'elle râlait, sachant qu'ils rendront compte,
Les bourreaux eurent peur, ne pouvant avoir honte ;
Et l'homme de décembre abrégea son exil.
— Puisque c'est pour mourir, qu'elle rentre, dit-il. —
Elle ne savait plus ce que l'on faisait d'elle.
L'agonie à Lyon la saisit. Sa prunelle,
Comme la nuit se fait quand baisse le flambeau,
Devint obscure et vague, et l'ombre du tombeau
Se leva lentement sur son visage blême.
Son fils, pour recueillir, à cette heure suprême,
Du moins son dernier souffle et son dernier regard,
Accourut. Pauvre mère ! Il arriva trop tard.
Elle était morte ; morte à force de souffrance,
Morte sans avoir su qu'elle voyait la France,
Et le doux ciel natal aux rayons réchauffants.
Morte dans le délire en criant : mes enfants !
On n'a pas même osé pleurer à ses obsèques ;
Elle dort sous la terre. — Et maintenant, évêques,
Debout, la mitre au front, dans l'ombre du saint lieu,
Crachez vos Te Deum à la face de Dieu !

Jersey, décembre 1852.
[12 mars 1853.]

XII

Le plus haut attentat que puisse faire un homme,
C'est de lier la France ou de garrotter Rome ;
C'est, quel que soit le lieu, le pays, la cité,
D'ôter l'âme à chacun, à tous la liberté.
Dans la curie auguste entrer avec l'épée,
Assassiner la loi dans son temple frappée,
Mettre aux fers tout un peuple, est un crime odieux
Que Dieu calme et rêveur ne quitte pas des yeux.
Dès que ce grand forfait est commis, point de grâce ;
La Peine au fond des cieux, lente, mais jamais lasse,
Se met en marche, et vient ; son regard est serein.
Elle tient sous son bras son fouet aux clous d'airain.

Jersey, novembre 1852.
[1er décembre 1852.]

XIII

L'EXPIATION

I

●◆ Il neigeait. On était vaincu par sa conquête.
Pour la première fois l'aigle baissait la tête.
Sombres jours ! l'empereur revenait lentement,
Laissant derrière lui brûler Moscou fumant.
Il neigeait. L'âpre hiver fondait en avalanche.
Après la plaine blanche une autre plaine blanche.
On ne connaissait plus les chefs ni le drapeau.
Hier la grande armée, et maintenant troupeau.
On ne distinguait plus les ailes ni le centre :
Il neigeait. Les blessés s'abritaient dans le ventre
Des chevaux morts ; au seuil des bivouacs désolés
On voyait des clairons à leur poste gelés
Restés debout, en selle et muets, blancs de givre,
Collant leur bouche en pierre aux trompettes de cuivre.
Boulets, mitraille, obus, mêlés aux flocons blancs,
Pleuvaient ; les grenadiers, surpris d'être tremblants,
Marchaient pensifs, la glace à leur moustache grise.
Il neigeait, il neigeait toujours ! la froide bise
Sifflait ; sur le verglas, dans des lieux inconnus,
On n'avait pas de pain et l'on allait pieds nus.
Ce n'étaient plus des cœurs vivants, des gens de guerre ;
C'était un rêve errant dans la brume, un mystère,
Une procession d'ombres sur le ciel noir.
La solitude, vaste, épouvantable à voir,

●◆ Voir *Au fil du texte*, p. XVIII.

Partout apparaissait, muette vengeresse.
Le ciel faisait sans bruit avec la neige épaisse
Pour cette immense armée un immense linceul ;
Et, chacun se sentant mourir, on était seul.
— Sortira-t-on jamais de ce funèbre empire ?
Deux ennemis ! le Tzar, le Nord. Le Nord est pire.
On jetait les canons pour brûler les affûts.
Qui se couchait, mourait. Groupe morne et confus,
Ils fuyaient ; le désert dévorait le cortège.
On pouvait, à des plis qui soulevaient la neige,
Voir que des régiments s'étaient endormis là.
Ô chutes d'Annibal [1] ! Lendemains d'Attila !
Fuyards, blessés, mourants, caissons, brancards, civières,
On s'écrasait aux ponts pour passer les rivières.
On s'endormait dix mille, on se réveillait cent.
Ney, que suivait naguère une armée, à présent
S'évadait, disputant sa montre à trois cosaques.
Toutes les nuits, qui vive ! alerte ! assauts ! attaques !
Ces fantômes prenaient leurs fusils, et sur eux
Ils voyaient se ruer, effrayants, ténébreux,
Avec des cris pareils aux voix des vautours chauves,
D'horribles escadrons, tourbillons d'hommes fauves.

Toute une armée ainsi dans la nuit se perdait.
L'empereur était là, debout, qui regardait.
Il était comme un arbre en proie à la cognée.
Sur ce géant, grandeur jusqu'alors épargnée,
Le malheur, bûcheron sinistre, était monté ;
Et lui, chêne vivant, par la hache insulté,
Tressaillant sous le spectre aux lugubres revanches,
Il regardait tomber autour de lui ses branches.
Chefs, soldats, tous mouraient. Chacun avait son tour.
Tandis qu'environnant sa tente avec amour,
Voyant son ombre aller et venir sur la toile,
Ceux qui restaient, croyant toujours à son étoile,

1. Annibal (Hannibal), général carthaginois.

Accusaient le destin de lèse-majesté,
Lui se sentit soudain dans l'âme épouvanté.
Stupéfait du désastre et ne sachant que croire,
L'empereur se tourna vers Dieu ; l'homme de gloire
Trembla ; Napoléon comprit qu'il expiait
Quelque chose peut-être, et, livide, inquiet,
Devant ses légions sur la neige semées :
— Est-ce le châtiment ? dit-il, Dieu des armées ? —
Alors il s'entendit appeler par son nom
Et quelqu'un qui parlait dans l'ombre lui dit : non.

II

Waterloo ! Waterloo ! Waterloo ! morne plaine !
Comme une onde qui bout dans une urne trop pleine,
Dans ton cirque de bois, de coteaux, de vallons,
La pâle mort mêlait les sombres bataillons.
D'un côté c'est l'Europe et de l'autre la France.
Choc sanglant ! des héros Dieu trompait l'espérance ;
Tu désertais, victoire, et le sort était las.
Ô Waterloo ! je pleure et je m'arrête, hélas !
Car ces derniers soldats de la dernière guerre
Furent grands ; ils avaient vaincu toute la terre,
Chassé vingt rois, passé les Alpes et le Rhin,
Et leur âme chantait dans les clairons d'airain !

Le soir tombait ; la lutte était ardente et noire.
Il avait l'offensive et presque la victoire ;
Il tenait Wellington acculé sur un bois.
Sa lunette à la main, il observait parfois
Le centre du combat, point obscur où tressaille
La mêlée, effroyable et vivante broussaille,
Et parfois l'horizon, sombre comme la mer.
Soudain, joyeux, il dit : Grouchy ! — C'était Blücher !
L'espoir changea de camp, le combat changea d'âme,
La mêlée en hurlant grandit comme une flamme.
La batterie anglaise écrasa nos carrés.
La plaine où frissonnaient les drapeaux déchirés,

Ne fut plus, dans les cris des mourants qu'on égorge,
Qu'un gouffre flamboyant, rouge comme une forge ;
Gouffre où les régiments, comme des pans de murs,
Tombaient, ou se couchaient comme des épis mûrs
Les hauts tambours-majors aux panaches énormes,
Où l'on entrevoyait des blessures difformes !
Carnage affreux ! moment fatal ! l'homme inquiet
Sentit que la bataille entre ses mains pliait.
Derrière un mamelon la garde était massée.
La garde, espoir suprême et suprême pensée !
— Allons ! faites donner la garde, cria-t-il ! —
Et Lanciers, Grenadiers aux guêtres de coutil,
Dragons que Rome eût pris pour des légionnaires,
Cuirassiers, Canonniers qui traînaient des tonnerres,
Portant le noir colback ou le casque poli,
Tous, ceux de Friedland et ceux de Rivoli,
Comprenant qu'ils allaient mourir dans cette fête,
Saluèrent leur dieu, debout dans la tempête.
Leur bouche, d'un seul cri, dit : vive l'empereur !
Puis, à pas lents, musique en tête, sans fureur,
Tranquille, souriant à la mitraille anglaise,
La garde impériale entra dans la fournaise.
Hélas ! Napoléon, sur sa garde penché,
Regardait, et, sitôt qu'ils avaient débouché
Sous les sombres canons crachant des jets de soufre,
Voyait, l'un après l'autre, en cet horrible gouffre,
Fondre ces régiments de granit et d'acier
Comme fond une cire au souffle d'un brasier.
Ils allaient, l'arme au bras, front haut, graves, stoïques.
Pas un ne recula. Dormez, morts héroïques !
Le reste de l'armée hésitait sur leurs corps
Et regardait mourir la garde. — C'est alors
Qu'élevant tout à coup sa voix désespérée,
La Déroute, géante à la face effarée,
Qui, pâle, épouvantant les plus fiers bataillons,
Changeant subitement les drapeaux en haillons,
À de certains moments, spectre fait de fumées,
Se lève grandissante au milieu des armées,

La Déroute apparut au soldat qui s'émeut,
Et, se tordant les bras, cria : Sauve qui peut !
Sauve qui peut ! affront ! horreur ! toutes les bouches
Criaient ; à travers champs, fous, éperdus, farouches,
Comme si quelque souffle avait passé sur eux,
Parmi les lourds caissons et les fourgons poudreux,
Roulant dans les fossés, se cachant dans les seigles,
Jetant schakos, manteaux, fusils, jetant les aigles,
Sous les sabres prussiens, ces vétérans, ô deuil !
Tremblaient, hurlaient, pleuraient, couraient ! — En un
[clin d'œil,
Comme s'envole au vent une paille enflammée,
S'évanouit ce bruit qui fut la grande armée,
Et cette plaine, hélas ! où l'on rêve aujourd'hui,
Vit fuir ceux devant qui l'univers avait fui !
Quarante ans sont passés, et ce coin de la terre,
Waterloo, ce plateau funèbre et solitaire,
Ce champ sinistre où Dieu mêla tant de néants,
Tremble encor d'avoir vu la fuite des géants !

Napoléon les vit s'écouler comme un fleuve ;
Hommes, chevaux, tambours, drapeaux ; — et dans
[l'épreuve,
Sentant confusément revenir son remords,
Levant les mains au ciel, il dit : — mes soldats morts,
Moi vaincu ! mon empire est brisé comme verre.
Est-ce le châtiment cette fois, Dieu sévère ? —
Alors parmi les cris, les rumeurs, le canon,
Il entendit la voix qui lui répondait : non !

III

Il croula. Dieu changea la chaîne de l'Europe.

Il est, au fond des mers que la brume enveloppe,
Un roc hideux, débris des antiques volcans.
Le Destin prit des clous, un marteau, des carcans,

Saisit, pâle et vivant, ce voleur du tonnerre,
Et, joyeux, s'en alla sur le pic centenaire
Le clouer, excitant par son rire moqueur
Le vautour Angleterre à lui ronger le cœur.

Évanouissement d'une splendeur immense !
Du soleil qui se lève à la nuit qui commence,
Toujours l'isolement, l'abandon, la prison ;
Un soldat rouge au seuil, la mer à l'horizon.
Des rochers nus, des bois affreux, l'ennui, l'espace,
Des voiles s'enfuyant comme l'espoir qui passe,
Toujours le bruit des flots, toujours le bruit des vents !
Adieu, tente de pourpre aux panaches mouvants,
Adieu, le cheval blanc que César éperonne !
Plus de tambours battant aux champs, plus de couronne,
Plus de rois prosternés dans l'ombre avec terreur,
Plus de manteau traînant sur eux, plus d'empereur !
Napoléon était retombé Bonaparte.
Comme un romain blessé par la flèche du Parthe,
Saignant, morne, il songeait à Moscou qui brûla.
Un caporal anglais lui disait : halte-là !
Son fils aux mains des rois, sa femme au bras d'un autre.
Plus vil que le pourceau qui dans l'égout se vautre,
Son sénat qui l'avait adoré, l'insultait.
Aux bords des mers, à l'heure où la bise se tait,
Sur les escarpements croulant en noirs décombres,
Il marchait, seul, rêveur, captif des vagues sombres.
Sur les monts, sur les flots, sur les cieux, triste et fier,
L'œil encore ébloui des batailles d'hier,
Il laissait sa pensée errer à l'aventure.
Grandeur, gloire, ô néant ! calme de la nature !
Des aigles qui passaient ne le connaissaient pas.
Les rois, ses guichetiers, avaient pris un compas
Et l'avaient enfermé dans un cercle inflexible.
Il expirait. La mort de plus en plus visible
Se levait dans sa nuit et croissait à ses yeux
Comme le froid matin d'un jour mystérieux,
Son âme palpitait, déjà presque échappée.
Un jour enfin il mit sur son lit son épée,

Et se coucha près d'elle, et dit : c'est aujourd'hui !
On jeta le manteau de Marengo sur lui.
Ses batailles du Nil, du Danube, du Tibre,
Se penchaient sur son front ; il dit : me voici libre !
Je suis vainqueur ! je vois mes aigles accourir !
Et, comme il retournait sa tête pour mourir,
Il aperçut, un pied dans la maison déserte,
Hudson-Lowe guettant par la porte entrouverte.
Alors, géant broyé sous le talon des rois,
Il cria : — la mesure est comble cette fois !
Seigneur ! c'est maintenant fini ! Dieu que j'implore,
Vous m'avez châtié ! — la voix dit : — pas encore !

IV

Ô noirs événements, vous fuyez dans la nuit !
L'empereur mort tomba sur l'empire détruit.
Napoléon alla s'endormir sous le saule.
Et les peuples alors, de l'un à l'autre pôle,
Oubliant le tyran, s'éprirent du héros.
Les poètes, marquant au front les rois bourreaux,
Consolèrent, pensifs, cette gloire abattue.
À la colonne veuve on rendit sa statue.
Quand on levait les yeux, on le voyait debout
Au-dessus de Paris, serein, dominant tout,
Seul, le jour dans l'azur et la nuit dans les astres.
Panthéons, on grava son nom sur vos pilastres !
On ne regarda plus qu'un seul côté des temps ;
On ne se souvint plus que des jours éclatants ;
Cet homme étrange avait comme enivré l'histoire ;
La justice à l'œil froid disparut sous sa gloire ;
On ne vit plus qu'Eylau, Ulm, Arcole, Austerlitz ;
Comme dans les tombeaux des romains abolis,
On se mit à fouiller dans ces grandes années ;
Et vous applaudissiez, nations inclinées,
Chaque fois qu'on tirait de ce sol souverain
Ou le consul de marbre ou l'empereur d'airain !

V

Le nom grandit quand l'homme tombe ;
Jamais rien de tel n'avait lui.
Calme, il écoutait dans sa tombe
La terre qui parlait de lui.

La terre disait : « la victoire
A suivi cet homme en tous lieux.
Jamais tu n'as vu, sombre histoire,
Un passant plus prodigieux !

Gloire au maître qui dort sous l'herbe
Gloire à ce grand audacieux !
Nous l'avons vu gravir, superbe,
Les premiers échelons des cieux !

Il envoyait, âme acharnée,
Prenant Moscou, prenant Madrid,
Lutter contre la destinée
Tous les rêves de son esprit.

À chaque instant, rentrant en lice,
Cet homme aux gigantesques pas
Proposait quelque grand caprice
À Dieu qui n'y consentait pas.

Il n'était presque plus un homme.
Il disait, grave et rayonnant,
En regardant fixement Rome :
C'est moi qui règne maintenant !

Il voulait, héros et symbole,
Pontife et roi, phare et volcan,
Faire du Louvre un Capitole
Et de Saint-Cloud un Vatican.

César, il eût dit à Pompée :
Sois fier d'être mon lieutenant !
On voyait luire son épée
Au fond d'un nuage tonnant.

Il voulait, dans les frénésies
De ses vastes ambitions,
Faire devant ses fantaisies
Agenouiller les nations,

Ainsi qu'en une urne profonde,
Mêler races, langues, esprits,
Répandre Paris sur le monde,
Enfermer le monde en Paris !

Comme Cyrus dans Babylone,
Il voulait sous sa large main,
Ne faire du monde qu'un trône
Et qu'un peuple du genre humain,

Et bâtir, malgré les huées,
Un tel empire sous son nom
Que Jéhovah dans les nuées
Fût jaloux de Napoléon ! »

VI

Enfin, mort triomphant, il vit sa délivrance,
Et l'océan rendit son cercueil à la France.

L'homme, depuis douze ans, sous le dôme doré,
Reposait, par l'exil et par la mort sacré ;
En paix ! — quand on passait près du monument sombre,
On se le figurait, couronne au front, dans l'ombre,
Dans son manteau semé d'abeilles d'or, muet,
Couché sous cette voûte où rien ne remuait,
Lui, l'homme qui trouvait la terre trop étroite,
Le sceptre en sa main gauche, et l'épée en sa droite,

À ses pieds son grand aigle ouvrant l'œil à demi,
Et l'on disait : c'est là qu'est César endormi !

Laissant dans la clarté marcher l'immense ville,
Il dormait ; il dormait confiant et tranquille.

VII

Une nuit, — c'est toujours la nuit dans le tombeau, —
Il s'éveilla. Luisant comme un hideux flambeau,
D'étranges visions emplissaient sa paupière ;
Des rires éclataient sous son plafond de pierre ;
Livide, il se dressa, la vision grandit ;
Ô terreur ! une voix qu'il reconnut, lui dit :

— Réveille-toi. Moscou, Waterloo, Sainte-Hélène,
L'exil, les rois geôliers, l'Angleterre hautaine
Sur ton lit accoudée à ton dernier moment,
Sire, cela n'est rien. Voici le châtiment :

La voix alors devint âpre, amère, stridente,
Comme le noir sarcasme et l'ironie ardente ;
C'était le rire amer mordant un demi-dieu.

— Sire ! on t'a retiré de ton Panthéon bleu !
Sire ! on t'a descendu de ta haute colonne !
Regarde : des brigands, dont l'essaim tourbillonne,
D'affreux bohémiens, des vainqueurs de charnier
Te tiennent dans leurs mains et t'ont fait prisonnier.
À ton orteil d'airain leur patte infâme touche.
Ils t'ont pris. Tu mourus, comme un astre se couche.
Napoléon-le-Grand, empereur ; tu renais
Bonaparte, écuyer du cirque Beauharnais.
Te voilà dans leurs rangs, on t'a, l'on te harnache.
Ils t'appellent tout haut grand homme, entr'eux, ganache
Ils traînent sur Paris, qui les voit s'étaler,
Des sabres qu'au besoin ils sauraient avaler.

Aux passants attroupés devant leur habitacle,
Ils disent, entends-les : — Empire à grand spectacle !
Le pape est engagé dans la troupe ; c'est bien,
Nous avons mieux ; le czar en est ; mais ce n'est rien,
Le czar n'est qu'un sergent, le pape n'est qu'un bonze.
Nous avons avec nous le bonhomme de bronze !
Nous sommes les neveux du grand Napoléon ! —
Et Fould, Magnan, Rouher, Parieu caméléon,
Font rage. Ils vont montrant un sénat d'automates.
Ils ont pris de la paille au fond des casemates
Pour empailler ton aigle, ô vainqueur d'Iéna !
Il est là, mort, gisant, lui qui si haut plana,
Et du champ de bataille il tombe au champ de foire.
Sire, de ton vieux trône ils recousent la moire.
Ayant dévalisé la France au coin d'un bois,
Ils ont à leurs haillons du sang, comme tu vois,
Et dans son bénitier Sibour lave leur linge.
Toi, lion, tu les suis ; leur maître, c'est le singe.
Ton nom leur sert de lit, Napoléon premier.
On voit sur Austerlitz un peu de leur fumier.
Ta gloire est un gros vin dont leur honte se grise ;
Cartouche essaie et met ta redingote grise ;
On quête des liards dans le petit chapeau ;
Pour tapis sur la table ils ont mis ton drapeau ;
À cette table immonde où le grec devient riche,
Avec le paysan on boit, on joue, on triche.
Tu te mêles, compère, à ce tripot hardi,
Et ta main qui tenait l'étendard de Lodi,
Cette main qui portait la foudre, ô Bonaparte,
Aide à piper les dés et fait sauter la carte.
Ils te forcent à boire avec eux, et Carlier
Pousse amicalement d'un coude familier
Votre majesté, sire, et Piétri dans son antre
Vous tutoie, et Maupas vous tape sur le ventre.
Faussaires, meurtriers, escrocs, forbans, voleurs,
Ils savent qu'ils auront, comme toi, des malheurs ;
Leur soif en attendant vide la coupe pleine,
À ta santé ; Poissy trinque avec Sainte-Hélène.

Regarde ! bals, sabbats, fêtes matin et soir.
La foule au bruit qu'ils font se culbute pour voir ;
Debout sur le tréteau qu'assiège une cohue
Qui rit, bâille, applaudit, tempête, siffle, hue,
Entouré de pasquins agitant leur grelot,
— Commencer par Homère et finir par Callot !
Épopée ! épopée ! oh ! quel dernier chapitre ! —
Près de Troplong paillasse et de Baroche pitre,
Devant cette baraque, abject et vil bazar
Où Mandrin mal lavé se déguise en César,
Riant, l'affreux bandit, dans sa moustache épaisse,
Toi, spectre impérial, tu bats la grosse caisse. —

L'horrible vision s'éteignit. — L'empereur,
Désespéré, poussa dans l'ombre un cri d'horreur,
Baissant les yeux, dressant ses mains épouvantées ;
Les Victoires de marbre à la porte sculptées,
Fantômes blancs debout hors du sépulcre obscur,
Se faisaient du doigt signe et, s'appuyant au mur,
Écoutaient le titan pleurer dans les ténèbres.
Et lui, cria : démon aux visions funèbres,
Toi qui me suis partout, que jamais je ne vois,
Qui donc es-tu ? — Je suis ton crime, dit la voix. —
La tombe alors s'emplit d'une lumière étrange
Semblable à la clarté de Dieu quand il se venge ;
Pareils aux mots que vit resplendir Balthazar [1],
Deux mots dans l'ombre écrits flamboyaient sur César ;
Bonaparte, tremblant comme un enfant sans mère,
Leva sa face pâle et lut : — DIX-HUIT-BRUMAIRE !

Jersey, 30 novembre 1852.
[14 novembre 1847 (V, str. IV-XII)/25/30 novembre 1852.]

1. « Mane, Thecel, Pharès » : « Compte, Pèse, Divise », inscription
qui apparut, au cours d'une orgie, au dernier roi de Babylone, Balthazar, lui annonçant sa chute.

LIVRE VI

LA STABILITÉ EST ASSURÉE

I

NAPOLÉON III

Donc c'est fait. Dût rugir de honte le canon,
Te voilà, nain immonde, accroupi sur ce nom !
Cette gloire est ton trou, ta bauge, ta demeure !
Toi qui n'as jamais pris la fortune qu'à l'heure,
Te voilà presque assis sur ce hautain sommet !
Sur le chapeau d'Essling[1] tu plantes ton plumet ;
Tu mets, petit Poucet, ces bottes de sept lieues ;
Tu prends Napoléon dans les régions bleues ;
Tu fais travailler l'oncle, et, perroquet ravi,
Grimper à ton perchoir l'aigle de Mondovi[1] !
Thersite est le neveu d'Achille Péliade !
C'est pour toi qu'on a fait toute cette Iliade !
C'est pour toi qu'on livra ces combats inouïs !
C'est pour toi que Murat, aux Russes éblouis,
Terrible, apparaissait, cravachant leur armée !
C'est pour toi qu'à travers la flamme et la fumée
Les grenadiers pensifs s'avançaient à pas lents !
C'est pour toi que mon père et mes oncles vaillants

1. Essling et Mondovi, victoires de Napoléon Ier.

Ont répandu leur sang dans ces guerres épiques !
Pour toi qu'ont fourmillé les sabres et les piques,
Que tout le continent trembla sous Attila,
Et que Londres frémit, et que Moscou brûla !
C'est pour toi, pour tes Deutz et pour tes Mascarilles,
Pour que tu puisses boire avec de belles filles,
Et la nuit, t'attabler dans le Louvre à l'écart,
C'est pour monsieur Fialin et pour monsieur Mocquart [1],
Que Lannes d'un boulet eut la cuisse coupée,
Que le front des soldats entr'ouvert par l'épée,
Saigna sous le schako, le casque et le colback,
Que Lasalle à Wagram, Duroc à Reichenbach,
Expirèrent frappés au milieu de leur route,
Que Caulaincourt [2] tomba dans la grande redoute,
Et que la vieille garde est morte à Waterloo !
C'est pour toi qu'agitant le pin et le bouleau,
Le vent fait aujourd'hui, sous ses âpres haleines,
Blanchir tant d'ossements, hélas ! dans tant de plaines !
Faquin ! — Tu t'es soudé, chargé d'un vil butin,
Toi, l'homme du hasard, à l'homme du destin !
Tu fourres, impudent, ton front dans ses couronnes !
Nous entendons claquer dans tes mains fanfaronnes
Ce fouet prodigieux qui conduisait les rois ;
Et tranquille, attelant à ton numéro trois
Austerlitz, Marengo, Rivoli, Saint-Jean-d'Acre,
Aux chevaux du soleil tu fais traîner ton fiacre !

Jersey, décembre 1852.
[31 mai 1853.]

1. Fialin, homme de main de Louis Napoléon depuis 1836.
Mocquart, partisan de longue date de Louis Napoléon.
2. Caulaincourt (1772-1827) mourut lors de la bataille de la Moskova
en enlevant la redoute qui empêchait la victoire.
Lannes, Lasalle, Duroc, héros des guerres napoléoniennes.

II

LES MARTYRES

Ces femmes qu'on envoie aux lointaines bastilles,
Peuple, ce sont tes sœurs, tes mères et tes filles !
Ô peuple, leur forfait, c'est de t'avoir aimé !
Paris sanglant, courbé, sinistre, inanimé,
Voit ces horreurs et garde un silence farouche.

Celle-ci, qu'on amène un bâillon dans la bouche,
Cria : — (c'est là son crime) — à bas la trahison !
Ces femmes sont la foi, la vertu, la raison,
L'équité, la pudeur, la fierté, la justice.
Saint-Lazare — il faudra broyer cette bâtisse !
Il n'en restera pas pierre sur pierre un jour ! —
Les reçoit, les dévore, et, quand revient leur tour,
S'ouvre, et les revomit par son horrible porte,
Et les jette au fourgon hideux qui les emporte.
Où vont-elles ? L'oubli le sait, et le tombeau
Le raconte au cyprès et le dit au corbeau.

Une d'elles était une mère sacrée [1].
Le jour qu'on l'entraîna vers l'Afrique abhorrée,
Ses enfants étaient là qui voulaient l'embrasser ;
On les chassa. La mère en deuil les vit chasser
Et dit : — partons ! — Le peuple en larmes criait grâce.
La porte du fourgon étant étroite et basse,

1. Pauline Roland.

Un argousin joyeux, raillant son embonpoint,
La fit entrer de force en la poussant du poing.
Elles s'en vont ainsi, malades, verrouillées,
Dans le noir chariot aux cellules souillées
Où le captif, sans air, sans jour, sans pleurs dans l'œil,
N'est plus qu'un mort vivant assis dans son cercueil.
Dans la route on entend leurs voix désespérées.
Le peuple hébété voit passer ces torturées.
À Toulon, le fourgon les quitte, le ponton
Les prend ; sans vêtements, sans pain, sous le bâton,
Elles passent la mer, veuves, seules au monde,
Mangeant avec les doigts dans la gamelle immonde.

Bruxelles, juillet 1852.
[8 juillet 1852.]

III

HYMNE DES TRANSPORTÉS

Prions ! voici l'ombre sereine.
Vers toi, grand Dieu, nos yeux et nos bras sont levés.
Ceux qui t'offrent ici leurs larmes et leur chaîne
Sont les plus douloureux parmi les éprouvés.
Ils ont le plus d'honneur ayant le plus de peine.

Souffrons ! le crime aura son tour.
Oiseaux qui passez, nos chaumières,
Vents qui passez, nos sœurs, nos mères,
Sont là-bas, pleurant nuit et jour.
Oiseaux, dites-leur nos misères !
Ô vents, portez-leur notre amour !

Nous t'envoyons notre pensée,
Dieu ! nous te demandons d'oublier les proscrits,
Mais de rendre sa gloire à la France abaissée ;
Et laisse-nous mourir, nous brisés et meurtris,
Nous que le jour brûlant livre à la nuit glacée !

Souffrons ! le crime —

Comme un archer frappe une cible,
L'implacable soleil nous perce de ses traits ;
Après le dur labeur, le sommeil impossible ;
Cette chauve-souris qui sort des noirs marais,
La fièvre bat nos fronts de son aile invisible.

Souffrons ! le crime —

On a soif, l'eau brûle la bouche ;
On a faim, du pain noir ; travaillez, malheureux !
À chaque coup de pioche en ce désert farouche
La mort sort de la terre avec son rire affreux,
Prend l'homme dans ses bras, l'étreint et se recouche.

Souffrons ! le crime —

Mais qu'importe ! rien ne nous dompte ;
Nous sommes torturés et nous sommes contents.
Nous remercions Dieu vers qui notre hymne monte
De nous avoir choisis pour souffrir dans ce temps
Où tous ceux qui n'ont pas la souffrance ont la honte.

Souffrons ! le crime —

Vive la grande République !
Paix à l'immensité du soir mystérieux !
Paix aux morts endormis dans la tombe stoïque !
Paix au sombre océan qui mêle sous les cieux
La plainte de Cayenne au sanglot de l'Afrique !

Souffrons ! le crime aura son tour.
Oiseaux qui passez, nos chaumières,
Vents qui passez, nos sœurs, nos mères
Sont là-bas, pleurant nuit et jour ;
Oiseaux, dites-leur nos misères
Ô vents, portez-leur notre amour !

Jersey, juillet 1853.
[23 juillet 1853.]

IV

CHANSON

Nous nous promenions parmi les décombres,
    À Rozel Tower [1],
Et nous écoutions les paroles sombres
    Que disait la mer.

L'énorme océan, — car nous entendîmes
    Ses vagues chansons, —
Disait : « paraissez, vérités sublimes,
    Et bleus horizons !

Le monde captif, sans lois et sans règles,
    Est aux oppresseurs ;
Volez dans les cieux, ailes des grands aigles,
    Esprits des penseurs !

Naissez, levez-vous sur les flots sonores,
    Sur les flots vermeils,
Faites dans la nuit poindre vos aurores,
    Peuples et soleils !

Vous, — laissez passer la foudre et la brume,
    Les vents et les cris,
Affrontez l'orage, affrontez l'écume,
    Rochers et proscrits ! »

Jersey, octobre 1852. [5 août 1853.]

1. La tour de Rozel à Jersey est le lieu de « Ce que dit la Bouche d'ombre » (*Contemplations*, VI, 26).

V

ÉBLOUISSEMENTS

Ô temps miraculeux ! ô gaîtés homériques !
Ô rires de l'Europe et des deux Amériques !
Croûtes qui larmoyez ! bons Dieux mal accrochés
Qui saignez dans vos coins ! madones qui louchez !
Phénomènes vivants ! ô choses inouïes !
Candeurs ! énormités au jour épanouies !
Le goudron déclaré fétide par le suif,
Judas flairant Shylock et criant : c'est un juif !
L'arsenic indigné dénonçant la morphine,
La hotte injuriant la borne, Messaline
Reprochant à Goton son regard effronté,
Et Dupin accusant Sauzet [1] de lâcheté !

Oui, le vide-gousset flétrit le tire-laine,
Falstaff montre du doigt le ventre de Silène,
Lacenaire, pudique et de rougeur atteint,
Dit en baissant les yeux : j'ai vu passer Castaing !

Je contemple nos temps ; j'en ai le droit, je pense.
Souffrir étant mon lot, rire est ma récompense.
Je ne sais pas comment cette pauvre Clio
Fera pour se tirer de cet imbroglio.

---

1. Sauzet (1800-1876), président de la Chambre de 1839 à 1848 ; il quitta cette présidence lorsque Dupin demanda la régence de la duchesse d'Orléans.

Ma rêverie au fond de ce règne pénètre,
Quand, ne pouvant dormir, la nuit, à ma fenêtre,
Je songe, et que là-bas, dans l'ombre, à travers l'eau,
Je vois briller le phare auprès de Saint-Malo.
Donc ce moment existe ! il est ! Stupeur risible !
On le voit ; c'est réel, et ce n'est pas possible.
L'empire est là, refait par quelques sacripants.
Bonaparte-le-grand dormait. Quel guet-apens !
Il dormait dans sa tombe, absous par la patrie.
Tout à coup des brigands firent une tuerie
Qui dura tout un jour et du soir au matin ;
Napoléon-le-Nain en sortit. Le destin,
De l'expiation implacable ministre,
Dans tout ce sang versé trempa son doigt sinistre
Pour barbouiller, affront à la gloire en lambeau,
Cette caricature au mur de ce tombeau.

Ce monde là prospère. Il prospère, vous dis-je !
Embonpoint de la honte ! époque callipyge !
Il trône, ce cockney d'Eglinton et d'Epsom [1]
Qui, la main sur son cœur, dit : je mens, ergo sum.
Les jours, les mois, les ans passent ; ce flegmatique,
Ce somnambule obscur, brusquement frénétique,
Que Schœlcher [2] a nommé le président Obus,
Règne, continuant ses crimes en abus.
Ô spectacle ! en plein jour, il marche et se promène,
Cet être horrible, insulte à la figure humaine !
Il s'étale effroyable, ayant tout un troupeau
De Suins et de Fortouls qui vivent sur sa peau,
Montrant ses nudités, cynique, infâme, indigne,
Sans mettre à son Baroche une feuille de vigne !

1. Comte d'Eglington (1812-1861), aristocrate anglais qui donna en 1850 un carnaval en son château auquel Louis Napoléon aurait participé.

Epsom : ville près de Londres où se court le Derby.

2. Victor Schoelcher (1804-1893), républicain qui tenta avec Hugo de résister au coup d'État ; il publia à Londres l'*Histoire des crimes du 2 décembre* et *Le Gouvernement du 2 décembre*. Voir Note II.

Il rit de voir à terre et montre à Machiavel
Sa parole d'honneur qu'il a tuée en duel.
Il sème l'or ; — venez ! — et sa largesse éclate.
Magnan ouvre sa griffe et Troplong tend sa patte.
Tout va. Les sous-coquins aident le drôle en chef.
Tout est beau, tout est bon, et tout est juste ; bref,
L'église le soutient, l'opéra le constate.
Il vola : Te Deum. Il égorgea : Cantate.

Lois, mœurs, maître, valets, tout est à l'avenant.
C'est un bivouac de gueux, splendide et rayonnant.
Le mépris bat des mains, admire, et dit : courage !
C'est hideux. L'entouré ressemble à l'entourage.
Quelle collection ! quel choix ! quel Œil-de-bœuf !
L'un vient de Loyola, l'autre vient de Babeuf [1].
Jamais vénitiens, romains et bergamasques
N'ont sous plus de sifflets vu passer plus de masques.
La société va sans but, sans jour, sans droit,
Et l'envers de l'habit est devenu l'endroit.
L'immondice au sommet de l'État se déploie.
Les chiffonniers, la nuit, courbés, flairant leur proie,
Allongent leur crochet du côté du sénat.
Voyez-moi ce coquin, normand, corse, auvergnat :
C'était fait : pour vieillir bélître et mourir cuistre ;
C'est premier président, c'est préfet, c'est ministre [2].
Ce truand catholique au temps jadis vivait
Maigre, chez Flicoteaux plutôt que chez Chevet [3] :
Il habitait au fond d'un bouge à tabatière
Un lit fait et défait, hélas, par sa portière,
Et griffonnait dès l'aube, amer, affreux, souillé,
Exhalant dans son trou l'odeur d'un chien mouillé.
Il conseille l'État pour vingt-cinq mille livres
Par an. Ce petit homme, étant teneur de livres
Dans la blonde Marseille, au pays du mistral,

1. Babeuf (1764-1797), publiciste communiste pendant la Révolution.
2. Trolong, Piétri, Rouher.
3. Flicoteaux, modeste restaurant d'étudiants ; Chevet, restaurant de luxe.

Fit des faux. Le voici procureur-général.
Celui-là, qui courait la foire avec un singe [1],
Est député ; cet autre, ayant fort peu de linge,
Sur la pointe du pied entrait dans les logis
Où bâillait quelque armoire aux tiroirs élargis,
Et du bourgeois absent empruntait la tunique ;
Nul mortel n'a jamais, de façon plus cynique,
Assouvi le désir des chemises d'autrui ;
Il était grinche [2] hier, il est juge aujourd'hui.
Ceux-ci, quand il leur plaît, chapelains de la clique,
Au saint-père accroupi font pondre une encyclique ;
Ce sont des gazetiers fort puissants en haut lieu,
Car ils sont les amis particuliers de Dieu ;
Sachez que ces béats, quand ils parlent du temple
Comme de leur maison, n'ont pas tort ; par exemple,
J'ai toujours applaudi quand ils ont affecté
Avec les saints du ciel des airs d'intimité ;
Veuillot, certes, aurait pu vivre avec saint Antoine,
Cet autre est général comme on serait chanoine,
Parce qu'il est très-gras et qu'il a trois mentons.
Cet autre fut escroc. Cet autre eut vingt bâtons
Cassés sur lui. Cet autre, admirable canaille,
Quand la bise, en janvier, nous pince et nous tenaille,
D'une savate oblique écrasant les talons,
Pour se garer du froid mettait deux pantalons
Dont les trous par bonheur n'étaient pas l'un sur l'autre.
Aujourd'hui, sénateur, dans l'empire il se vautre.
Je regrette le temps que c'était dans l'égout.
Ce ventre a nom d'Hautpoul, ce nez a nom d'Argout [3] ;
Ce prêtre, c'est la honte à l'état de prodige.
Passons vite. L'histoire abrège, elle rédige

---

1. Il s'agit sans doute du docteur Véron que les caricaturistes représentaient sous l'aspect d'un marchand forain.
2. Voleur, en argot du XIXᵉ siècle.
3. Marquis d'Hautpoul (1789-1865), député puis ministre en 1848-1850 ; gouverneur général en Algérie, sénateur ; obèse.
Comte d'Argout (1782-1858), gouverneur de la Banque de France de 1837 à sa mort ; finança le coup d'État ; son nez monumental plaisait aux caricaturistes.

Royer [1] d'un coup de fouet, Mongis d'un coup de pied,
Et fuit. Royer se frotte et Mongis se rassied ;
Tout est dit. Que leur fait l'affront ? l'opprobre engraisse.
Quant au maître qui hait les curieux, la presse,
La tribune, et ne veut pour son règne éclatant
Ni regards, ni témoins, il doit être content ;
Il a plus de succès encor qu'il n'en exige :
César, devant sa cour, son pouvoir, son quadrige,
Ses lois, ses serviteurs brodés et galonnés,
Veut qu'on ferme les yeux ; on se bouche le nez.

Prenez ce Beauharnais et prenez une loupe ;
Penchez-vous, regardez l'homme et scrutez la troupe ;
Vous n'y trouverez pas l'ombre d'un bon instinct.
C'est vil et c'est féroce. En eux l'homme est éteint ;
Et ce qui plonge l'âme en des stupeurs profondes,
C'est la perfection de ces gredins immondes.

À ce ramas se joint un tas d'affreux poussahs,
Un tas de Triboulets et de Sancho-Panças.
Sous vingt gouvernements ils ont palpé des sommes,
Aucune indignité ne manque à ces bonshommes ;
Rufins [2] poussifs, Verrès [3] goutteux, Séjans Fourbus,
Selles à tout tyran, sénateurs omnibus.
On est l'ancien soudard, on est l'ancien bourgmestre ;
On tua Louis Seize, on vote avec de Maistre [4] ;
Ils ont eu leur fauteuil dans tous les Luxembourgs ;
Ayant vu les Maurys [5], ils sont faits aux Sibours ;
Ils sont gais et, contant leurs antiques bamboches,

1. Ernest de Royer (1808-1877), procureur général en 1851, successeur de Delangle à la Cour de cassation, en 1853.
2. Rufin, ministre de l'empereur Théodore au IVe siècle, grand fauteur de massacres.
3. Verrès, préteur romain, auteur d'exactions dénoncées par Cicéron.
4. Joseph de Maistre (1753-1821), philosophe ultra, auteur des *Soirées de Saint-Pétersbourg*.
5. Maury (1746-1817), défenseur de la noblesse et du clergé à la Constituante, émigré, passé au service de Napoléon qui le nomma archevêque de Paris en 1810.

Branlent leurs vieux gazons sur leurs vieilles caboches.
Ayant été, du temps qu'ils avaient un cheveu,
Lâches sous l'oncle, ils sont abjects sous le neveu.
Gros mandarins chinois adorant le tartare,
Ils apportent leur cœur, leur vertu, leur catarrhe,
Et prosternent, cagneux, devant sa majesté
Leur bassesse avachie en imbécillité.

Cette bande s'embrasse et se livre à des joies.
Bon ménage touchant des vautours et des oies !

Noirs empereurs romains couchés dans les tombeaux,
Qui faisiez aux sénats discuter les turbots [1],
Toi, dernière Lagide [2], ô reine au cou de cygne,
Prêtre Alexandre-Six qui rêves dans ta vigne,
Despotes d'Allemagne, éclos dans le Rœmer [3],
Nemrod qui hais le ciel, Xercès qui bats la mer,
Caïphe qui tressas la couronne d'épines,
Claude après Messaline épousant Agrippine,
Caïus qu'on fit César, Commode qu'on fit Dieu,
Iturbide [4], Rosas, Mazarin, Richelieu,
Moines qui chassez Dante et brisez Galilée,
Saint-office, conseil des dix, chambre étoilée,
Parlements tout noircis de décrets et d'olims,
Vous sultans, les Mourads, les Achmets, les Sélims,

---

1. Juvénal dans une de ses *Satires* attaque une intervention au sénat de Domitius au sujet de la cuisson d'un turbot d'une taille exceptionnelle.

2. Cléopâtre.

3. Hôtel de ville de Francfort où était élu l'empereur.

4. Nemrod, petit-fils du mauvais fils de Noé dans la *Genèse*. Dans *La Fin de Satan*, Hugo en fait un conquérant qui escalade le ciel pour attaquer Dieu.

Xerxès, roi de Perse (ve siècle av. J.-C.) dont on dit qu'il fouetta la mer après la défaite de Salamine.

Caïus (Caligula), successeur de Tibère.

Commode (161-192), successeur de Marc-Aurèle.

Augustin de Iturbide (1783-1824), empereur du Mexique à la suite d'un complot militaire en 1822, chassé et exécuté à son retour au Mexique.

Rois qu'on montre aux enfants dans tous les syllabaires,
Papes, ducs, empereurs, princes, tas de Tibères !
Bourreaux toujours sanglants, toujours divinisés,
Tyrans ! enseignez-moi, si vous le connaissez,
Enseignez-moi le lieu, le point, la borne où cessent
La lâcheté publique et l'humaine bassesse !

Et l'archet frémissant fait bondir tout cela !
Bal à l'hôtel-de-ville, au Luxembourg gala.
Allons, juges, dansez la danse de l'épée !
Gambade, ô Dombidau [1], pour l'onomatopée !
Polkez, Fould et Maupas, avec votre écriteau,
Toi, Persil-Guillotine, au profil de couteau !
Ours que Boustrapa [2] montre et qu'il tient par la sangle,
Valsez, Billault, Parieu, Drouyn, Lebœuf [3], Delangle !
Danse, Dupin ! dansez, l'horrible et le bouffon !
Hyènes, loups, chacals, non prévus par Buffon,
Leroy, Forey, tueurs au fer rongé de rouilles,
Dansez ! dansez, Berger, d'Hautpoul, Murat, citrouilles.

Et l'on râle en exil, à Cayenne, à Blidah !
Et sur le Duguesclin, et sur le Canada [4],
Des enfants de dix ans, brigands qu'on extermine,
Agonisent, brûlés de fièvre et de vermine !
Et les mères, pleurant sous l'homme triomphant,
Ne savent même pas où se meurt leur enfant !
Et Samson reparaît, et sort de ses retraites !
Et le soir, on entend, sur d'horribles charrettes
Qui traversent la ville et qu'on suit à pas lents,
Quelque chose sauter dans des paniers sanglants !

1. Dombideau de Crouseilles (1792-1861), député en 1849, ministre de l'Instruction publique en 1851, sénateur après le coup d'État.
2. Boustrapa, surnom de Louis Napoléon : Boulogne, Strasbourg, Paris, ses trois essais de prise de pouvoir.
3. Billault (1805-1863), conseiller de Louis Napoléon, président du Corps législatif, ministre de l'Intérieur de 1854 à 1858.
Lebœuf (1792-1854), sénateur en 1852.
4. Navires servant de pontons pour les proscrits.

Oh ! laissez ! laissez-moi m'enfuir sur le rivage !
Laissez-moi respirer l'odeur du flot sauvage !
Jersey rit, terre libre, au sein des sombres mers ;
Les genêts sont en fleur, l'agneau paît les prés verts ;
L'écume jette aux rocs ses blanches mousselines ;
Par moments apparaît, au sommet des collines,
Livrant ses crins épars au vent âpre et joyeux,
Un cheval effaré qui hennit dans les cieux.

Jersey, mai 1853.
[24 mai 1853.]

VI

À CEUX QUI DORMENT

Réveillez-vous, assez de honte !
Bravez boulets et biscayens.
Il est temps qu'enfin le flot monte,
Assez de honte, citoyens !
Troussez les manches de la blouse ;
Les hommes de quatre-vingt-douze
Affrontaient vingt rois combattants.
Brisez vos fers, forcez vos geôles !
Quoi ! vous avez peur de ces drôles
Vos pères bravaient les Titans !

Levez-vous ! foudroyez et la horde et le maître !
Vous avez Dieu pour vous et contre vous le prêtre ;
    Dieu seul est souverain.
Devant lui nul n'est fort et tous sont périssables.
Il chasse comme un chien le grand tigre des sables
    Et le dragon marin ;
Rien qu'en soufflant dessus, comme un oiseau d'un arbre,
Il peut faire envoler de leur temple de marbre
    Les idoles d'airain.

Vous n'êtes pas armés ? qu'importe !
Prends ta fourche, prends ton marteau !
Arrache le gond de ta porte,
Emplis de pierres ton manteau !
Et poussez le cri d'espérance !
Redevenez la grande France !

Redevenez le grand Paris !
Délivrez, frémissant de rage,
Votre pays de l'esclavage,
Votre mémoire du mépris !

Quoi ! faut-il vous citer les royalistes même ?
On était grand aux jours de la lutte suprême !
    Alors, que voyait-on ?
La bravoure, ajoutant à l'homme une coudée,
Était dans les deux camps. N'est-il pas vrai, Vendée,
    Ô dur pays breton ?
Pour vaincre un bastion, pour rompre une muraille,
Pour prendre cent canons vomissant la mitraille,
    Il suffit d'un bâton !

    Si dans ce cloaque on demeure,
    Si cela dure encore un jour,
    Si cela dure encore une heure,
    Je brise clairon et tambour,
    Je flétris ces pusillanimes ;
    Ô vieux peuple des jours sublimes,
    Géants à qui nous les mêlions,
    Je les laisse trembler leurs fièvres,
    Et je déclare que ces lièvres
    Ne sont pas vos fils, ô lions !

                Jersey, septembre 1853.
                [15 janvier 1853.]

VII

LUNA

Ô France, quoique tu sommeilles,
Nous t'appelons, nous, les proscrits !
Les ténèbres ont des oreilles,
Et les profondeurs ont des cris.

Le despotisme âpre et sans gloire
Sur les peuples découragés
Ferme la grille épaisse et noire
Des erreurs et des préjugés ;

Il tient sous clef l'essaim fidèle
Des fermes penseurs, des héros,
Mais l'Idée avec un coup d'aile
Écartera les durs barreaux,

Et, comme en l'an quatre-vingt-onze,
Reprendra son vol souverain,
Car briser la cage de bronze
C'est facile à l'oiseau d'airain.

L'obscurité couvre le monde,
Mais l'Idée illumine et luit ;
De sa clarté blanche elle inonde
Les sombres azurs de la nuit.

Elle est le fanal solitaire,
Le rayon providentiel ;

Elle est la lampe de la terre
Qui ne peut s'allumer qu'au ciel.

Elle apaise l'âme qui souffre,
Guide la vie, endort la mort ;
Elle montre aux méchants le gouffre,
Elle montre aux justes le port.

En voyant dans la brume obscure,
L'Idée, amour des tristes yeux,
Monter calme, sinistre et pure,
Sur l'horizon mystérieux,

Les fanatismes et les haines
Rugissent devant chaque seuil,
Comme hurlent les chiens obscènes
Quand apparaît la lune en deuil.

Oh ! contemplez l'Idée altière,
Nations ! son front surhumain
A, dès à présent, la lumière
Qui vous éclairera demain !

Jersey, juillet 1853.
[31 mars 1853.]

VIII

AUX FEMMES

Quand tout se fait petit, femmes, vous restez grandes.
En vain, aux murs sanglants accrochant des guirlandes,
Ils ont ouvert le bal et la danse ; ô nos sœurs,
Devant ces scélérats transformés en valseurs,
Vous haussez, — châtiment ! — vos charmantes épaules.
Votre divin sourire extermine ces drôles.
En vain leur frac brodé scintille, en vain, brigands,
Pour vous plaire ils ont mis à leurs griffes des gants,
Et de leur vil tricorne ils ont doré les ganses,
Vous bafouez ces gants, ces fracs, ces élégances,
Cet empire tout neuf et déjà vermoulu.
Dieu vous a tout donné, femmes ; il a voulu
Que les seuls alcyons tinssent tête à l'orage,
Et qu'étant la beauté, vous fussiez le courage.

Les femmes ici-bas et là-haut les aïeux.
Voilà ce qui nous reste !

                         Abjection ! nos yeux
Plongent dans une nuit toujours plus épaissie.
Oui, le peuple français, oui, le peuple messie,
Oui, ce grand forgeron du droit universel
Dont, depuis soixante ans, l'enclume sous le ciel
Luit et sonne, dont l'âtre incessamment pétille,
Qui fit voler au vent les tours de la Bastille,
Qui broya, se dressant tout à coup Souverain,
Mille ans de royauté sous son talon d'airain,

Ce peuple dont le souffle, ainsi que des fumées
Faisait tourbillonner les rois et les armées,
Qui, lorsqu'il se fâchait, brisait sous son bâton
Le géant Robespierre et le titan Danton,
Oui, ce peuple invincible, oui, ce peuple superbe
Tremble aujourd'hui, pâlit, frissonne comme l'herbe,
Claque des dents, se cache et n'ose dire un mot
Devant Magnan, ce reître, et Troplong, ce grimaud !
Oui, nous voyons cela ! nous tenant dans leurs serres,
Mangeant les millions en face des misères,
Les Fortoul, les Rouher, êtres stupéfiants,
S'étalent ; on se tait. Nos maîtres ruffians
À Cayenne, en un bagne, abîme d'agonie,
Accouplent l'héroïsme avec l'ignominie ;
On se tait. Les pontons râlent ; que dit-on ? rien.
Des enfants sont forçats en Afrique ; c'est bien,
Si vous pleurez, tenez votre larme secrète.
Le bourreau, noir faucheur, debout dans sa charrette,
Revient de la moisson avec son panier plein ;
Pas un souffle. Il est là, ce Tibère-Ezzelin [1]
Qui se croit scorpion et n'est que scolopendre,
Fusillant, et jaloux de Haynau qui peut pendre ;
Éclaboussé de sang, le prêtre l'applaudit ;
Il est là ce César chauve-souris qui dit
Aux rois : voyez mon sceptre ; aux gueux : voyez mon
[crime ;
Ce vainqueur qui, béni, lavé, sacré, sublime,
De deux pourpres vêtu, dans l'histoire s'assied,
Le globe dans sa main, un boulet à son pied ;
Il nous crache au visage, il règne ! nul ne bouge.

Et c'est à votre front qu'on voit monter le rouge,
C'est vous qui vous levez et qui vous indignez,
Femme, le sein gonflé, les yeux de pleurs baignés,
Vous huez le tyran, vous consolez les tombes,
Et le vautour frémit sous le bec des colombes !

---

1. Ezzelin III, dit « Le tyran » (1194-1259), chef gibelin qui s'empara
de tout le nord-est de l'Italie.

Et moi, proscrit pensif, je vous dis : Gloire à vous !
Oh oui, vous êtes bien le sexe fier et doux,
Ardent au dévoûment, ardent à la souffrance,
Toujours prêt à la lutte, à Béthulie [1], en France,
Dont l'âme à la hauteur des héros s'élargit,
D'où se lève Judith, d'où Charlotte surgit !
Vous mêlez la bravoure à la mélancolie.
Vous êtes Porcia, vous êtes Cornélie,
Vous êtes Arria [2] qui saigne et qui sourit ;
Oui, vous avez toujours en vous ce même esprit
Qui relève et soutient les nations tombées,
Qui suscite la Juive et les sept Macchabées [3],
Qui dans toi, Jeanne d'Arc, fait revivre Amadis ;
Et qui, sur le chemin des tyrans interdits
Pour les épouvanter dans leur gloire éphémère,
Met tantôt une vierge et tantôt une mère !

Si bien que par moments, lorsqu'en nos visions
Nous voyons, secouant un glaive de rayons,
Dans les cieux apparaître une figure ailée,
Saint Michel sous ses pieds foulant l'hydre écaillée,
Nous disons : c'est la Gloire et c'est la Liberté !
Et nous croyons, devant sa grâce et sa beauté,
Quand nous cherchons le nom dont il faut qu'on le
                                                    [nomme,
Que l'archange est plutôt une femme qu'un homme !

Jersey, mai 1853.
[30 mai 1853.]

1. Béthulie : ville que sauva Judith en tuant Holopherne.
2. Porcia, fille de Caton d'Utique et femme héroïque de Brutus (Ier siècle av. J.-C.).
Cornélie, fille de Scipion l'Africain et mère des Gracques, héros nationaux et populaires (fin IIe siècle av. J.-C.).
Arria, femme d'une victime de l'empereur Claude qui se suicida sans broncher.
3. Macchabées, sept frères hébreux captifs en Syrie qui refusèrent d'apostasier et furent suppliciés sous les yeux de leur mère, la Juive, les exhortant à ne pas renier leur Dieu (IIe siècle av. J.-C.)

IX

AU PEUPLE

Il te ressemble ; il est terrible et pacifique.
Il est sous l'infini le niveau magnifique ;
Il a le mouvement, il a l'immensité.
Apaisé d'un rayon et d'un souffle agité,
Tantôt c'est l'harmonie et tantôt le cri rauque.
Les monstres sont à l'aise en sa profondeur glauque ;
La trombe y germe ; il a des gouffres inconnus
D'où ceux qui l'ont bravé ne sont pas revenus ;
Sur son énormité le colosse chavire ;
Comme toi le despote, il brise le navire ;
Le fanal est sur lui comme l'esprit sur toi ;
Il foudroie, il caresse, et Dieu seul sait pourquoi ;
Sa vague, où l'on entend comme des chocs d'armures,
Emplit la sombre nuit de monstrueux murmures,
Et l'on sent que ce flot, comme toi, gouffre humain,
Ayant rugi ce soir, dévorera demain.
Son onde est une lame aussi bien que le glaive ;
Il chante un hymne immense à Vénus qui se lève ;
Sa rondeur formidable, azur universel,
Accepte en son miroir tous les astres du ciel ;
Il a la force rude et la grâce superbe ;
Il déracine un roc, il épargne un brin d'herbe ;
Il jette comme toi l'écume aux fiers sommets,
Ô Peuple ; seulement, lui, ne trompe jamais
Quand, l'œil fixe, et debout sur sa grève sacrée,
Et pensif, on attend l'heure de sa marée.

Au bord de l'Océan, juillet 1853.
[23 février 1853.]

X

Apportez vos chaudrons, sorcières de Shakespeare
Sorcières de Macbeth, prenez-moi tout l'empire,
L'ancien et le nouveau ; sur le même réchaud
Mettez le gros Berger et le comte Frochot,
Maupas avec Réal, Hullin sur Espinasse,
La Saint-Napoléon avec la Saint-Ignace,
Fould et Maret, Fouché gâté, Troplong pourri,
Retirez Austerlitz, ajoutez Satory [1],
Penchez-vous, crins épars, œil ardent, gorge nue,
Soufflez à pleins poumons le feu sous la cornue ;
Regardez le petit se dégager du grand,
Faites évaporer Baroche et Talleyrand,
Le neveu qui descend pendant que l'oncle monte ;
Que reste-t-il au fond de l'alambic ? la honte.

Jersey, avril 1853.
[26 mai 1853.]

1. Comte de Frochot (1761-1828), membre de la Constituante, ami de Mirabeau, administrateur sous Napoléon, récupéré par les Bourbons en 1814 ; se retira après Waterloo.

Comte de Réal (1757?-1834), ami de Danton, partisan du 18 brumaire, conseiller d'État pendant l'Empire.

Comte de Hullin (1758-1841), officier dans les armées révolutionnaires, un des hommes du 18 brumaire ; compromis comme Réal dans la parodie de jugement du duc d'Enghien.

Maret, duc de Bassano, un des hommes du 18 brumaire qui fit carrière sous l'Empire ; son fils passa au service de Louis Napoléon.

Satory : camp militaire où Louis Napoléon fut acclamé par la cavalerie en 1850.

XI

LE PARTI DU CRIME

« Amis et Frères ! en présence de ce gouvernement
infâme, négation de toute morale, obstacle à tout progrès
social, en présence de ce gouvernement meurtrier du
peuple et violateur des lois, de ce gouvernement né de la
force, et qui doit périr par la force, de ce gouvernement
élevé par le crime et qui doit être terrassé par le droit, le
Français digne du nom de citoyen ne sait pas, ne veut pas
savoir s'il y a quelque part des semblants de scrutin, des
comédies de suffrage universel et des parodies d'appel à
la nation ; il ne s'informe pas s'il y a des hommes qui
votent et des hommes qui font voter, s'il y a un troupeau
qu'on appelle le Sénat et qui délibère et un autre troupeau
qu'on appelle le peuple et qui obéit ; il ne s'informe pas
si le pape va sacrer au maître-autel de Notre-Dame
l'homme qui — n'en doutez pas, ceci est l'avenir inévitable — sera ferré au poteau par le bourreau ; — en présence de M. Bonaparte et de son gouvernement, le citoyen,
digne de ce nom, ne fait qu'une chose et n'a qu'une
chose à faire : charger son fusil et attendre l'heure. »

Jersey, 31 octobre 1852.

(Déclaration des proscrits républicains de Jersey, à propos
de l'empire, publiée par *Le Moniteur*, signée pour copie
conforme : VICTOR HUGO, FAURE, FOMBERTAUX[1].)

1. Faure, proscrit. Fombertaux, proscrit dont le fils avait été
condamné à cinq ans de prison à Belle-Île-en-mer. Dans la proclama-
(*suite de la note page suivante*)

« Nous flétrissons de l'énergie la plus vigoureuse de notre âme les ignobles et coupables manifestes du PARTI DU CRIME. »

(RIANCEY, Journal *L'Union*, 22 novembre.)

« LE PARTI DU CRIME relève la tête. »
                    (*Tous les journaux élyséens en chœur*.)

Ainsi ce gouvernant dont l'ongle est une griffe
Ce masque impérial, Bonaparte apocryphe,
À coup sûr Beauharnais, peut-être Verhuell [1],
Qui, pour la mettre en croix, livra, sbire cruel,
Rome républicaine à Rome catholique,
Cet homme, l'assassin de la chose publique,
Ce parvenu, choisi par le destin sans yeux,
Ainsi, lui, ce glouton singeant l'ambitieux,
Cette altesse quelconque habile aux catastrophes,
Ce loup sur qui je lâche une meute de strophes,
Ainsi ce boucanier, ainsi ce chourineur
A fait d'un jour d'orgueil un jour de déshonneur,
Mis sur la gloire un crime et souillé la victoire ;
Il a volé, l'infâme, Austerlitz à l'histoire ;
Brigand, dans ce trophée il a pris un poignard ;
Il a broyé bourgeois, ouvrier, campagnard ;
Il a fait de corps morts une horrible étagère
Derrière les barreaux de la cité Bergère ;
Il s'est, le sabre en main, rué sur son serment ;
Il a tué les lois et le gouvernement,
La justice, l'honneur, tout, jusqu'à l'espérance ;
Il a rougi de sang, de ton sang pur, ô France,
Tous nos fleuves, depuis la Seine jusqu'au Var ;
Il a conquis le Louvre en méritant Clamar ;

tion (voir Note III), le nom de Fombertaux suivait le nom de Hugo et les proscrits se présentaient comme « démocrates-socialistes » et non comme « républicains » : Hugo rectifie ici et impose sa position, plus modérée (voir J. Seebacher).

1. Charles-Henri Verhuell (1764-1845), officier hollandais, père possible de Louis Napoléon.

Et maintenant il règne, appuyant, ô patrie,
Son vil talon fangeux sur ta bouche meurtrie ;
Voilà ce qu'il a fait ; je n'exagère rien ;
Et quand, nous indignant de ce galérien
Et de tous les escrocs de cette dictature,
Croyant rêver devant cette affreuse aventure,
Nous disons, de dégoût et d'horreur soulevés :
— Citoyens, marchons ! Peuple, aux armes, aux pavés !
À bas ce sabre abject qui n'est pas même un glaive !
Que le jour reparaisse et que le droit se lève ! —
C'est nous, proscrits frappés par ces coquins hardis,
Nous, les assassinés, qui sommes les bandits !
Nous qui voulons le meurtre et les guerres civiles !
Nous qui mettons la torche aux quatre coins des villes !

Donc trôner par la mort, fouler aux pieds le droit ;
Être fourbe, impudent, cynique, atroce, adroit ;
Dire : je suis César, et n'être qu'un maroufle ;
Étouffer la pensée et la vie et le souffle ;
Forcer quatre-vingt-neuf qui marche à reculer ;
Supprimer lois, tribune et presse ; museler
La grande nation comme une bête fauve ;
Régner par la caserne et du fond d'une alcôve ;
Restaurer les abus au profit des félons ;
Livrer ce pauvre peuple aux voraces Troplongs,
Sous prétexte qu'il fut, loin des temps où nous sommes,
Dévoré par les rois et par les gentilshommes ;
Faire manger aux chiens ce reste des lions ;
Prendre gaîment pour soi palais et millions,
S'afficher tout crûment satrape, et, sans sourdines,
Mener joyeuse vie avec des gourgandines ;
Torturer des héros dans le bagne exécré ;
Bannir quiconque est ferme et fier ; vivre entouré
De grecs, comme à Byzance autrefois le despote ;
Être le bras qui tue et la main qui tripote ;
Ceci, c'est la justice, ô peuple, et la vertu !
Et confesser le droit par le meurtre abattu ;
Dans l'exil, à travers l'encens et les fumées,
Dire en face aux tyrans, dire en face aux armées :

— Violence, injustice et force sont vos noms ;
Vous êtes les soldats, vous êtes les canons ;
La terre est sous vos pieds comme votre royaume ;
Vous êtes le colosse et nous sommes l'atome ;
Eh bien ! guerre ! et luttons, c'est notre volonté.
Vous, pour l'oppression, nous, pour la liberté ! —
Montrer les noirs pontons, montrer les catacombes.
Et s'écrier, debout sur la pierre des tombes :
— Français ! craignez d'avoir un jour pour repentirs
Les pleurs des innocents et les os des martyrs !
Brise l'homme-sépulcre, ô France ! ressuscite !
Arrache de ton flanc ce Néron parasite !
Sors de terre sanglante et belle, et dresse-toi
Dans une main le glaive et dans l'autre la loi ! —
Jeter ce cri du fond de son âme proscrite,
Attaquer le forban, démasquer l'hypocrite.
Parce que l'honneur parle et parce qu'il le faut,
C'est le crime, cela ! — Tu l'entends, toi, là-haut !
Oui, voilà ce qu'on dit, mon Dieu, devant ta face !
Témoin toujours présent qu'aucune ombre n'efface,
Voilà ce qu'on étale à tes yeux éternels !

Quoi ! le sang fume aux mains de tous ces criminels !
Quoi ! les morts, vierge, enfant, vieillards et femmes
                                                    [grosses,
Ont à peine eu le temps de pourrir dans leurs fosses !
Quoi ! Paris saigne encor ! quoi, devant tous les yeux,
Son faux serment est là qui plane dans les cieux !
Et voilà comme parle un tas d'êtres immondes !
Ô noirs bouillonnements des colères profondes !

Et maint vivant, gavé, triomphant et vermeil,
Reprend : — ce bruit qu'on fait dérange mon sommeil.
Tout va bien. Les marchands triplent leurs clientèles,
Et nos femmes ne sont que fleurs et que dentelles !
— De quoi donc se plaint-on ? crie un autre quidam,
En flânant sur l'asphalte et sur le macadam,
Je gagne tous les jours trois cents francs à la Bourse.
L'argent coule aujourd'hui comme l'eau d'une source ;

Les ouvriers maçons ont trois livres dix sous,
C'est superbe ; Paris est sens dessus dessous.
Il paraît qu'on a mis dehors les démagogues.
Tant mieux. Moi j'applaudis les bals et les églogues
Du prince qu'autrefois à tort je reniais.
Que m'importe qu'on ait chassé quelques niais ?
Quant aux morts, ils sont morts ! paix à ces imbéciles !
Vivent les gens d'esprit ! vivent ces temps faciles
Où l'on peut à son choix prendre pour nourricier
Le crédit mobilier ou le crédit foncier !
La république rouge aboie en ses cavernes,
C'est affreux ! liberté, droits, progrès, balivernes !
Hier encor j'empochais une prime d'un franc ;
Et moi, je sens fort peu, j'en conviens, je suis franc,
Les déclamations m'étant indifférentes,
La baisse de l'honneur dans la hausse des rentes.

Ô langage hideux ! on le tient ! on l'entend !
Eh bien, sachez-le donc, repus au cœur content,
Que nous vous le disions bien une fois pour toutes,
Oui, nous, les vagabonds dispersés sur les routes,
Errant sans passeport, sans nom et sans foyer,
Nous autres, les proscrits qu'on ne fait pas ployer,
Nous qui n'acceptons point qu'un peuple s'abrutisse,
Qui d'ailleurs, ne voulons, tout en voulant justice,
D'aucune représaille et d'aucun échafaud,
Nous, dis-je, les vaincus sur qui Mandrin prévaut,
Pour que la liberté revive, et que la honte
Meure, et qu'à tous les fronts l'honneur serein remonte,
Pour affranchir Romains, Lombards, Germains, Hongrois,
Pour faire rayonner, soleil de tous les droits,
La République mère au centre de l'Europe,
Pour réconcilier le palais et l'échoppe,
Pour faire refleurir la fleur Fraternité,
Pour fonder du travail le droit incontesté ;
Pour tirer les martyrs de ces bagnes infâmes,
Pour rendre aux fils le père et les maris aux femmes,
Pour qu'enfin ce grand siècle et cette nation
Sortent du Bonaparte et de l'abjection,

Pour atteindre à ce but où notre âme s'élance,
Nous nous ceignons les reins dans l'ombre et le silence ;
Nous nous déclarons prêts — prêts, entendez-vous bien ? —
Le sacrifice est tout, la souffrance n'est rien, —
Prêts, quand Dieu fera signe, à donner notre vie ;
Car, à voir ce qui vit, la mort nous fait envie,
Car nous sommes tous mal sous ce drôle effronté
Vivant, nous sans patrie, et vous sans liberté !

Oui, sachez-le, vous tous que l'air libre importune
Et qui dans ce fumier plantez votre fortune,
Nous ne laisserons pas le peuple s'assoupir ;
Oui, nous appellerons, jusqu'au dernier soupir,
Au secours de la France aux fers et presque éteinte,
Comme nos grands aïeux, l'insurrection sainte ;
Nous convierons Dieu-même à foudroyer ceci ;
Et c'est notre pensée et nous sommes ainsi,
Aimant mieux, dût le sort nous broyer sous sa roue,
Voir couler notre sang que croupir votre boue.

Jersey, novembre 1852.
[28 janvier 1853.]

XII

On dit : — soyez prudents. — Puis vient ce dithyrambe :
    « — ... Qui veut frapper Néron
Rampe, et ne se fait pas précéder d'un ïambe
    Soufflant dans un clairon.

Souviens-toi d'Ettenheim et des pièges célèbres ;
    Attends le jour marqué.
Sois comme Chéréas [1] qui vient dans les ténèbres,
    Seul, muet et masqué.

La prudence conduit au but qui sait la suivre.
    Marche d'ombre vêtu... » —
C'est bien ; je laisse à ceux qui veulent longtemps vivre
    Cette lâche vertu.

Jersey, août 1853.
[2 août 1853.]

---

1. Ettenheim : ville de Bade, près de Strasbourg, où Napoléon Ier fit
en 1804 enlever le duc d'Enghien pour le faire fusiller.
  Chéréas, meurtrier de Caligula en 41.

XIII

À JUVÉNAL

I

Retournons à l'école, ô mon vieux Juvénal.
Homme d'ivoire et d'or, descends du tribunal
Où depuis deux mille ans tes vers superbes tonnent.
Il paraît, vois-tu bien, ces choses nous étonnent,
Mais c'est la vérité selon monsieur Riancey,
Que lorsqu'un peu de temps sur le sang a passé,
Après un an ou deux, c'est une découverte,
Quoi qu'en disent les morts avec leur bouche verte,
Le meurtre n'est plus meurtre et le vol n'est plus vol.
Monsieur Veuillot, qui tient d'Ignace et d'Auriol [1],
Nous l'affirme, quand l'heure a tourné sur l'horloge,
De notre entendement ceci fait peu l'éloge,
Pourvu qu'à Notre-Dame on brûle de l'encens,
Et que l'abonné vienne aux journaux bien-pensants,
Il paraît que, sortant de son hideux suaire,
Joyeux, en panthéon changeant son ossuaire,
Dans l'opération par monsieur Fould aidé,
Par les juges lavé, par les filles fardé,
Ô miracle ! entouré de croyants et d'apôtres,
En dépit des rêveurs, en dépit de nous autres
Noirs poètes bourrus qui n'y comprenons rien,
Le mal prend tout à coup la figure du bien.

---

1. Jean-Baptiste Auriol, célèbre clown sauteur.

II

Il est l'appui de l'ordre ; il est bon catholique ;
Il signe hardiment : prospérité publique.
La trahison s'habille en général français ;
L'archevêque ébloui bénit le dieu Succès ;
C'était crime jeudi, mais c'est haut fait dimanche.
Du pourpoint Probité l'on retourne la manche.
Tout est dit. La vertu tombe dans l'arriéré.
L'honneur est un vieux fou dans sa cave muré.
Ô grand penseur de bronze, en nos dures cervelles
Faisons entrer un peu ces morales nouvelles,
Lorsque sur le Grand'Combe ou sur le blanc de zinc [1],
On a revendu vingt ce qu'on a payé cinq,
Sache qu'un guet apens par où nous triomphâmes
Est juste, honnête et bon ; tout au rebours des femmes,
Sache qu'en vieillissant le crime devient beau.
Il plane cygne après s'être envolé corbeau.
Oui, tout cadavre utile exhale une odeur d'ambre.
Que vient-on nous parler d'un crime de décembre
Quand nous sommes en juin ! l'herbe a poussé dessus.
Toute la question, la voici : fils, tissus,
Cotons et sucres bruts prospèrent ; le temps passe.
Le parjure difforme et la trahison basse
En avançant en âge ont la propriété
De perdre leur bassesse et leur difformité ;
Et l'assassinat louche et tout souillé de fange,
Change son front de spectre en un visage d'ange.

III

Et comme, en même temps, dans ce travail normal,
La vertu devient faute et le bien devient mal,

---

1. Grand'Combe : mine de houille et de fer du Gard dont les actions
montaient comme celles des mines de zinc de la Vieille Montagne.

Apprends que, quand Saturne a soufflé sur leur rôle,
Néron est un sauveur et Spartacus un drôle.
La raison obstinée a beau faire du bruit ;
La justice, ombre pâle, a beau, dans notre nuit,
Murmurer comme un souffle à toutes les oreilles ;
On laisse dans leur coin bougonner ces deux vieilles.
Narcisse gazetier lapide Scevola [1].
Accoutumons nos yeux à ces lumières-là
Qui font qu'on aperçoit tout sous un nouvel angle,
Et qu'on voit Malesherbe en regardant Delangle.
Sachons dire : Lebœuf est grand, Persil est beau ;
Et laissons la pudeur au fond du lavabo.

IV

Le bon, le sûr, le vrai, c'est l'or dans notre caisse.
L'homme est extravagant qui, lorsque tout s'affaisse,
Proteste seul debout dans une nation,
Et porte à bras tendu son indignation.
Que diable ! il faut pourtant vivre de l'air des rues,
Et ne pas s'entêter aux choses disparues.
Quoi ! tout meurt ici-bas, l'aigle comme le ver,
Le charançon périt sous la neige l'hiver,
Quoi ! le Pont-Neuf fléchit lorsque les eaux sont grosses,
Quoi, mon coude est troué, quoi ! je perce mes chausses,
Quoi ! mon feutre était neuf et s'est usé depuis,
Et la Vérité, maître, aurait, dans son vieux puits,
Cette prétention rare d'être éternelle !
De ne pas se mouiller quand il pleut, d'être belle
À jamais, d'être reine en n'ayant pas le sou,
Et de ne pas mourir quand on lui tord le cou !
Allons donc ! citoyens, c'est au fait qu'il faut croire !

1. Narcisse, conseiller et homme de main de Néron.
   Scevola, héros légendaire de la guerre contre les Étrusques pour la fondation de Rome.

V

Sur ce, les charlatans prêchent leur auditoire
D'idiots, de mouchards, de grecs, de philistins,
Et de gens pleins d'esprit détroussant les crétins :
La Bourse rit ; la hausse offre aux badauds ses prismes ;
La douce hypocrisie éclate en aphorismes ;
C'est bien, nous gagnons gros et nous sommes contents ;
Et ce sont, Juvénal, les maximes du temps.
Quelque sous-diacre, éclos dans je ne sais quel bouge,
Trouva ces vérités en balayant Montrouge,
Si bien qu'aujourd'hui, fiers et rois des temps nouveaux,
Messieurs les aigrefins et messieurs les dévots
Déclarent, s'éclairant aux lueurs de leur cierge,
Jeanne d'Arc courtisane et Messaline vierge.

Voilà ce que curés, évêques, talapoins [1],
Au nom du Dieu vivant, démontrent en trois points,
Et ce que le filou qui fouille dans ma poche
Prouve par A plus B, par Argout plus Baroche.

VI

Maître ! voilà-t-il pas de quoi nous indigner ?
À quoi bon s'exclamer ? à quoi bon trépigner ?
Nous avons l'habitude, en songeurs que nous sommes,
De contempler les nains bien moins que les grands hommes ;
Même toi satirique, et moi tribun amer,
Nous regardons en haut, le bourgeois dit : en l'air ;
C'est notre infirmité. Nous fuyons la rencontre
Des sots et des méchants. Quand le Dombidau montre
Son crâne et que le Fould avance son menton,
J'aime mieux Jacques Cœur, tu préfères Caton ;
La gloire des héros, des sages que Dieu crée,

1. Bonzes bouddhistes du Siam.

Est notre vision éternelle et sacrée ;
Éblouis, l'œil noyé des clartés de l'azur,
Nous passons notre vie à voir dans l'Éther pur
Resplendir les géants, penseurs ou capitaines,
Nous regardons, au bruit des fanfares lointaines,
Au-dessus de ce monde où l'ombre règne encor,
Mêlant dans les rayons leurs vagues poitrails d'or,
Une foule de chars voler dans les nuées ;
Aussi l'essaim des gueux et des prostituées,
Quand il se heurte à nous, blesse nos yeux pensifs.

Soit. Mais réfléchissons. Soyons moins exclusifs.
Je hais les cœurs abjects, et toi, tu t'en défies ;
Mais laissons-les en paix dans leurs philosophies.

VII

Et puis, même en dehors de tout ceci, vraiment
Peut-on blâmer l'instinct et le tempérament ?
Ne doit-on pas se faire aux natures des êtres ?
La fange a ses amants et l'ordure a ses prêtres ;
De la cité bourbier le vice est citoyen ;
Où l'un se trouve mal l'autre se trouve bien ;
J'en atteste Minos et j'en fais juge Eaque [1],
Le paradis du porc, n'est-ce pas le cloaque ?
Voyons, en quoi, réponds, génie âpre et subtil,
Cela nous touche-t-il et nous regarde-t-il,
Quand l'homme du serment dans le meurtre patauge,
Quand monsieur Beauharnais fait du pouvoir une auge,
Si quelque évêque arrive et chante alleluia,
Si Saint-Arnaud bénit la main qui le paya,
Si tel ou tel bourgeois le célèbre et le loue,
S'il est des estomacs qui digèrent la boue ?
Quoi ! quand la France tremble au vent des trahisons,
Stupéfaits et naïfs, nous nous ébahissons,

1. Eaque, juge des Enfers.

Si Parieu vient manger des glands sous ce grand chêne !
Nous trouvons surprenant que l'eau coule à la Seine,
Nous trouvons merveilleux que Troplong soit Scapin,
Nous trouvons inouï que Dupin soit Dupin !

VIII

Un vieux penchant humain mène à la turpitude.
L'opprobre est un logis, un centre, une habitude,
Un toit, un oreiller, un lit tiède et charmant,
Un bon manteau bien ample où l'on est chaudement.
L'opprobre est le milieu respirable aux immondes.
Quoi ! nous nous étonnons d'ouïr dans les deux mondes
Les dupes faisant chœur avec les chenapans,
Les gredins, les niais vanter ce guet-apens.
Mais ce sont là les lois de la mère nature.
C'est de l'antique instinct l'éternelle aventure.
Par le point qui séduit ses appétits flattés
Chaque bête se plaît aux monstruosités.
Quoi ! ce crime est hideux ! quoi ! ce crime est stupide !
N'est-il plus d'animaux pour l'admirer ? Le vide
S'est-il fait ? n'est-il plus d'êtres vils et rampants ?
N'est-il plus de chacals ? n'est-il plus de serpents ?
Quoi ! les baudets ont-ils pris tout à coup des ailes,
Et se sont-ils enfuis aux voûtes éternelles ?
De la création l'âne a-t-il disparu ?
Quand Cyrus, Annibal, César, montaient à cru
Cet effrayant cheval qu'on appelle la gloire,
Quand, ailés, effarés de joie et de victoire,
Ils passaient flamboyants au fond des cieux vermeils,
Les aigles leur criaient : vous êtes nos pareils !
Les aigles leur criaient : vous portez le tonnerre !
Aujourd'hui les hiboux acclament Lacenaire.
Eh bien ! je trouve bon que cela soit ainsi.
J'applaudis les hiboux et je leur dis : merci.
La sottise se mêle à ce concert sinistre,
Tant mieux. Dans sa gazette, ô Juvénal, tel cuistre

Déclare, avec messieurs d'Arras et de Beauvais [1],
Mandrin très-bon, et dit l'honnête homme mauvais,
Foule aux pieds les héros et vante les infâmes,
C'est tout simple ; et vraiment, nous serions bonnes âmes
De nous émerveiller lorsque nous entendons
Les Veuillots aux lauriers préférer les chardons !

                              IX

Donc laissons aboyer la conscience humaine
Comme un chien qui s'agite et qui tire sa chaîne.
Guerre aux justes proscrits ! gloire aux coquins fêtés !
Et faisons bonne mine à ces réalités.
Acceptons cet empire unique et véritable.
Saluons sans broncher Trestaillon connétable,
Mingrat grand-aumônier, Bosco [2] grand-électeur ;
Et ne nous fâchons pas s'il advient qu'un rhéteur,
Un homme du Sénat, un homme du conclave,
Un eunuque, un cagot, un sophiste, un esclave,
Esprit sauteur prenant la phrase pour tremplin,
Après avoir chanté César de grandeur plein,
Et ses perfections et ses mansuétudes,
Insulte les bannis jetés aux solitudes,
Ces brigands qu'a vaincus Tibère Amphitryon [3].
Vois-tu, c'est un talent de plus dans l'histrion ;
C'est de l'art de flatter le plus exquis peut-être ;
On chatouille moins bien Henri-huit, le bon maître,
En louant Henri-huit qu'en déchirant Morus [4].
Les dictateurs d'esprit, bourrés d'éloges crus,
Sont friands, dans leur gloire et dans leurs arrogances,

1. Villes dont les évêques favorisaient l'enseignement libre.
2. Bosco était un prestidigitateur célèbre.
3. Amphitryon, héros grec, symbole de prodigalité comme Tibère ou Napoléon III.
4. Thomas Morus, auteur de l'*Utopie*, décapité pour avoir refusé d'accepter le mariage d'Henri VIII avec Anne Boleyn et la rupture avec Rome.

De ces raffinements et de ces élégances.
Poète, c'est ainsi que les despotes sont.
Le pouvoir, les honneurs sont plus doux quand ils ont
Sur l'échafaud du juste une fenêtre ouverte.
Les exilés, pleurant près de la mer déserte,
Les sages torturés, les martyrs expirants
Sont l'assaisonnement du bonheur des tyrans.
Juvénal, Juvénal, mon vieux lion classique,
Notre vin de Champagne et ton vin de Massique,
Les festins, les palais et le luxe effréné,
L'adhésion du prêtre et l'amour de Phryné,
Les triomphes, l'orgueil, les respects, les caresses,
Toutes les voluptés et toutes les ivresses
Dont s'abreuvait Séjan, dont se gorgeait Rufin,
Sont meilleures à boire, ont un goût bien plus fin,
Si l'on n'est pas un sot à cervelle exigue,
Dans la coupe où Socrate hier but la ciguë !

Jersey, novembre 1852.
[5 février 1853.]

XIV

FLORÉAL

Au retour des beaux jours, dans ce vert floréal
Où meurent les Danton trahis par les Réal,
Quand l'étable s'agite au fond des métairies,
Quand l'eau vive au soleil se change en pierreries,
Quand la grisette assise, une aiguille à la main,
Soupire, et de côté regardant le chemin,
Voudrait aller cueillir des fleurs au lieu de coudre,
Quand les nids font l'amour, quand le pommier se poudre
Pour le printemps ainsi qu'un marquis pour le bal,
Quand, par mai réveillés, Charles-douze, Annibal,
Disent : c'est l'heure ! et font vers les sanglants tumultes
Rouler, l'un les canons, l'autre les catapultes ;
Moi, je crie : ô soleil ! salut ! parmi les fleurs
J'entends les gais pinsons et les merles siffleurs ;
L'arbre chante ; j'accours ; ô printemps ! on vit double ;
Gallus entraîne au bois Lycoris qui se trouble ;
Tout rayonne ; et le ciel, couvant l'homme enchanté,
N'est plus qu'un grand regard plein de sérénité !
Alors l'herbe m'invite et le pré me convie ;
Alors j'absous le sort, je pardonne à la vie,
Et je dis : pourquoi faire autre chose qu'aimer ?
Je sens, comme au dehors, tout en moi s'animer.
Et je dis aux oiseaux : petits oiseaux, vous n'êtes
Que des chardonnerets et des bergeronnettes,
Vous ne me connaissez pas même, vous allez
Au hasard dans les champs, dans les bois, dans les blés,

Pêle-mêle, pluviers, grimpereaux, hochequeues,
Dressant vos huppes d'or, lissant vos plumes bleues ;
Vous êtes, quoique beaux, très-bêtes : votre loi
C'est d'errer ; vous chantez en l'air sans savoir quoi ;
Eh bien, vous m'inondez d'émotions sacrées !
Et quand je vous entends sur les branches dorées,
Oiseaux, mon aile s'ouvre, et mon cœur rajeuni
Boit à l'amour sans fond et s'emplit d'infini. —
Et je me laisse aller aux longues rêveries.
Ô feuilles d'arbre ! oubli ! bœufs mugissants ! prairies !
Mais dans ces moments-là, tu le sais, Juvénal,
Qu'il sorte par hasard de ma poche un journal,
Et que mon œil distrait, qui vers les cieux remonte,
Heurte l'un de ces noms qui veulent dire : honte,
Alors toute l'horreur revient ; dans les bois verts
Némésis m'apparaît, et me montre, à travers
Les rameaux et les fleurs, sa gorge de furie.

C'est que tu veux tout l'homme, ô devoir ! ô patrie !
C'est que, lorsque ton flanc saigne, ô France, tu veux
Que l'angoisse nous tienne et dresse nos cheveux,
Que nous ne regardions plus autre chose au monde,
Et que notre œil, noyé dans la pitié profonde,
Cesse de voir les cieux pour ne voir que ton sang !

Et je me lève, et tout s'efface, et, frémissant,
Je n'ai plus sous les yeux qu'un peuple à la torture,
Crimes sans châtiment, griefs sans sépulture,
Les géants garrottés livrés aux avortons,
Femmes dans les cachots, enfants dans les pontons,
Bagnes, sénats, proscrits, cadavres, gémonies ;
Alors, foulant aux pieds toutes les fleurs ternies,
Je m'enfuis, et je dis à ce soleil si doux :
Je veux l'ombre ! et je dis aux oiseaux : taisez-vous !

Et je pleure ! et la strophe, éclose de ma bouche,
Bat mon front orageux de son aile farouche.

Ainsi pas de printemps ! ainsi pas de ciel bleu !
Ô bandits, et toi, fils d'Hortense de Saint-Leu [1],
Soyez maudits, d'abord d'être ce que vous êtes,
Et puis soyez maudits d'obséder les poètes !
Soyez maudits, Troplong, Fould, Magnan, Faustin deux,
De faire au penseur triste un cortège hideux,
De le suivre au désert, dans les champs, sous les ormes,
De mêler aux forêts vos figures difformes !
Soyez maudits, bourreaux qui lui masquez le jour,
D'emplir de haine un cœur qui déborde d'amour !

Jersey, mai 1853.
[28 mai 1853.]

1. Hortense de Beauharnais, comtesse de Saint-Leu après l'abdication
de Louis Bonaparte, roi de Hollande.

XV

STELLA

Je m'étais endormi la nuit près de la grève.
Un vent frais m'éveilla, je sortis de mon rêve,
J'ouvris les yeux, je vis l'étoile du matin.
Elle resplendissait au fond du ciel lointain
Dans une blancheur, molle, infinie et charmante.
Aquilon s'enfuyait emportant la tourmente.
L'astre éclatant changeait la nuée en duvet.
C'était une clarté qui pensait, qui vivait ;
Elle apaisait l'écueil où la vague déferle ;
On croyait voir une âme à travers une perle.
Il faisait nuit encor, l'ombre régnait en vain,
Le ciel s'illuminait d'un sourire divin.
La lueur argentait le haut du mât qui penche ;
Le navire était noir, mais la voile était blanche ;
Des goélands debout sur un escarpement,
Attentifs, contemplaient l'étoile gravement
Comme un oiseau céleste et fait d'une étincelle ;
L'océan, qui ressemble au peuple, allait vers elle,
Et, rugissant tout bas, la regardait briller,
Et semblait avoir peur de la faire envoler.
Un ineffable amour emplissait l'étendue.
L'herbe verte à mes pieds frissonnait éperdue,
Les oiseaux se parlaient dans les nids, une fleur
Qui s'éveillait me dit : C'est l'étoile ma sœur.
Et pendant qu'à longs plis l'ombre levait son voile,
J'entendis une voix qui venait de l'étoile

Voir *Au fil du texte*, p. XIX.

Et qui disait : — Je suis l'astre qui vient d'abord.
Je suis celle qu'on croit dans la tombe et qui sort.
J'ai lui sur le Sinaï, j'ai lui sur le Taygète [1] ;
Je suis le caillou d'or et de feu que Dieu jette,
Comme avec une fronde, au front noir de la nuit.
Je suis ce qui renaît quand un monde est détruit.
Ô nations ! je suis la Poésie ardente.
J'ai brillé sur Moïse et j'ai brillé sur Dante.
Le lion Océan est amoureux de moi.
J'arrive. Levez-vous, vertu, courage, foi !
Penseurs, esprits ! montez sur la tour, sentinelles !
Paupières, ouvrez-vous ! allumez-vous, prunelles !
Terre, émeus le sillon ; vie, éveille le bruit ;
Debout, vous qui dormez ; — car celui qui me suit,
Car celui qui m'envoie en avant la première,
C'est l'ange Liberté, c'est le géant Lumière !

                                        Jersey, juillet 1853.
                                        [3 décembre 1852.]

1. Sinaï, mont où Moïse reçut les Tables de la Loi.
Taygète : montagne près de Sparte, associée aux Lois de Lycurgue.

XVI

APPLAUDISSEMENT

Ô grande nation, vous avez à cette heure,
Tandis qu'en bas dans l'ombre on souffre, on râle, on
Un empire qui fait sonner ses étriers,   [pleure,
Les éblouissements des panaches guerriers,
Une cour où pourrait trôner le roi de Thune [1],
Une Bourse où l'on peut faire en huit jours fortune,
Des rosières jetant aux soldats leurs bouquets ;
Vous avez des abbés, des juges, des laquais,
Dansant sur des sacs d'or une danse macabre,
La banque à deux genoux qui harangue le sabre,
Des boulets qu'on empile au fond des arsenaux,
Un Sénat, les sermons remplaçant les journaux,
Des maréchaux dorés sur toutes les coutures,
Un Paris qu'on refait tout à neuf, des voitures
À huit chevaux, entrant dans le Louvre à grand bruit,
Des fêtes tout le jour, des bals toute la nuit,
Des lampions, des jeux, des spectacles ; en somme,
Tu t'es prostituée à ce misérable homme !

Tout ce que tu conquis est tombé de tes mains ;
On dit les vieux Français comme les vieux Romains,
Et leur nom fait songer leurs fils rouges de honte ;
Le monde aimait ta gloire et t'en demande compte,

---

1. Roi des truands ; Clopin Trouillefou dans *Notre-Dame de Paris*.

Car il se réveillait au bruit de ton clairon.
Tu contemples d'un œil abruti ton Néron
Qu'entourent les Romieux déguisés en Sénèques,
Tu te complais à voir brailler ce tas d'évêques
Qui, sous la croix où pend le Dieu de Bethléem,
Entonnent leur *Salvum fac imperatorem.*
(Au fait, faquin devait se trouver dans la phrase.)
Ton âme est comme un chien sous le pied qui l'écrase ;
Ton fier quatre-vingt-neuf reçoit des coups de fouet
D'un gueux qu'hier encor l'Europe bafouait ;
Tes propres souvenirs, folle, tu les lapides.
La Marseillaise est morte à tes lèvres stupides.
Ton Champ-de-Mars subit ces vainqueurs répugnants,
Ces Maupas, ces Fortouls, ces Bertrands, ces Magnans,
Tous ces tueurs portant le tricorne en équerre,
Et Korte, et Carrelet, et Canrobert Macaire [1].
Tu n'es plus rien ; c'est dit, c'est fait, c'est établi.
Tu ne sais même plus, dans ce lugubre oubli,
Quelle est la nation qui brisa la Bastille.
On te voit le dimanche aller à la Courtille [2],
Riant, sautant, buvant, sans un instinct moral,
Comme une drôlesse ivre au bras d'un caporal
Des soufflets qu'il te donne on ne sait plus le nombre.
Et, tout en revenant sur ce boulevard sombre
Où le meurtre a rempli tant de noirs corbillards,
Où bourgeois et passants, femmes, enfants, vieillards,
Tombèrent effarés d'une attaque soudaine,
Tu chantes Turlurette et la Faridondaine !

C'est bien, descends encore et je m'en réjouis,
Car ceci nous promet des retours inouïs,
Car, France, c'est ta loi de ressaisir l'espace,
Car tu seras bien grande ayant été si basse !

---

1. Canrobert (1809-1895), officier dans l'armée d'Algérie ; un des organisateurs de la répression du coup d'État.
2. Courtille : ensemble de guinguettes au bas de Belleville à la barrière du Temple.

L'avenir a besoin d'un gigantesque effort.
Va, traîne l'affreux char d'un satrape ivre mort.
Toi, qui de la victoire as conduit les quadriges.
J'applaudis. Te voilà condamnée aux prodiges.
Le monde, au jour marqué, te verra brusquement
Égaler la revanche à l'avilissement,
Ô Patrie, et sortir, changeant soudain de forme,
Par un immense éclat de cet opprobre énorme !
Oui, nous verrons, ainsi va le progrès humain,
De ce vil aujourd'hui naître un fier lendemain,
Et tu rachèteras, ô prêtresse, ô guerrière,
Par cent pas en avant chaque pas en arrière !
Donc recule et descends ! tombe, ceci me plaît !
Flatte le pied du maître et le pied du valet !
Plus bas ! baise Troplong ! plus bas ! lèche Baroche !
Descends, car le jour vient, descends, car l'heure approche,
Car tu vas t'élancer, ô grand peuple courbé,
Et, comme le jaguar dans un piège tombé,
Tu donnes pour mesure, en tes ardentes luttes,
À la hauteur des bonds la profondeur des chutes !

Oui, je me réjouis ; oui, j'ai la foi ; je sais
Qu'il faudra bien qu'enfin tu dises : c'est assez !
Tout passe à travers toi comme à travers le crible,
Mais tu t'éveilleras bientôt, pâle et terrible,
Peuple, et tu deviendras superbe tout à coup.
De cet empire abject, bourbier, cloaque, égout,
Tu sortiras splendide, et ton aile profonde
En secouant la fange éblouira le monde !
Et les couronnes d'or fondront au front des rois,
Et le pape, arrachant sa tiare et sa croix,
Tremblant, se cachera comme un loup sous sa chaire,
Et la Thémis [1] aux bras sanglants, cette bouchère,
S'enfuira vers la nuit, vieux monstre épouvanté,
Et tous les yeux humains s'empliront de clarté,

---

1. Thémis, déesse de la Justice.

Et l'on battra des mains de l'un à l'autre pôle,
Et tous les opprimés, redressant leur épaule,
Se sentiront vainqueurs, délivrés et vivants,
Rien qu'à te voir jeter ta honte aux quatre vents !

Jersey, septembre 1853.
[4-6 avril 1853.]

LIVRE VII

LES SAUVEURS SE SAUVERONT

I

Sonnez, sonnez toujours, clairons de la pensée. ◆━

Quand Josué [1] rêveur, la tête aux cieux dressée,
Suivi des siens, marchait, et, prophète irrité,
Sonnait de la trompette autour de la cité,
Au premier tour qu'il fit le roi se mit à rire ;
Au second tour, riant toujours, il lui fit dire :
— Crois-tu donc renverser ma ville avec du vent ?
À la troisième fois, l'arche allait en avant,
Puis les trompettes, puis toute l'armée en marche,
Et les petits enfants venaient cracher sur l'arche,
Et, soufflant dans leur trompe, imitaient le clairon ;
Au quatrième tour, bravant les fils d'Aaron [2],
Entre les vieux créneaux tout brunis par la rouille,
Les femmes s'asseyaient en filant leur quenouille,
Et se moquaient jetant des pierres aux Hébreux ;
À la cinquième fois, sur ces murs ténébreux,
Aveugles et boiteux vinrent, et leurs huées
Raillaient le noir clairon sonnant sous les nuées ;

1. Josué, successeur de Moïse. À la tête de l'armée des Hébreux, il
s'empara de Jéricho (XIIIe siècle av. J.-C.) ; on dit que les murailles de
la ville s'écroulèrent au son de leurs trompettes.
2. Aaron, frère de Moïse.

◆━ Voir *Au fil du texte*, p. XIX.

À la sixième fois, sur sa tour de granit
Si haute qu'au sommet l'aigle faisait son nid,
Si dure que l'éclair l'eût en vain foudroyée,
Le roi revint, riant à gorge déployée,
Et cria — : ces Hébreux sont bons musiciens ! —
Autour du roi joyeux, riaient tous les anciens
Qui le soir sont assis au temple et délibèrent.

À la septième fois, les murailles tombèrent.

Jersey, septembre 1853.
[19 mars 1853.]

LA RECULADE

I

Je disais : — ces soldats ont la tête trop basse.
    Il va leur ouvrir des chemins.
Le peuple aime la poudre, et quand le clairon passe
    La France chante et bat des mains.
La guerre est une pourpre où le meurtre se drape ;
    Il va crier son : *quos ego !*
Un beau jour, de son crime, ainsi que d'une trappe,
    Nous verrons sortir Marengo.
Il faut bien qu'il leur jette enfin un peu de gloire
    Après tant de honte et d'horreur !
Que, vainqueur, il défile avec tout son prétoire
    Devant Troplong le procureur ;
Qu'il tâche de cacher son carcan à l'histoire,
    Et qu'il fasse par le doreur
Ajuster sa sellette au vieux char de victoire
    Où monta le grand empereur.
Il voudra devenir César, frapper, dissoudre
    Les anciens états ébranlés,
Et, calme, à l'univers montrer, tenant la foudre,
    La main qui fit des fausses clefs.
Il fera du vieux monde éclater la machine ;
    Il voudra vaincre et surnager !
Hudson Lowe, Blücher, Wellington, Rostopschine,
    Que de souvenirs à venger !
L'occasion abonde à l'époque où nous sommes.

Il saura saisir le moment.
On ne peut pas rester avec cinq cent mille hommes
    Dans la fange éternellement.
Il ne peut les laisser courbés sous leur sentence ;
    Il leur faut les hauts faits lointains ;
À la meute guerrière il faut une pitance
    De lauriers et de bulletins.
Ces soldats, que Décembre orne comme une dartre,
    Ne peuvent pas, chiens avilis,
Ronger à tout jamais le boulevard Montmartre
    Quand leurs pères ont Austerlitz ! —

II

Eh bien non ! je rêvais. Illusion détruite !
    Gloire ! songe, néant, vapeur !
Ô soldats ! quel réveil ! l'empire, c'est la fuite.
    Soldats ! l'empire, c'est la peur.
Ce Mandrin de la paix est plein d'instincts placides ;
    Ce Schinderhannes craint les coups.
Ô châtiment ! pour lui vous fûtes parricides,
    Soldats, il est poltron pour vous.
Votre gloire a péri sous ce hideux incube
    Aux doigts de fange, au cœur d'airain.
Ah ! frémissez ! le czar marche sur le Danube,
    Vous ne marchez pas sur le Rhin !

III

Ô nos pauvres enfants ! soldats de notre France !
    Ô triste armée à l'œil terni !
Adieu la tente ! adieu les camps ! plus d'espérance !
    Soldats ! soldats ! tout est fini !
N'espérez plus laver dans les combats le crime
    Dont vous êtes éclaboussés.
Pour nous ce fut le piège et pour vous c'est l'abîme.
    Cartouche règne ; c'est assez.

Oui, Décembre à jamais vous tient, hordes trompées !
     Oui, vous êtes ses vils troupeaux !
Oui, gardez sur vos mains, gardez sur vos épées,
     Hélas ! gardez sur vos drapeaux
Ces souillures qui font horreur à vos familles
     Et qui font sourire Dracon,
Et que ne voudrait pas avoir sur ses guenilles
     L'équarrisseur de Montfaucon !
Gardez le deuil, gardez le sang, gardez la boue !
     Votre maître hait le danger,
Il vous fait reculer ; gardez sur votre joue
     L'âpre soufflet de l'étranger !
Ce nain à sa stature a rabaissé vos tailles.
     Ce n'est qu'au vol qu'il est hardi.
Adieu la grande guerre et les grandes batailles
     Adieu Wagram ! adieu Lodi !
Dans cette horrible glu votre aile est prisonnière.
     Derrière un crime il faut marcher.
C'est fini. Désormais vous avez pour bannière
     Le tablier de ce boucher !
Renoncez aux combats, au nom de Grande Armée,
     Au vieil orgueil des trois couleurs ;
Renoncez à l'immense et superbe fumée,
     Aux femmes vous jetant des fleurs,
À l'encens, aux grands arcs triomphaux que fréquentent
     Les ombres des héros le soir ;
Hélas ! contentez-vous de ces prêtres qui chantent
     Des Te Deum dans l'abattoir !
Vous ne conquerrez point la palme expiatoire,
     La palme des exploits nouveaux,
Et vous ne verrez pas se dorer dans la gloire
     La crinière de vos chevaux !

IV

Donc l'épopée échoue avant qu'elle commence !
     Annibal a pris un calmant ;
L'Europe admire, et mêle une huée immense

À cet immense avortement.
Donc ce neveu s'en va par la porte bâtarde !
        Donc ce sabreur, ce pourfendeur,
Ce masque moustachu dont la bouche vantarde
        S'ouvrait dans toute sa grandeur,
Ce César qu'un valet tous les matins harnache
        Pour s'en aller dans les combats,
Cet ogre galonné dont le hautain panache
        Faisait oublier le front bas,
Le tueur qui semblait l'homme que rien n'étonne,
        Qui jouait, dans les hosanna,
Tout barbouillé du sang du ruisseau Tiquetonne,
        La pantomime d'Iéna,
Ce héros que Dieu fit général des jésuites,
        Ce vainqueur qui s'est dit absous,
Montre à Clio son nez meurtri de pommes cuites,
        Son œil éborgné de gros sous !
Et notre armée, hélas ! sa dupe et sa complice,
        Baisse un front lugubre et puni,
Et voit sous les sifflets s'enfuir dans la coulisse
        Cet écuyer de Franconi [1] !
Cet histrion, qu'on cingle à grands coups de lanière,
        A le crime pour seul talent ;
Les Saint-Barthélemy vont mieux à sa manière
        Qu'Aboukir et que Friedland.
Le Cosaque stupide arrache à ce superbe
        Sa redingote à brandebourgs ;
L'âne russe a brouté ce Bonaparte en herbe.
        Sonnez, clairons ! battez, tambours !
Tranchemontagne, ainsi que Basile, a la fièvre ;
        La colique empoigne Agramant [2] ;
Sur le crâne du loup les oreilles du lièvre
        Se dressent lamentablement.
Le fier-à-bras tremblant se blottit dans son antre ;

---

1. Franconi, famille de saltimbanques italiens venus à Paris à la
veille de la Révolution ; l'un des fils devint chef de manège du cirque
Napoléon.
2. Agramant, héros du *Roland furieux* qui assiège Paris.

Le grand sabre a peur de briller ;
La fanfare bégaie et meurt ; la flotte rentre
    Au port, et l'aigle au poulailler !

V

Et tous ces capitans dont l'épaulette brille
    Dans les Louvres et les châteaux
Disent : — mangeons la France et le peuple en famille.
    Sire, les boulets sont brutaux.
Et Forey va criant : — majesté, prenez garde.
    Reybell dit : — morbleu, sacrebleu !
Tenons-nous coi. Le czar fait manœuvrer sa garde.
    Ne jouons pas avec le feu.
Espinasse reprend . — César, gardez la chambre.
    Ces Kalmoucks ne sont pas manchots.
— Coiffez-vous, dit Leroy, du laurier de décembre,
    Prince, et tenez-vous les pieds chauds.
Et Magnan dit : — buvons et faisons l'amour, sire !
    Les rêves s'en vont à vau-l'eau.
Et dans sa sombre plaine, ô douleur, j'entends rire
    Le noir lion de Waterloo !

Jersey, juillet 1853.
[1er septembre 1853.]

LE CHASSEUR NOIR [1]

    — Qu'es-tu, passant ? le bois est sombre,
Les corbeaux volent en grand nombre,
        Il va pleuvoir.
    — Je suis celui qui va dans l'ombre,
        Le Chasseur Noir !

Les feuilles des bois, du vent remuées,
        Sifflent... on dirait
Qu'un sabbat nocturne emplit de huées
        Toute la forêt ;
Dans une clairière au sein des nuées,
        La lune apparaît.

        Chasse le daim, chasse la biche,
        Cours dans les bois, cours dans la friche,
            Voici le soir.
        Chasse le tzar, chasse l'Autriche,
            Ô Chasseur Noir !

Les feuilles des bois —

        Souffle en ton cor, boucle ta guêtre,
        Chasse les cerfs qui viennent paître

---

1. Figure du diable dans le folklore germanique.

Près du manoir.
Chasse le roi, chasse le prêtre,
    Ô Chasseur Noir !

Les feuilles des bois —

Il tonne, il pleut, c'est le déluge.
Le renard fuit, pas de refuge
    Et pas d'espoir !
Chasse l'espion, chasse le juge,
    Ô Chasseur Noir !

Les feuilles des bois —

Tous les démons de Saint-Antoine
Bondissent dans la folle avoine
    Sans t'émouvoir ;
Chasse l'abbé, chasse le moine,
    Ô Chasseur Noir !

Les feuilles des bois —

Chasse les ours ! ta meute jappe.
Que pas un sanglier n'échappe !
    Fais ton devoir !
Chasse César, chasse le pape,
    Ô Chasseur Noir !

Les feuilles des bois —

Le loup de ton sentier s'écarte.
Que ta meute à sa suite parte !
    Cours ! fais-le choir !
Chasse le brigand Bonaparte,
    Ô Chasseur Noir !

Les feuilles des bois, du vent remuées,
        Tombent... on dirait
Que le sabbat sombre aux rauques huées
        A fui la forêt ;
Le clair chant du coq perce les nuées ;
        Ciel ! l'aube apparaît !

        Tout reprend sa forme première,
        Tu redeviens la France altière
                Si belle à voir,
        L'Ange blanc vêtu de lumière,
                Ô Chasseur Noir !

Les feuilles des bois, du vent remuées,
        Tombent... on dirait
Que le sabbat sombre aux rauques huées
        A fui la forêt ;
Le clair chant du coq perce les nuées,
        Ciel ! l'aube apparaît !

                        Jersey, septembre 1853.
                        [22 octobre 1852.]

IV

L'ÉGOUT DE ROME

Voici le trou. Voici l'échelle. Descendez.
Tandis qu'au corps de garde en face, on joue aux dés
En riant sous le nez des matrones bourrues ;
Laissez le crieur rauque, assourdissant les rues,
Proclamer le Numide ou le Dace aux abois,
Et, groupés sous l'auvent des échoppes de bois,
Les savetiers romains et les marchandes d'herbes
De la Minerve étrusque échanger les proverbes ;
Descendez.

   Vous voilà dans un lieu monstrueux,
Enfer d'ombre et de boue aux porches tortueux,
Où les murs ont la lèpre, où, parmi les pustules,
Glissent les scorpions mêlés aux tarentules.
Morne abîme !

   Au-dessus de ce plafond fangeux,
Dans les cieux, dans le cirque immense et plein de jeux,
Sur les pavés sabins, dallages centenaires,
Roulent les chars, les bruits, les vents et les tonnerres ;
Le peuple gronde et rit dans le forum sacré ;
Le navire d'Ostie au port est amarré,
L'arc triomphal rayonne, et sur la borne agraire,
Tètent, nus et divins, Rémus avec son frère
Romulus, louveteaux de la louve d'airain ;
Non loin, le fleuve Tibre épand son flot serein,

Et la vache au flanc roux y vient boire, et les buffles
Laissent en fils d'argent l'eau tomber de leurs mufles.

Le hideux souterrain s'étend dans tous les sens ;
Il ouvre par endroits sous les pieds des passants
Ses soupiraux infects et flairés par les truies ;
Cette cave se change en fleuve au temps des pluies ;
Vers midi, tout au bord du soupirail vermeil,
Les durs barreaux de fer découpent le soleil,
Et le mur apparaît semblable au dos des zèbres ;
Tout le reste est miasme, obscurité, ténèbres.
Par places le pavé, comme chez les tueurs,
Paraît sanglant ; la pierre a d'affreuses sueurs ;
Ici, l'oubli, la peste et la nuit font leurs œuvres.
Le rat heurte en courant la taupe ; les couleuvres
Serpentent sur le mur comme de noirs éclairs ;
Les tessons, les haillons, les piliers aux pieds verts,
Les reptiles laissant des traces de salives,
La toile d'araignée accrochée aux solives,
Des mares dans des coins, effroyables miroirs,
Où nagent on ne sait quels êtres lents et noirs,
Font un fourmillement horrible dans ces ombres.
La vieille hydre chaos rampe sous ces décombres.
On voit des animaux accroupis et mangeant ;
La moisissure rose aux écailles d'argent
Fait sur l'obscur bourbier luire ses mosaïques,
L'odeur du lieu mettrait en fuite des stoïques,
Le sol partout se creuse en gouffres empestés ;
Et les chauves-souris volent de tous côtés
Comme au milieu des fleurs s'ébattent les colombes ;
On croit, dans cette brume et dans ces catacombes,
Entendre bougonner la mégère Atropos ;
Le pied sent dans la nuit le dos mou des crapauds ;
L'eau pleure ; par moments quelque escalier livide
Plonge lugubrement ses marches dans le vide.
Tout est fétide, informe, abject, terrible à voir.

Le charnier, le gibet, le ruisseau, le lavoir,
Les vieux parfums rancis dans les fioles persanes,
Le lavabo vidé des pâles courtisanes,

L'eau lustrale épandue aux pieds des dieux menteurs,
Le sang des confesseurs et des gladiateurs,
Les meurtres, les festins, les luxures hardies,
Le chaudron renversé des noires Canidies [1],
Ce que Trimalcion vomit sur le chemin,
Tous les vices de Rome, égout du genre humain,
Suintent, comme en un crible, à travers cette voûte,
Et l'immonde univers y filtre goutte à goutte.
Là-haut, on vit, on teint ses lèvres de carmin,
On a le lierre au front et la coupe à la main,
Le peuple sous les fleurs cache sa plaie impure
Et chante ; et c'est ici que l'ulcère suppure.
Ceci, c'est le cloaque, effrayant, vil, glacé.
Et Rome tout entière avec tout son passé,
Joyeuse, souveraine, esclave, criminelle,
Dans ce marais sans fond croupit, fange éternelle.
C'est le noir rendez-vous de l'immense néant ;
Toute ordure aboutit à ce gouffre béant,
La vieille au chef branlant, qui gronde et qui soupire,
Y vide son panier, et le monde, l'empire.
L'horreur emplit cet antre, infâme vision.
Toute l'impureté de la création
Tombe et vient échouer sur cette sombre rive.
Au fond, on entrevoit, dans une ombre où n'arrive
Pas un reflet de jour, pas un souffle de vent,
Quelque chose d'affreux qui fut jadis vivant,
Des mâchoires, des yeux, des ventres, des entrailles,
Des carcasses qui font des taches aux murailles ;
On approche, et longtemps on reste l'œil fixé
Sur ce tas monstrueux, dans la bourbe enfoncé,
Jeté là par un trou redouté des ivrognes,
Sans pouvoir distinguer si ces mornes charognes
Ont une forme encor visible en leurs débris,
Et sont des chiens crevés ou des Césars pourris.

Jersey, avril 1853.
[30 avril 1853.]

1. Sorcières.

V

C'était en juin, j'étais à Bruxelles ; on me dit :
Savez-vous ce que fait maintenant ce bandit ?
Et l'on me raconta le meurtre juridique,
Charlet assassiné sur la place publique,
Cirasse, Cuisinier [1], tous ces infortunés
Que cet homme au supplice a lui-même traînés
Ô qu'il a de ses mains liés sur la bascule.
Ô sauveur, ô héros, vainqueur de crépuscule,
César ! Dieu fait sortir de terre les moissons,
La vigne, l'eau courante abreuvant les buissons,
Les fruits vermeils, la rose où l'abeille butine,
Les chênes, les lauriers, et toi, la guillotine.

Prince qu'aucun de ceux qui lui donnent leurs voix
Ne voudrait rencontrer le soir au coin d'un bois !

J'avais le front brûlant ; je sortis par la ville.
Tout m'y parut plein d'ombre et de guerre civile,
Les passants me semblaient des spectres effarés ;
Je m'enfuis dans les champs paisibles et dorés ;
Ô contre-coups du crime au fond de l'âme humaine !
La nature ne put me calmer. L'air, la plaine,
Les fleurs, tout m'irritait ; je frémissais devant
Ce monde où je sentais ce scélérat vivant.

1. Jacques Charlet, ouvrier républicain guillotiné en 1852 pour la
mort d'un douanier lors de la résistance au coup d'État.
Cirasse, guillotiné en 1852 pour le meurtre d'un vieil homme ayant
refusé de livrer des armes.
Cuisinier, guillotiné en 1852 pour le meurtre d'un gendarme.

Sans pouvoir m'apaiser, je fis plus d'une lieue.
Le soir triste monta sous la coupole bleue ;
Linceul frissonnant, l'ombre autour de moi s'accrut ;
Tout à coup la nuit vint, et la lune apparut
Sanglante, et dans les cieux, de deuil enveloppée,
Je regardai rouler cette tête coupée.

Jersey, mai 1853.
[20 mai 1853.]

VI

CHANSON

Sa grandeur éblouit l'histoire.
    Quinze ans, il fut
Le dieu que traînait la victoire
    Sur un affût ;
L'Europe sous sa loi guerrière
    Se débattit. —
Toi, son singe, marche derrière,
    Petit, petit.

Napoléon dans la bataille,
    Grave et serein,
Guidait à travers la mitraille
    L'aigle d'airain.
Il entra sur le pont d'Arcole,
    Il en sortit. —
Voici de l'or, viens, pille et vole,
    Petit, petit.

Berlin, Vienne, étaient ses maîtresses ;
    Il les forçait,
Leste, et prenant les forteresses
    Par le corset ;
Il triompha de cent bastilles
    Qu'il investit. —
Voici pour toi, voici des filles,
    Petit, petit.

Il passait les monts et les plaines,
        Tenant en main
La palme, la foudre et les rênes
        Du genre humain ;
Il était ivre de sa gloire
        Qui retentit. —
Voici du sang, accours, viens boire,
        Petit, petit.

Quand il tomba, lâchant le monde,
        L'immense mer
Ouvrit à sa chute profonde
        Le gouffre amer ;
Il y plongea, sinistre archange,
        Et s'engloutit. —
Toi, tu te noiras dans la fange,
        Petit, petit.

                              Jersey, septembre 1853.
                              [septembre 1853.]

VII

LA CARAVANE

I

Sur la terre, tantôt sable, tantôt savane,
L'un à l'autre liés en longue caravane,
Échangeant leur pensée en confuses rumeurs,
Emmenant avec eux les lois, les faits, les mœurs,
Les esprits, voyageurs éternels, sont en marche.
L'un porte le drapeau, les autres portent l'arche ;
Ce saint voyage a nom Progrès. De temps en temps,
Ils s'arrêtent, rêveurs, attentifs, haletants,
Puis repartent. En route ! ils s'appellent, ils s'aident,
Ils vont ! Les horizons aux horizons succèdent,
Les plateaux aux plateaux, les sommets aux sommets.
On avance toujours, on n'arrive jamais.
À chaque étape un guide accourt à leur rencontre ;
Quand Jean Huss disparaît, Luther pensif se montre ;
Luther s'en va, Voltaire alors prend le flambeau ;
Quand Voltaire s'arrête, arrive Mirabeau.
Ils sondent, pleins d'espoir, une terre inconnue.
À chaque pas qu'on fait, la brume diminue ;
Ils marchent, sans quitter des yeux un seul instant
Le terme du voyage et l'asile où l'on tend,
Point lumineux au fond d'une profonde plaine,
La Liberté sacrée, éclatante et lointaine,
La Paix dans le travail, l'universel Hymen,
L'Idéal, ce grand but, Mecque du genre humain.

Plus ils vont, plus la Foi les pousse et les exalte.

Pourtant, à de certains moments, lorsqu'on fait halte,
Que la fatigue vient, qu'on voit le jour blêmir,
Et qu'on a tant marché qu'il faut enfin dormir,
C'est l'instant où le Mal, prenant toutes les formes,
Morne oiseau, vil reptile ou monstre aux bonds énormes,
Chimère, préjugé, mensonge ténébreux,
C'est l'heure où le Passé, qu'ils laissent derrière eux,
Voyant dans chacun d'eux une proie échappée,
Surprend la caravane assoupie et campée,
Et, sortant hors de l'ombre et du néant profond,
Tâche de ressaisir ces esprits qui s'en vont.

II

Le jour baisse ; on atteint quelque colline chauve
Que l'âpre solitude entoure, immense et fauve,
Et dont pas même un arbre, une roche, un buisson,
Ne coupe l'immobile et lugubre horizon ;
Les tchaouchs, aux lueurs des premières étoiles,
Piquent des pieux en terre et déroulent les toiles ;
En cercle autour du camp les feux sont allumés ;
Il est nuit. Gloire à Dieu ! voyageurs las, dormez.

Non, veillez ! car autour de vous tout se réveille.
Écoutez ! écoutez ! debout ! prêtez l'oreille !
Voici qu'à la clarté du jour zodiacal,
L'épervier gris, le singe obscène, le chacal,
Les rats abjects et noirs, les belettes, les fouines,
Nocturnes visiteurs des tentes bédouines,
L'hyène au pas boiteux qui menace et qui fuit,
Le tigre au crâne plat, où nul instinct ne luit,
Dont la férocité ressemble à de la joie,
Tous, les oiseaux de deuil et les bêtes de proie,
Vers le feu rayonnant poussant d'étranges voix,
De tous les points de l'ombre arrivent à la fois.

Dans la brume, pareils aux brigands qui maraudent,
Bandits de la nature, ils sont tous là qui rôdent.
Le foyer se reflète aux yeux des léopards.
Fourmillement terrible ! on voit de toutes parts
Des prunelles de braise errer dans les ténèbres.
La solitude éclate en hurlements funèbres.
Des pierres, des fossés, des ravins tortueux,
De partout, sort un bruit farouche et monstrueux.
Car lorsqu'un pas humain pénètre dans ces plaines,
Toujours, à l'heure où l'ombre épanche ses haleines,
Où la création commence son concert,
Le peuple épouvantable et rauque du désert,
Horrible et bondissant sous les pâles nuées,
Accueille l'homme avec des cris et des huées.
Bruit lugubre ! chaos des forts et des petits
Cherchant leur proie avec d'immondes appétits !
L'un glapit, l'autre rit, miaule, aboie, ou gronde,
Le voyageur invoque en son horreur profonde
Ou son saint musulman ou son patron chrétien.

Soudain tout fait silence et l'on n'entend plus rien.

Le tumulte effrayant cesse, râles et plaintes
Meurent, comme des voix par l'agonie éteintes,
Comme si, par miracle et par enchantement,
Dieu même avait dans l'ombre emporté brusquement
Renards, singes, vautours, le tigre, la panthère,
Tous ces monstres hideux qui sont sur notre terre
Ce que sont les démons dans le monde inconnu.
Tout se tait.

                    Le désert est muet, vaste et nu.
L'œil ne voit sous les cieux que l'espace sans borne.

Tout à coup, au milieu de ce silence morne
Qui monte et qui s'accroît de moment en moment,
S'élève un formidable et long rugissement !

C'est le lion.

III

Il vient, il surgit où vous êtes,
Le roi sauvage et roux des profondeurs muettes !

Il vient de s'éveiller comme le soir tombait,
Non, comme le loup triste, à l'odeur du gibet,
Non, comme le jaguar, pour aller dans les havres
Flairer si la tempête a jeté des cadavres,
Non, comme le chacal furtif et hasardeux,
Pour déterrer la nuit les morts, spectres hideux,
Dans quelque champ qui vit la guerre et ses désastres ;
Mais pour marcher dans l'ombre à la clarté des astres,
Car l'azur constellé plaît à son œil vermeil ;
Car Dieu fait contempler par l'aigle le soleil,
Et fait par le lion regarder les étoiles.
Il vient, du crépuscule il traverse les voiles,
Il médite, il chemine à pas silencieux,
Tranquille et satisfait sous la splendeur des cieux ;
Il aspire l'air pur qui manquait à son antre ;
Sa queue à coups égaux revient battre son ventre,
Et dans l'obscurité qui le sent approcher,
Rien ne le voit venir, rien ne l'entend marcher.
Les palmiers, frissonnant comme des touffes d'herbe,
Frémissent. C'est ainsi que, paisible et superbe,
Il arrive toujours par le même chemin,
Et qu'il venait hier, et qu'il viendra demain,
À cette heure où Vénus à l'occident décline.

Et quand il s'est trouvé proche de la colline,
Marquant ses larges pieds dans le sable mouvant,
Avant même que l'œil d'aucun être vivant
Ait pu, sous l'éternel et mystérieux dôme,
Voir poindre à l'horizon son vague et noir fantôme,
Avant que, dans la plaine, il se soit avancé,
Il se taisait ; son souffle a seulement passé,
Et ce souffle a suffi, flottant à l'aventure,
Pour faire tressaillir la profonde nature,

Et pour faire soudain taire au plus fort du bruit
Toutes ces sombres voix qui hurlent dans la nuit.

IV

Ainsi, quand, de ton antre enfin poussant la pierre,
Et las du long sommeil qui pèse à ta paupière,
Ô Peuple, ouvrant tes yeux d'où sort une clarté,
Tu te réveilleras dans ta tranquillité,
Le jour où nos pillards, où nos tyrans sans nombre
Comprendront que quelqu'un remue au fond de l'ombre,
Et que c'est toi qui viens, ô lion ! ce jour-là,
Ce vil groupe où Falstaff s'accouple à Loyola,
Tous ces gueux devant qui la probité se cabre,
Les traîneurs de soutane et les traîneurs de sabre,
Le général Soufflard, le juge Barabbas,
Le jésuite au front jaune, à l'œil féroce et bas,
Disant son chapelet dont les grains sont des balles,
Les Mingrats bénissant les Héliogabales [1],
Les Veuillots qui naguère, errant sans feu ni lieu,
Avant de prendre en main la cause du bon Dieu,
Avant d'être des saints, traînaient dans les ribottes
Les haillons de leur style et les trous de leurs bottes,
L'archevêque, ouléma du Christ ou de Mahom,
Mâchant avec l'hostie un sanglant Te Deum,
Les Troplong, les Rouher, violateurs de chartes,
Grecs qui tiennent les lois comme ils tiendraient les cartes,
Les beaux fils dont les mains sont rouges sous leurs gants ;
Ces dévots, ces viveurs, ces bedeaux, ces brigands,
Depuis les hommes vils jusqu'aux hommes sinistres,
Tout ce tas monstrueux de gredins et de cuistres
Qui grincent, à l'œil ardent, le mufle ensanglanté,
Autour de la raison et de la vérité,

---

1. Héliogabale (204-222), empereur romain, grand prêtre du Soleil,
introducteur des orgies orientales à Rome.

Tous, du maître au goujat, du bandit au maroufle,
Pâles, rien qu'à sentir au loin passer ton souffle,
Feront silence, ô peuple ! et tous disparaîtront
Subitement, l'éclair ne sera pas plus prompt,
Cachés, évanouis, perdus sous la nuit sombre,
Avant même qu'on ait entendu dans cette ombre
Où les justes tremblants aux méchants sont mêlés,
Ta grande voix monter vers les cieux étoilés !

Jersey, juin 1853.
[25 novembre 1848?/25 novembre 1852.]

VIII

●◆ Cette nuit, il pleuvait, la marée était haute,
Un brouillard lourd et gris couvrait toute la côte,
Les brisants aboyaient comme des chiens, le flot
Aux pleurs du ciel profond joignait son noir sanglot,
L'infini secouait et mêlait dans son urne
Les sombres tournoiements de l'abîme nocturne ;
Les bouches de la nuit semblaient rugir dans l'air.

J'entendais le canon d'alarme sur la mer.
Des marins en détresse appelaient à leur aide.
Dans l'ombre où la rafale aux rafales succède,
Sans pilote, sans mât, sans ancre, sans abri,
Quelque vaïsseau perdu jetait son dernier cri.
Je sortis. Une vieille, en passant effarée,
Me dit : — il a péri. C'est un chasse-marée.
Je courus à la grève et ne vis qu'un linceul
De brouillard et de nuit, et l'horreur, et moi seul ;
Et la vague, dressant sa tête sur l'abîme,
Comme pour éloigner un témoin de son crime,
Furieuse, se mit à hurler après moi.

Qu'es-tu donc, Dieu jaloux, Dieu d'épreuve et d'effroi,
Dieu des écroulements, des gouffres, des orages,
Que tu n'es pas content de tant de grands naufrages,
Qu'après tant de puissants et de forts engloutis,
Il te reste du temps encor pour les petits,
Que sur les moindres fronts ton bras laisse sa marque,
Et qu'après cette France, il te faut cette barque !

Jersey, avril 1853. [5 avril 1853.]

●◆ Voir *Au fil du texte*, p. XIX.

IX

I

Ce serait une erreur de croire que ces choses
Finiront par des chants et des apothéoses ;
Certes, il viendra, le rude et fatal châtiment ;
Jamais l'arrêt d'en haut ne recule et ne ment,
Mais ces jours effrayants seront des jours sublimes.
Tu feras expier à ces hommes leurs crimes,
Ô peuple généreux, ô peuple frémissant,
Sans glaive, sans verser une goutte de sang,
Par la loi ; sans pardon, sans fureur, sans tempête.
Non, que pas un cheveu ne tombe d'une tête ;
Que l'on n'entende pas une bouche crier ;
Que pas un scélérat ne trouve un meurtrier.
Les temps sont accomplis ; la loi de mort est morte.
Du vieux charnier humain nous avons clos la porte.
Tous ces hommes vivront. — Peuple, pas même lui !

Nous le disions hier, nous venons aujourd'hui
Le redire, et demain nous le dirons encore,
Nous qui des temps futurs portons au front l'aurore,
Parce que nos esprits, peut-être pour jamais,
De l'adversité sombre habitent les sommets ;
Nous, les absents, allant où l'exil nous envoie ;
Nous, proscrits, qui sentons, pleins d'une douce joie,
Dans le bras qui nous frappe une main nous bénir,
Nous, les germes du grand et splendide avenir
Que le Seigneur, penché sur la famille humaine,
Sema dans un sillon de misère et de peine.

II

Ils tremblent, ces coquins, sous leur nom accablant ;
Ils ont peur pour leur tête infâme, ou font semblant ;
Mais, marauds, ce serait déshonorer la Grève !
Des révolutions remuer le vieux glaive
Pour eux ! y songent-ils ? diffamer l'échafaud !
Mais, drôles, des martyrs, qui marchaient le front haut,
Des justes, des héros, souriant à l'abîme,
Sont morts sur cette planche et l'ont faite sublime !
Quoi ! Charlotte Corday, quoi ! madame Roland
Sous cette grande hache ont posé leur cou blanc,
Elles l'ont essuyée avec leur tresse blonde,
Et Magnan y viendrait faire sa tache immonde !
Où le lion gronda, grognerait le pourceau !
Pour Rouher, Fould et Suin, ces rebuts du ruisseau,
L'échafaud des Camille et des Vergniaux [1] superbes !
Quoi, grand Dieu, pour Troplong la mort de Malesherbes !
Traiter le sieur Delangle ainsi qu'André Chénier !
Jeter ces têtes-là dans le même panier,
Et, dans ce dernier choc qui mêle et qui rapproche,
Faire frémir Danton du contact de Baroche !
Non, leur règne, où l'atroce au burlesque se joint,
Est une mascarade, et, ne l'oublions point,
Nous en avons pleuré, mais souvent nous en rîmes.
Sous prétexte qu'il a commis beaucoup de crimes,
Et qu'il est assassin autant que charlatan,
Paillasse, après Saint-Just, Robespierre et Titan,
Monterait cette échelle effrayante et sacrée !
Après avoir coupé le cou de Briarée [2],
Ce glaive couperait la tête d'Arlequin !
Non, non ! maître Rouher, vous êtes un faquin,

1. Camille Desmoulins.
Verniaud, héros des Girondins, exécuté avec eux en 1793.
2. Briarée, géant mythologique aux cent bras et cinquante têtes.

Fould, vous êtes un fat, Suin, vous êtes un cuistre.
L'échafaud est le lieu du triomphe sinistre,
Le piédestal, dressé sur le noir cabanon,
Qui fait tomber la tête et fait surgir le nom ;
C'est le faîte vermeil d'où le martyr s'envole ;
C'est la hache impuissante à trancher l'auréole ;
C'est le créneau sanglant, étrange et redouté,
Par où l'âme se penche et voit l'éternité.
Ce qu'il faut, ô Justice, à ceux de cette espèce,
C'est le lourd bonnet vert, c'est la casaque épaisse,
C'est le poteau ; c'est Brest, c'est Clairvaux, c'est Toulon ;
C'est le boulet roulant derrière leur talon,
Le fouet et le bâton, la chaîne, âpre compagne,
Et les sabots sonnant sur le pavé du bagne !
Qu'ils vivent accouplés et flétris ! L'échafaud,
Sévère, n'en veut pas. Qu'ils vivent, il le faut,
L'un avec sa simarre et l'autre avec son cierge !
La mort devant ces gueux baisse ses yeux de vierge.

Jersey, juillet 1853.
[décembre 1852 (I)?/mars 1853 (II)?]

X

Quand l'eunuque régnait à côté du césar,
Quand Tibère, et Caïus, et Néron, sous leur char
Foulaient Rome, plus morte, hélas ! que Babylone,
Le poète saisit ces bourreaux sur leur trône ;
La muse entre deux vers, tout vivants, les scia.
Toi, faux prince, cousin du blême hortensia,
Hidalgo par ta femme, amiral par ta mère,
Tu règnes par Décembre et tu vis sur Brumaire,
Mais la muse t'a pris ; et maintenant, c'est bien,
Tu tressailles aux mains du sombre historien.
Pourtant, quoique tremblant sous la verge lyrique,
Tu dis dans ton orgueil : — je vais être historique. —
Non, coquin ! le charnier des rois t'est interdit ;
Non, tu n'entreras point dans l'histoire, bandit !
Haillon humain, hibou déplumé, bête morte,
Tu resteras dehors et cloué sur la porte.

Jersey, octobre 1853.
[1er août 1853.]

XI

PAROLES D'UN CONSERVATEUR
À PROPOS
D'UN PERTURBATEUR

Était-ce un rêve ? étais-je éveillé ? jugez-en.
Un homme, — était-il grec, juif, chinois, turc, persan ?
Un membre du parti de l'ordre, véridique
Et grave, me disait : — cette mort juridique
Frappant ce charlatan, anarchiste éhonté,
Est juste. Il faut que l'ordre et que l'autorité
Se défendent. Comment souffrir qu'on les discute ?
D'ailleurs les lois sont là pour qu'on les exécute.
Il est des vérités éternelles qu'il faut
Faire prévaloir, fût-ce au prix de l'échafaud.
Ce novateur prêchait une philosophie :
Amour, progrès, mots creux, et dont je me défie.
Il raillait notre culte antique et vénéré.
Cet homme était de ceux qui n'ont rien de sacré,
Il ne respectait rien de tout ce qu'on respecte.
Pour leur inoculer sa doctrine suspecte,
Il allait ramassant dans les plus méchants lieux
Des bouviers, des pêcheurs, des drôles bilieux,
D'immondes va-nu-pieds n'ayant ni sou ni maille ;
Il faisait son cénacle avec cette canaille.
Il ne s'adressait pas à l'homme intelligent,
Sage, honorable, ayant des rentes, de l'argent,
Du bien ; il n'avait garde ; Il égarait les masses ;
Avec des doigts levés en l'air et des grimaces,

Il prétendait guérir malades et blessés,
Contrairement aux lois. Mais ce n'est pas assez :
L'imposteur, s'il vous plaît, tirait les morts des fosses.
Il prenait de faux noms et des qualités fausses ;
Et se faisait passer pour ce qu'il n'était pas.
Il errait au hasard, disant : — suivez mes pas, —
Tantôt dans la campagne et tantôt dans la ville.
N'est-ce pas exciter à la guerre civile,
Au mépris, à la haine entre les citoyens ?
On voyait accourir vers lui d'affreux païens,
Couchant dans les fossés et dans les fours à plâtre,
L'un boiteux, l'autre sourd, l'autre un œil sous l'emplâtre,
L'autre raclant sa plaie avec un vieux tesson.
L'honnête homme indigné rentrait dans sa maison
Quand ce jongleur passait avec cette séquelle.
Dans une fête, un jour, je ne sais plus laquelle,
Cet homme prit un fouet, et criant, déclamant,
Il se mit à chasser, mais fort brutalement,
Des marchands patentés, le fait est authentique,
Très braves gens tenant sur le parvis boutique,
Avec permission, ce qui, je crois, suffit,
Du clergé qui touchait sa part de leur profit.
Il traînait à sa suite une espèce de fille.
Il allait pérorant, ébranlant la famille,
Et la religion, et la société ;
Il sapait la morale et la propriété ;
Le peuple le suivait laissant les champs en friche ;
C'était fort dangereux. Il attaquait les riches,
Il flagornait le pauvre, affirmant qu'ici-bas
Les hommes sont égaux et frères, qu'il n'est pas
De grands et de petits, d'esclaves ni de maîtres,
Que le fruit de la terre est à tous ; quant aux prêtres,
Il les déchirait ; bref, il blasphémait. Cela
Dans la rue. Il contait toutes ces horreurs-là
Aux premiers gueux venus, sans cape et sans semelles.
Il fallait en finir, les lois étaient formelles,
On l'a crucifié. —

Ce mot, dit d'un air doux,
Me frappa. Je lui dis : — mais qui donc êtes-vous ?
Il répondit : — vraiment, il fallait un exemple.
Je m'appelle Elizab [1], je suis scribe du temple.
— Et de qui parlez-vous, demandai-je ? — Il reprit :
— Mais ! de ce vagabond qu'on nomme Jésus-Christ.

Jersey, novembre 1852.
[23 décembre 1852.]

1. Inversion de Basile.

XII

FORCE DES CHOSES

Que devant les coquins l'honnête homme soupire ;
Que l'histoire soit laide et plate ; que l'empire
Boite avec Talleyrand ou louche avec Parieu ;
Qu'un tour d'escroc bien fait ait nom grâce de Dieu ;
Que le pape en massue ait changé sa houlette ;
Qu'on voie au Champ-de-Mars piaffer sous l'épaulette
Le Meurtre général, le Vol aide-de-camp ;
Que hors de l'Élysée un prince débusquant,
Qu'un flibustier quittant l'île de la Tortue [1],
Assassine, extermine, égorge, pille et tue ;
Que les bonzes chrétiens, cognant sur leur tam tam,
Hurlent devant Soufflard : *attollite portam* [2] !
Que pour claqueurs le crime ait cent journaux infâmes,
Ceux qu'à la Maison d'Or [3], sur les genoux des femmes,
Griffonnent les Romieux, le verre en main, et ceux
Que saint Ignace inspire à des gredins crasseux ;
Qu'en ces vils tribunaux où le regard se heurte
De Moreau de la Seine à Moreau de la Meurthe [4],

1. Île au nord de Haïti, repaire de flibustiers.
2. « Élevez une porte d'honneur » (Ps. XXIII, 8) pour le Messie entrant au ciel.
3. Restaurant au coin du boulevard des Italiens et de la rue Laffitte.
4. Moreau de la Seine, député réactionnaire sous la IIe République ; se retira après le coup d'État.
Moreau de la Meurthe, avocat, nommé à la Cour de cassation en 1849.

La justice ait reçu d'horribles horions ;
Que, sur un lit de camp, par des centurions
La loi soit violée et râle à l'agonie ;
Que cet être choisi, créé par Dieu génie,
L'homme, adore à genoux le loup fait empereur ;
Qu'en un éclat de rire abrégé par l'horreur,
Tout ce que nous voyons aujourd'hui se résume ;
Qu'Hautpoul vende son sabre et Cucheval [1] sa plume ;
Que tous les grands bandits, en petit copiés,
Revivent ; qu'on emplisse un Sénat, de plats pieds
Dont la servilité négresse et mamelouque
Eût révolté Mahmoud [2] et lasserait Soulouque ;
Que l'or soit le seul culte, et qu'en ce temps vénal,
Coffre-fort étant Dieu, Gousset soit cardinal ;
Que la vieille Thémis ne soit plus qu'une gouine
Baisant Mandrin dans l'antre où Mongis baragouine ;
Que Montalembert bave accoudé sur l'autel ;
Que Veuillot sur Sibour crève sa poche au fiel ;
Qu'on voie aux bals de cour s'étaler des guenipes
Qui le long des trottoirs traînaient hier leurs nippes,
Beautés de lansquenet avec un profil grec ;
Que Haynau dans Brescia soit pire que Lautrec [3] ;
Que partout, des Sept-Tours aux colonnes d'Hercule,
Napoléon, le poing sur la hanche, recule,
Car l'aigle est vieux, Essling grisonne, Marengo
A la goutte, Austerlitz est pris d'un lumbago ;
Que le czar russe ait peur tout autant que le nôtre ;
Que l'ours noir et l'ours blanc tremblent l'un devant
                                                    [l'autre ;
Qu'avec son grand panache et sur son grand cheval,
Rayonne Saint-Arnaud, ci-devant Florival [4],

1. Cucheval-Clarigny, journaliste et bibliothécaire qui passa au service de l'Élysée.
2. Mahmoud Kan II (1785-1839), sultan turc au moment du soulèvement grec (1811-1822).
3. Lautrec (1485-1528), capitaine de François Ier, chassé d'Italie
pour sa cruauté.
4. Nom de théâtre de Saint-Arnaud dans sa jeunesse.

Fort dans la pantomime et les combats-à-l'hache ;
Que Sodome se montre et que Paris se cache ;
Qu'Escobar et Houdin [1] vendent le même onguent ;
Que grâce à tous ces gueux qu'on touche avec le gant,
Tout dorés au-dehors, au-dedans noirs de lèpres,
Courant les bals, courant les jeux, allant à vêpres,
Grâce à ces bateleurs mêlés aux scélérats,
La Saint-Barthélemy s'achève en mardi gras ;
Ô nature profonde et calme, que t'importe !
Nature, Isis voilée assise à notre porte,
Impénétrable aïeule aux regards attendris,
Vieille comme Cybèle et fraîche comme Iris,
Ce qu'on fait ici-bas s'en va devant ta face ;
À ton rayonnement toute laideur s'efface ;
Tu ne t'informes pas quel drôle ou quel tyran
Est fait premier chanoine à Saint-Jean de Latran ;
Décembre, les soldats ivres, les lois faussées,
Les cadavres mêlés aux bouteilles cassées,
Ne te font rien ; tu suis ton flux et ton reflux.
Quand l'homme des faubourgs s'endort et ne sait plus
Bourrer dans un fusil des balles de calibre ;
Quand le peuple français n'est plus le peuple libre ;
Quand mon esprit, fidèle au but qu'il se fixa,
Sur cette léthargie applique un vers moxa,
Toi, tu rêves ; souvent du fond des geôles sombres,
Sort, comme d'un enfer, le murmure des ombres
Que Baroche et Rouher gardent sous les barreaux,
Car ce tas de laquais est un tas de bourreaux ;
Étant les sœurs de boue ils sont les cœurs de roche ;
Ma strophe alors se dresse, et pour cingler Baroche,
Se taille un fouet sanglant dans Rouher écorché ;
Toi, tu ne t'émeus point ; flot sans cesse épanché,
La vie indifférente emplit toujours tes urnes ;
Tu laisses s'élever des attentats nocturnes,
Des crimes, des fureurs, de Rome mise en croix,
De Paris mis aux fers, des guets-apens des rois,

1. Prestidigitateur.

Des pièges, des serments, des toiles d'araignées,
L'orageuse clameur des âmes indignées ;
Dans ce calme où toujours tu te réfugias,
Tu laisses le fumier croupir chez Augias,
Et renaître un passé dont nous nous affranchîmes,
Et le sang rajeunir les abus cacochymes,
La France en deuil jeter son suprême soupir,
Les prostitutions chanter, et se tapir
Les lâches dans leurs trous, la taupe en ses cachettes,
Et gronder les lions, et rugir les poètes !
Ce n'est pas ton affaire à toi de t'irriter.
Tu verrais, sans frémir et sans te révolter,
Sur tes fleurs, sous tes pins, tes ifs et tes érables,
Errer le plus coquin de tous ces misérables.
Quand Troplong, le matin, ouvre un œil chassieux,
Vénus, splendeur sereine éblouissant les cieux,
Vénus, qui devrait fuir courroucée et hagarde,
N'a pas l'air de savoir que Troplong la regarde !
Tu laisserais cueillir une rose à Dupin !
Tandis que, de velours recouvrant le sapin,
L'escarpe [1] couronné que l'Europe surveille,
Trône et guette, et qu'il a, lui parlant à l'oreille,
D'un côté Loyola, de l'autre Trestaillon,
Ton doigt au blé dans l'ombre entrouvre le sillon.
Pendant que l'horreur sort des sénats, des conclaves,
Que les États-Unis ont des marchés d'esclaves
Comme en eut Rome avant que Jésus-Christ passât,
Que l'Américain libre à l'Africain forçat
Met un bât, et qu'on vend des hommes pour des piastres,
Toi, tu gonfles la mer, tu fais lever les astres,
Tu courbes l'arc-en-ciel, tu remplis les buissons
D'essaims, l'air de parfums, et les nids de chansons,
Tu fais dans le bois vert la toilette des roses,
Et tu fais concourir, loin des hommes moroses,
Pour des prix inconnus par les anges cueillis,
La candeur de la vierge et la blancheur du lys ;

---

1. Truand.

Et quand, tordant ses mains devant les turpitudes,
Le penseur douloureux fuit dans tes solitudes,
Tu lui dis : viens ! c'est moi ! moi que rien ne corrompt,
Je t'aime ! et tu répands dans l'ombre sur son front,
Où de l'artère ardente il sent battre les ondes,
L'âcre fraîcheur de l'herbe et des feuilles profondes !
Par moments, à te voir, parmi les trahisons,
Mener paisiblement les mois et les saisons,
À te voir impassible et froide, quoi qu'on fasse,
Pour qui ne creuse point plus bas que la surface,
Tu sembles bien glacée et l'on s'étonne un peu.
Quand les proscrits, martyrs du peuple, élus de Dieu,
Stoïques, dans la mort se couchent sans se plaindre,
Tu n'as l'air de songer qu'à dorer et qu'à peindre
L'aile du scarabée errant sur leurs tombeaux.
Les rois font les gibets, toi, tu fais les corbeaux.
Tu mets le même ciel sur le juste et l'injuste.
Occupée à la mouche, à la pierre, à l'arbuste,
Aux mouvements confus du vil monde animal,
Tu parais ignorer le bien comme le mal ;
Tu laisses l'homme en proie à sa misère aiguë.
Que t'importe Socrate ! et tu fais la ciguë.
Tu créas le besoin, l'instinct et l'appétit ;
Le fort mange le faible et le grand le petit,
L'ours déjeune du rat, l'autour de la colombe,
Qu'importe ! allez, naissez, fourmillez pour la tombe,
Multitudes ! vivez, tuez, faites l'amour,
Croissez ! le pré verdit, la nuit succède au jour,
L'âne brait, le cheval hennit, le taureau beugle ;
Ô figure terrible, on te croirait aveugle !
Le bon et le mauvais se mêlent sous tes pas.
Dans cet immense oubli, tu ne vois même pas
Ces deux géants lointains penchés sur ton abîme,
Satan, père du mal, Caïn, père du crime !

Erreur ! erreur ! erreur ! ô géante aux cent yeux,
Tu fais un grand labeur, saint et mystérieux !
Oh ! qu'un autre que moi te blasphème, ô Nature !
Tandis que notre chaîne étreint notre ceinture,

Et que l'obscurité s'étend de toutes parts,
Les principes cachés, les éléments épars,
Le fleuve, le volcan à la bouche écarlate,
Le gaz qui se condense et l'air qui se dilate,
Les fluides, l'éther, le germe sourd et lent,
Sont autant d'ouvriers dans l'ombre travaillant ;
Ouvriers sans sommeil, sans fatigue, sans nombre.
Tu viens dans cette nuit, libératrice sombre !
Tout travaille, l'aimant, le bitume, le fer,
Le charbon ; pour changer en éden notre enfer,
Les forces à ta voix sortent du fond des gouffres.

Tu murmures tout bas : — race d'Adam qui souffres,
Hommes, forçats pensants au vieux monde attachés,
Chacune de mes lois vous délivre. Cherchez !
Et chaque jour surgit une clarté nouvelle,
Et le penseur épie et le hasard révèle ;
Toujours le vent sema, le calcul récolta.
Ici Fulton, ici Galvani, là Volta [1],
Sur tes secrets profonds, que chaque instant nous livre,
Rêvent ; l'homme ébloui déchiffre enfin ton livre.
D'heure en heure on découvre un peu plus d'horizon :
Comme un coup de bélier au mur d'une prison,
Du genre humain qui fouille et qui creuse et qui sonde,
Chaque tâtonnement fait tressaillir le monde.
L'hymen des nations s'accomplit. Passions,
Intérêts, mœurs et lois, les révolutions,
Par qui le cœur humain germe et change de formes,
Paris, Londres, New York, les continents énormes,
Ont pour lien un fil qui tremble au fond des mers.
Une force inconnue, empruntée aux éclairs,
Mêle au courant des flots le courant des idées.
La science, gonflant ses ondes débordées,

---

1. Fulton (1765-1815), héros américain de la navigation à vapeur.
  Galvani (1737-1798), physicien italien dont les découvertes en électricité firent avancer celles de Volta.
  Volta (1745-1827), fondateur italien de la science de l'électricité.

Submerge trône et sceptre, idole et potentat.
Tout va, pense, se meut, s'accroît ! L'aérostat
Passe, et du haut des cieux ensemence les hommes !
Chanaan apparaît ; le voilà, nous y sommes !
L'amour aux pleurs succède et l'eau vive à la mort,
Et la bouche qui chante à la bouche qui mord.
La science, pareille aux antiques pontifes,
Attelle aux chars tonnants d'effrayants hippogriffes ;
Le feu souffle aux naseaux de la bête d'airain.
Le globe esclave cède à l'esprit souverain.
Partout où la terreur régnait, où marchait l'homme,
Triste et plus accablé que la bête de somme,
Traînant ses fers sanglants que l'erreur a forgés,
Partout où les carcans sortaient des préjugés,
Partout où les césars, posant le pied sur l'âme,
Étouffaient la clarté, la pensée et la flamme,
Partout où le mal sombre, étendant son réseau,
Faisait ramper le ver, tu fais naître l'oiseau !
Par degrés, lentement, on voit sous ton haleine
La liberté sortir de l'herbe de la plaine,
Des pierres du chemin, des branches des forêts,
Rayonner, convertir la science en décrets,
Du vieil univers mort briser la carapace,
Emplir le feu qui luit, l'eau qui bout, l'air qui passe,
Gronder dans le tonnerre, errer dans les torrents,
Vivre ! et tu rends le monde impossible aux tyrans !
La matière, aujourd'hui vivante, jadis morte,
Hier écrasait l'homme et maintenant l'emporte.
Le bien germe à toute heure et la joie en tout lieu.
Oh ! sois fière, en ton cœur, toi qui, sous l'œil de Dieu,
Nous prodigues les dons que ton mystère épanche,
Toi qui regardes, comme une mère se penche
Pour voir naître l'enfant que son ventre a porté,
De ton flanc éternel sortir l'humanité !

Vie ! idée ! avatars bouillonnant dans les têtes !
Le progrès, reliant entr'elles ses conquêtes,
Gagne un point après l'autre, et court contagieux.
De cet obscur amas de faits prodigieux

Qu'aucun regard n'embrasse et qu'aucun mot ne nomme,
Tu nais plus frissonnant que l'aigle, esprit de l'homme,
Refaisant mœurs, cités, codes, religion.
Le passé n'est que l'œuf d'où tu sors, Légion [1] !

Ô nature ! c'est là ta genèse sublime.
Oh ! l'éblouissement nous prend sur cette cime !
Le monde, réclamant l'essor que Dieu lui doit,
Vibre ; et dès à présent, grave, attentif, le doigt
Sur la bouche, incliné sur les choses futures,
Sur la création et sur les créatures,
Une vague lueur dans son œil éclatant,
Le voyant, le savant, le philosophe entend
Dans l'avenir, déjà vivant sous ses prunelles,
La palpitation de ces millions d'ailes !

Jersey, mai 1853.
[23 mai 1853.]

---

1. Nom donné dans l'Évangile au démon que le Christ chassa. Le symbole désigne ici la force de l'Esprit.

XIII

CHANSON

À quoi ce proscrit pense-t-il ?
À son champ d'orge ou de laitue,
À sa charrue, à son outil,
À la grande France abattue.
Hélas ! le souvenir le tue.
Pendant qu'on rente les Dupin
Le pauvre exilé souffre et prie.
    — On ne peut pas vivre sans pain ;
On ne peut pas non plus vivre sans la patrie. —

L'ouvrier rêve l'atelier,
Et le laboureur sa chaumière ;
Les pots de fleurs sur l'escalier,
Le feu brillant, la vitre claire,
Au fond le lit de la grand-mère
Quatre gros glands de vieux crépin
En faisaient la coquetterie.
    — On ne peut pas vivre sans pain ;
On ne peut pas non plus vivre sans la patrie. —

En mai volait la mouche à miel ;
On voyait courir dans les seigles
Les moineaux, partageux du ciel ;
Ils pillaient nos champs, ces espiègles,
Tout comme s'ils étaient des aigles.
Un château du temps de Pépin

Croulait près de la métairie.
— On ne peut pas vivre sans pain ;
On ne peut pas non plus vivre sans la patrie. —

Avec sa lime ou son maillet
On soutenait enfants et femme ;
De l'aube au soir on travaillait
Et le travail égayait l'âme.
Ô saint travail ! lumière et flamme !
De Watt, de Jacquart, de Papin [1],
La jeunesse ainsi fut nourrie.
— On ne peut pas vivre sans pain ;
On ne peut pas non plus vivre sans la patrie. —

Les jours de fête, l'ouvrier
Laissait les soucis en fourrière ;
Chantant les chants de février,
Blouse au vent, casquette en arrière,
Ou s'en allait à la barrière.
On mangeait un douteux lapin
Et l'on buvait à la Hongrie.
— On ne peut pas vivre sans pain ;
On ne peut pas non plus vivre sans la patrie. —

Les dimanches le paysan
Appelait Jeanne ou Jacqueline,
Et disait : — femme, viens-nous-en,
Mets ta coiffe de mousseline !
Et l'on dansait sur la colline.
Le sabot et non l'escarpin,
Foulait gaîment l'herbe fleurie.
— On ne peut pas vivre sans pain ;
On ne peut pas non plus vivre sans la patrie. —

1. Watt (1736-1819), pionnier de la thermodynamique.
  Jacquard (1752-1834), inventeur du métier à tisser programmé par cartons perforés qui supprima le travail « à la tire » des enfants.
  Denis Papin (1647-1714), inventeur de la machine à vapeur.

Les exilés s'en vont pensifs.
Leur âme, hélas ! n'est plus entière.
Ils regardent l'ombre des ifs
Sur les fosses du cimetière ;
L'un songe à l'Allemagne altière,
L'autre au beau pays transalpin,
L'autre à sa Pologne chérie.
— On ne peut pas vivre sans pain ;
On ne peut pas non plus vivre sans la patrie. —

Un proscrit, lassé de souffrir,
Mourait ; calme, il fermait son livre ;
Et je lui dis : « Pourquoi mourir ? »
Il me répondit : « Pourquoi vivre ? »
Puis il reprit : « Je me délivre.
Adieu ! je meurs. Néron Scapin
Met aux fers la France flétrie… »
— On ne peut pas vivre sans pain ;
On ne peut pas non plus vivre sans la patrie. —

« … Je meurs de ne plus voir les champs
Où je regardais l'aube naître,
De ne plus entendre les chants
Que j'entendais de ma fenêtre.
Mon âme est où je ne puis être.
Sous quatre planches de sapin,
Enterrez-moi dans la prairie. »
— On ne peut pas vivre sans pain ;
On ne peut pas non plus vivre sans la patrie. —

Jersey, avril 1853.
[13 avril 1853.]

XIV

ULTIMA VERBA

La conscience humaine est morte ; dans l'orgie,
Sur elle il s'accroupit ; ce cadavre lui plaît,
Par moments, gai, vainqueur, la prunelle rougie,
Il se retourne et donne à la morte un soufflet.

La prostitution du juge est la ressource.
Les prêtres font frémir l'honnête homme éperdu ;
Dans le champ du potier ils déterrent la bourse,
Sibour revend le Dieu que Judas a vendu.

Ils disent : — César règne, et le Dieu des armées
L'a fait son élu. Peuple, obéis ! tu le dois. —
Pendant qu'ils vont chantant, tenant leurs mains fermées,
On voit le sequin d'or qui passe entre leurs doigts.

Oh ! tant qu'on le verra trôner, ce gueux, ce prince,
Par le pape béni, monarque malandrin,
Dans une main le sceptre et dans l'autre la pince,
Charlemagne taillé par Satan dans Mandrin ;

Tant qu'il se vautrera, broyant dans ses mâchoires ❧
Le serment, la vertu, l'honneur religieux ;
Ivre, affreux, vomissant sa honte sur nos gloires ;
Tant qu'on verra cela sous le soleil des cieux ;

Quand même grandirait l'abjection publique
À ce point d'adorer l'exécrable trompeur ;

❧ Voir *Au fil du texte*, p. XX.

Quand même l'Angleterre et même l'Amérique
Diraient à l'exilé : — Va-t'en ! nous avons peur !

Quand même nous serions comme la feuille morte,
Quand, pour plaire à César, on nous renierait tous ;
Quand le proscrit devrait s'enfuir de porte en porte,
Aux hommes déchiré comme un haillon aux clous,

Quand le désert, où Dieu contre l'homme proteste,
Bannirait les bannis, chasserait les chassés ;
Quand même, infâme aussi, lâche comme le reste,
Le tombeau jetterait dehors les trépassés ;

Je ne fléchirai pas ! Sans plainte dans la bouche,
Calme, le deuil au cœur, dédaignant le troupeau,
Je vous embrasserai dans mon exil farouche,
Patrie, ô mon autel ! liberté, mon drapeau !

Mes nobles compagnons, je garde votre culte ;
Bannis, la République est là qui nous unit.
J'attacherai la gloire à tout ce qu'on insulte ;
Je jetterai l'opprobre à tout ce qu'on bénit !

Je serai, sous le sac de cendre qui me couvre,
La voix qui dit : malheur ! la bouche qui dit : non !
Tandis que tes valets te montreront ton Louvre,
Moi, je te montrerai, César, ton cabanon.

Devant les trahisons et les têtes courbées,
Je croiserai les bras, indigné, mais serein.
Sombre fidélité pour les choses tombées,
Sois ma force et ma joie et mon pilier d'airain !

Oui, tant qu'il sera là, qu'on cède ou qu'on persiste,
Ô France ! France aimée et qu'on pleure toujours,
Je ne reverrai pas ta terre douce et triste,
Tombeaux de mes aïeux et nid de mes amours !

Je ne reverrai pas ta rive qui nous tente,
France ! hors le devoir, hélas ! j'oublierai tout.

Parmi les éprouvés je planterai ma tente :
Je resterai proscrit, voulant rester debout.

J'accepte l'âpre exil, n'eût-il ni fin ni terme ;
Sans chercher à savoir et sans considérer
Si quelqu'un a plié qu'on aurait cru plus ferme,
Et si plusieurs s'en vont qui devraient demeurer.

Si l'on n'est plus que mille, eh bien, j'en suis ! Si même
Ils ne sont plus que cent, je brave encor Sylla ;
S'il en demeure dix, je serai le dixième ;
Et s'il n'en reste qu'un, je serai celui-là !

Jersey, 2 décembre 1852.
[14 décembre 1852.]

LUX

LUX

I

Temps futurs ! vision sublime !
Les peuples sont hors de l'abîme.
Le désert morne est traversé.
Après les sables, la pelouse ;
Et la terre est comme une épouse,
Et l'homme est comme un fiancé !

Dès à présent l'œil qui s'élève
Voit distinctement ce beau rêve
Qui sera le réel un jour ;
Car Dieu dénouera toute chaîne,
Car le passé se nomme haine
Et l'avenir s'appelle amour !

Dès à présent dans nos misères
Germe l'hymen des peuples frères ;
Volant sur nos sombres rameaux,
Comme un frelon que l'aube éveille,
Le progrès, ténébreuse abeille,
Fait du bonheur avec nos maux.

Oh ! voyez ! la nuit se dissipe ;
Sur le monde qui s'émancipe,
Oubliant Césars et Capets,
Et sur les nations nubiles,
S'ouvrent dans l'azur, immobiles,
Les vastes ailes de la paix !

Ô libre France enfin surgie !
Ô robe blanche après l'orgie !
Ô triomphe après les douleurs !
Le travail bruit dans les forges,
Le ciel rit, et les rouges-gorges
Chantent dans l'aubépine en fleurs !

La rouille mord les hallebardes.
De vos canons, de vos bombardes,
Il ne reste pas un morceau
Qui soit assez grand, capitaines,
Pour qu'on puisse prendre aux fontaines
De quoi faire boire un oiseau.

Les rancunes sont effacées ;
Tous les cœurs, toutes les pensées,
Qu'anime le même dessein,
Ne font plus qu'un faisceau superbe ;
Dieu prend pour lier cette gerbe
La vieille corde du tocsin.

Au fond des cieux un point scintille ;
Regardez, il grandit, il brille,
Il approche, énorme et vermeil.
Ô République universelle !
Tu n'es encor que l'étincelle,
Demain tu seras le soleil !

II

Fêtes dans les cités, fêtes dans les campagnes !
Les cieux n'ont plus d'enfers, les lois n'ont plus de bagnes.
Où donc est l'échafaud ? ce monstre a disparu.
Tout renaît. Le bonheur de chacun est accru
De la félicité des nations entières.
Plus de soldats l'épée au poing, plus de frontières,
Plus de fisc, plus de glaive ayant forme de croix.
L'Europe en rougissant dit : — quoi ! j'avais des rois !

Et l'Amérique dit : — quoi ! j'avais des esclaves !
Science, art, poésie, ont dissous les entraves
De tout le genre humain. Où sont les maux soufferts ?...
Les libres pieds de l'homme ont oublié les fers
Tout l'univers n'est plus qu'une famille unie.
Le saint labeur de tous se fond en harmonie ;
Et la Société, qui d'hymnes retentit,
Accueille avec transport l'effort du plus petit ;
L'ouvrage du plus humble au fond de sa chaumière
Émeut l'immense peuple heureux dans la lumière ;
Toute l'humanité, dans sa splendide ampleur,
Sent le don que lui fait le moindre travailleur ;
Ainsi les verts sapins, vainqueurs des avalanches,
Les grands chênes remplis de feuilles et de branches,
Les vieux cèdres touffus, plus durs que le granit,
Quand la fauvette en mai vient y faire son nid,
Tressaillent dans leur force et leur hauteur superbe,
Tout joyeux qu'un oiseau leur apporte un brin d'herbe.

Radieux avenir. Essor universel !
Épanouissement de l'homme sous le ciel !

III

Ô proscrits ! hommes de l'épreuve,
Mes compagnons vaillants et doux,
Bien des fois, assis près du fleuve,
J'ai chanté ce chant parmi vous ;

Bien des fois, quand vous m'entendîtes,
Plusieurs m'ont dit : « Perds ton espoir.
Nous serions des races maudites,
Le ciel ne serait pas plus noir !

Que veut dire cette inclémence ?
Quoi ! le juste a le châtiment !
La vertu s'étonne et commence
À regarder Dieu fixement.

Dieu se dérobe et nous échappe.
Quoi donc ! l'iniquité prévaut !
Le crime, voyant où Dieu frappe,
Rit d'un rire impie et dévot.

Nous ne comprenons pas ses voies.
Comment ce Dieu des nations
Fera-t-il sortir tant de joies
De tant de désolations ?

Ses desseins nous semblent contraires
À l'espoir qui luit dans tes yeux... »
— Mais qui donc, ô proscrits, mes frères,
Comprend le grand mystérieux ?

Qui donc a traversé l'espace,
La terre, l'eau, l'air et le feu,
Et l'étendue où l'esprit passe ?
Qui donc peut dire : « J'ai vu Dieu !

J'ai vu Jéhova ! je le nomme !
Tout à l'heure il me réchauffait,
Je sais comment il a fait l'homme,
Comment il fait tout ce qu'il fait !

J'ai vu cette main inconnue
Qui lâche en s'ouvrant l'âpre hiver,
Et les tonnerres dans la nue,
Et les tempêtes sur la mer,

Tendre et ployer la nuit livide ;
Mettre une âme dans l'embryon ;
Appuyer dans l'ombre du vide
Le pôle du septentrion ;

Amener l'heure où tout arrive ;
Faire au banquet du roi fêté
Entrer la mort, ce noir convive,
Qui vient sans qu'on l'ait invité ;

Créer l'araignée et sa toile,
Peindre la fleur, mûrir le fruit,
Et sans perdre une seule étoile
Mener tous les astres la nuit ;

Arrêter la vague à la rive ;
Parfumer de roses l'été ;
Verser le temps comme une eau vive
Des urnes de l'éternité ;

D'un souffle, avec ses feux sans nombre,
Faire, dans toute sa hauteur,
Frissonner le firmament sombre
Comme la tente d'un pasteur ;

Attacher les globes aux sphères
Par mille invisibles liens ; …
Toutes ces choses sont très-claires,
Je sais comment il fait ! j'en viens ! »

Qui peut dire cela ? personne.
Nuit sur nos cœurs ! nuit sur nos yeux !
L'homme est un vain clairon qui sonne.
Dieu seul parle aux axes des cieux.

IV

Ne doutons pas ! croyons ! la fin, c'est le mystère.
Attendons. Des Nérons comme de la panthère,
        Dieu sait briser la dent.
Dieu nous essaie, amis. Ayons foi, soyons calmes,
Et marchons. Ô désert ! s'il fait croître des palmes,
        C'est dans ton sable ardent !

Parce qu'il ne fait pas son œuvre tout de suite,
Qu'il livre Rome au prêtre et Jésus au jésuite,
        Et les bons au méchant,

Nous désespérerions ! de lui ! du juste immense !
Non ! non ! lui seul connaît le nom de la semence
      Qui germe dans son champ.

Ne possède-t-il pas toute la certitude ?
Dieu ne remplit-il pas ce monde, notre étude,
      Du Nadir au Zénith ?
Notre sagesse auprès de la sienne est démence ;
Et n'est-ce pas à lui que la clarté commence,
      Et que l'ombre finit ?

Ne voit-il pas ramper les hydres sur leurs ventres ?
Ne regarde-t-il pas jusqu'au fond de leurs antres
      Atlas et Pélion ?
Ne connaît-il pas l'heure où la cigogne émigre ?
Sait-il pas ton entrée et ta sortie, ô tigre,
      Et ton antre, ô lion ?

Hirondelle, réponds, aigle à l'aile sonore,
Parle, avez-vous des nids que l'Éternel ignore ?
      Ô cerf, quand l'as-tu fui ?
Renard, ne vois-tu pas ses yeux dans la broussaille ?
Loup, quand tu sens la nuit une herbe qui tressaille,
      Ne dis-tu pas : c'est lui !

Puisqu'il sait tout cela, puisqu'il peut toute chose,
Que ses doigts font jaillir les effets de la cause
      Comme un noyau d'un fruit,
Puisqu'il peut mettre un ver dans les pommes de l'arbre,
Et faire disperser les colonnes de marbre
      Par le vent de la nuit ;

Puisqu'il bat l'océan pareil au bœuf qui beugle,
Puisqu'il est le voyant et que l'homme est l'aveugle,
      Puisqu'il est le milieu,
Puisque son bras nous porte, et puisque à son passage
La comète frissonne ainsi qu'en une cage
      Tremble une étoupe en feu ;

Puisque l'obscure nuit le connaît, puisque l'ombre
Le voit, quand il lui plaît, sauver la nef qui sombre,
     Comment douterions-nous,
Nous qui, fermes et purs, fiers dans nos agonies,
Sommes debout devant toutes les tyrannies,
     Pour lui seul, à genoux !

D'ailleurs pensons. Nos jours sont des jours d'amertume,
Mais quand nous étendons les bras dans cette brume,
     Nous sentons une main ;
Quand nous marchons, courbés, dans l'ombre du martyre,
Nous entendons quelqu'un derrière nous nous dire :
     C'est ici le chemin.

Ô proscrits, l'avenir est aux peuples ! Paix, gloire,
Liberté, reviendront sur des chars de victoire
     Aux foudroyants essieux ;
Ce crime qui triomphe est fumée et mensonge ;
Voilà ce que je puis affirmer, moi qui songe
     L'œil fixé sur les cieux !

Les césars sont plus fiers que les vagues marines.
Mais Dieu dit : — Je mettrai ma boucle en leurs narines,
     Et dans leur bouche un mors,
Et je les traînerai, qu'on cède ou bien qu'on lutte,
Eux et leurs histrions et leurs joueurs de flûte,
     Dans l'ombre où sont les morts !

Dieu dit ; et le granit que foulait leur semelle
S'écroule, et les voilà disparus pêle-mêle
     Dans leurs prospérités !
Aquilon ! aquilon ! qui viens battre nos portes,
Oh ! dis-nous, si c'est toi, souffle, qui les emportes,
     Où les as-tu jetés ?

V

Bannis ! bannis ! bannis ! c'est là la destinée.
Ce qu'apporta le flux sera dans la journée
     Repris par le reflux.

Les jours mauvais fuiront sans qu'on sache leur nombre,
Et les peuples joyeux et se penchant sur l'ombre,
  Diront : cela n'est plus !

Les temps heureux luiront, non pour la seule France,
Mais pour tous. On verra, dans cette délivrance,
  Funeste au seul passé,
Toute l'humanité chanter, de fleurs couverte,
Comme un maître qui rentre en sa maison déserte,
  Dont on l'avait chassé.

Les tyrans s'éteindront comme des météores.
Et, comme s'il naissait de la nuit deux aurores
  Dans le même ciel bleu,
Nous vous verrons sortir de ce gouffre où nous sommes,
Mêlant vos deux rayons, fraternité des hommes,
  Paternité de Dieu !

Oui, je vous le déclare, oui, je vous le répète,
Car le clairon redit ce que dit la trompette,
  Tout sera paix et jour !
Liberté ! plus de serf et plus de prolétaire !
Ô sourire d'en haut ! ô du ciel pour la terre
  Majestueux amour !

L'arbre saint du Progrès, autrefois chimérique,
Croîtra, couvrant l'Europe et couvrant l'Amérique,
  Sur le passé détruit,
Et, laissant l'Éther pur luire à travers ses branches,
Le jour, apparaîtra plein de colombes blanches,
  Plein d'étoiles, la nuit.

Et nous qui serons morts, morts dans l'exil peut-être,
Martyrs saignants, pendant que les hommes, sans maître,
  Vivront, plus fiers, plus beaux,
Sous ce grand arbre, amour des cieux qu'il avoisine,
Nous nous réveillerons pour baiser sa racine
  Au fond de nos tombeaux !

      Jersey, septembre 1853. [16/20 décembre 1852.]

NOTES

NOTE PREMIÈRE

ÉCRIT EN DESCENDANT DE LA TRIBUNE
LE 17 JUILLET 1851

Livre IV, page 155

Le 17 juillet 1851, on débattait à l'Assemblée nationale la révision de la Constitution. Il est bon de jeter aujourd'hui un coup d'œil rétrospectif sur cette lutte. L'auteur de ce livre resta quatre heures à la tribune. Son discours remplit la séance. On peut le relire tout entier dans le recueil complet de ses discours publié en deux volumes à Bruxelles, sous ce titre : *Œuvres oratoires de Victor Hugo*. Nous en extrayons, pour l'enseignement et la méditation du lecteur, ce qui suit :

....

....

« Mais des publicistes d'une autre couleur, des journaux d'une autre nuance, qui expriment bien incontestablement la pensée du gouvernement, car ils sont vendus dans les rues avec privilège et à l'exclusion de tous les autres ; ces journaux nous crient :

"Vous avez raison ; la légitimité est impossible, la monarchie de droit divin et de principe est morte ; mais l'autre, la monarchie de gloire, l'empire, celle-là est non seulement possible, mais nécessaire."

Voilà le langage qu'on nous tient.

Ceci est l'autre côté de la question monarchie. Examinons.

Et d'abord, la monarchie de gloire, dites-vous ! Tiens ! vous avez de la gloire ? Montrez-nous-la ! (*Hilarité.*) Je serais curieux de voir de la gloire sous ce gouvernement-ci ! (*Rires et applaudissements à gauche.*) De la gloire qui soit à vous !

Voyons ! votre gloire, où est-elle ? Je la cherche. Je regarde autour de moi ; de quoi se compose-t-elle ?

M. LEPIC. — Demandez à votre père !

M. VICTOR HUGO. — Quels en sont les éléments ? Qu'est-ce que j'ai devant moi ? Qu'est-ce que nous avons devant les yeux ? Toutes nos libertés prises au piège l'une après l'autre et garrottées ; le suffrage universel trahi, livré, mutilé ; les programmes socialistes aboutissant à une politique jésuite ; pour gouvernement, une immense intrigue (*mouvement*), l'histoire dira peut-être un complot. (*Vive sensation.*) Je ne sais quel sous-entendu inouï qui donne à la République l'empire pour but, et qui fait de cinq cent mille fonctionnaires une sorte de franc-maçonnerie bonapartiste au milieu de la nation ! toute réforme ajournée ou bafouée, les impôts improportionnels et onéreux au peuple maintenus ou rétablis, l'état de siège pesant sur cinq départements, Paris et Lyon mis en surveillance, l'amnistie refusée, la transportation aggravée, la déportation votée, des gémissements à la kasbah de Bône, des tortures à Belle-Île, des casemates où l'on ne veut pas laisser pourrir des matelas, mais où on laisse pourrir des hommes (*sensation*) !... la presse traquée, le jury trié ; pas assez de justice et beaucoup trop de police ; la misère en bas, l'anarchie en haut ; l'arbitraire, la compression, l'iniquité ! Au dehors, le cadavre de la République romaine. (*Bravos à gauche.*)

VOIX À DROITE. — C'est le bilan de la République.

M. LE PRÉSIDENT. — Laissez donc ; n'interrompez pas. Cela constate que la tribune est libre. Continuez. (*Très bien ! très bien ! à gauche.*)

M. CHARRAS. — Malgré vous.

M. VICTOR HUGO. — ... La potence, c'est-à-dire l'Autriche (*mouvement*) debout sur la Hongrie, sur la Lombardie, sur Milan, sur Venise ; la Sicile livrée aux fusillades :

l'espoir des nationalités dans la France détruit ; le lien intime des peuples rompu ; partout le droit foulé aux pieds, au Nord comme au Midi, à Cassel comme à Palerme ; une coalition de rois latente et qui n'attend que l'occasion ; notre diplomatie muette, je ne veux pas dire complice ; quelqu'un qui est toujours lâche devant quelqu'un qui est toujours insolent ; la Turquie laissée sans appui contre le czar et forcée d'abandonner les proscrits ; Kossuth agonisant dans un cachot de l'Asie Mineure ; voilà où nous en sommes ! La France baisse la tête, Napoléon tressaille de honte dans sa tombe, et cinq ou six mille coquins crient : *Vive l'empereur !* Est-ce tout cela que vous appelez votre gloire, par hasard ? (*Profonde agitation.*)

M. DE LADEVANSAYE. — C'est la République qui nous a donné tout cela !

M. LE PRÉSIDENT. — C'est aussi au gouvernement de la République qu'on reproche tout cela !

M. VICTOR HUGO. — Maintenant, votre empire, causons-en, je le veux bien. (*Rires à gauche.*)

M. VIEILLARD [1]. — Personne n'y songe, vous le savez bien !

M. VICTOR HUGO. — Messieurs, des murmures tant que vous voudrez, mais pas d'équivoques. On me crie : Personne ne songe à l'empire. J'ai pour habitude d'arracher les masques.

Personne ne songe à l'empire, dites-vous ! Que signifient donc ces cris payés de : Vive l'empereur ? Une simple question : Qui les paye ?

Personne ne songe à l'empire, vous venez de l'entendre ! Que signifient donc ces paroles du général Changarnier, ces allusions aux prétoriens en débauche applaudies par vous ? Que signifient ces paroles de M. Thiers, également applaudies par vous : L'empire est fait ?

Que signifie ce pétitionnement ridicule et mendié pour la prolongation des pouvoirs ?

1. Aujourd'hui sénateur. 30 000 francs par an.

Qu'est-ce que la prolongation, s'il vous plaît ? C'est le consulat à vie. Où mène le consulat à vie ? À l'empire ! Messieurs, il y a là une intrigue ! Une intrigue ! vous dis-je. J'ai le droit de la fouiller. Je la fouille. Allons ! le grand jour sur tout cela !

Il ne faut pas que la France soit prise par surprise et se trouve, un beau matin, avoir un empereur sans savoir pourquoi ! (*Applaudissements*.)

Un empereur ! Discutons un peu la prétention.

Quoi ! parce qu'il y a eu un homme qui a gagné la bataille de Marengo, et qui a régné, vous voulez régner, vous qui n'avez gagné que la bataille de Satory ! (*Rires*.)

M. Ferdinand Barrot [1]. — Il y a trois ans qu'il gagne une bataille : celle de l'ordre contre l'anarchie.

M. Victor Hugo. — Quoi ! Parce que, il y a dix siècles de cela, Charlemagne, après quarante années de gloire, a laissé tomber sur la face du globe un sceptre et une épée tellement démesurés que personne ensuite n'a pu et n'a osé y toucher — et pourtant il y a eu dans l'intervalle des hommes qui se sont appelés Philippe-Auguste, François Ier, Henri IV, Louis XIV ! — Quoi ! parce que mille ans après, car il ne faut pas moins d'une gestation de mille années à l'humanité pour reproduire de pareils hommes ; parce que, mille ans après, un autre génie est venu, qui a ramassé ce glaive et ce sceptre, et qui s'est dressé debout sur le continent, qui a fait l'histoire gigantesque dont l'éblouissement dure encore, qui a enchaîné la Révolution en France et qui l'a déchaînée en Europe, qui a donné à son nom, pour synonymes éclatants, Rivoli, Iéna, Essling, Friedland, Montmirail ! Quoi ! parce que, après dix ans d'une gloire immense, d'une gloire presque fabuleuse à force de grandeur, il a, à son tour, laissé tomber d'épuisement ce sceptre et ce glaive qui avaient accompli tant de choses colossales, vous venez, vous, vous voulez, vous, les ramasser après lui, comme il les a ramassés, lui, Napoléon, après Charlemagne, et prendre

1. Aujourd'hui sénateur. 30 000 francs par an.

dans vos petites mains ce sceptre des titans, cette épée des géants ! Pour quoi faire ? (*Longs applaudissements.*) Quoi ! après Auguste, Augustule ! Quoi ! parce que nous avons eu Napoléon le Grand, il faut que nous ayons Napoléon le Petit ! (*La gauche applaudit, la droite crie. La séance est interrompue pendant plusieurs minutes. Tumulte inexprimable.*)

À GAUCHE. — M. le Président, nous avons écouté M. Berryer ; la droite doit écouter M. Victor Hugo. Faites taire la majorité.

M. SAVATIER-LAROCHE. — On doit le respect aux grands orateurs. (*À gauche : Très bien !*)

M. DE LA MOSKOWA [1]. — M. le Président devrait faire respecter le gouvernement de la République dans la personne du président de la République.

M. LEPIC [2]. — On déshonore la République !

M. DE LA MOSKOWA. — Ces messieurs crient : *Vive la République !* et insultent le président.

M. ERNEST DE GIRARDIN. — Napoléon Bonaparte a eu six millions de suffrages ; vous insultez l'élu du peuple ! (*Vive agitation au banc des ministres. — M. le Président essaye en vain de se faire entendre au milieu du bruit.*)

M. DE LA MOSKOWA. — Et, sur les bancs des ministres, pas un mot d'indignation n'éclate à de pareilles paroles !

M. BAROCHE, *ministre des Affaires étrangères* [3]. — Discutez, mais n'insultez pas.

M. LE PRÉSIDENT. — Vous avez le droit de contester l'abrogation de l'art. 45 en termes de droit, mais vous n'avez pas le droit d'insulter ! (*Les applaudissements de l'extrême gauche redoublent et couvrent la voix de M. le Président.*)

M. LE MINISTRE DES AFFAIRES ÉTRANGÈRES. — Vous discutez des projets qu'on n'a pas, et vous insultez ! (*Les applaudissements de l'extrême gauche continuent.*)

---

1. Aujourd'hui sénateur. 30 000 francs par an.
2. Aujourd'hui aide de camp de l'empereur.
3. Aujourd'hui président du conseil d'État de l'empire. 150 000 francs par an.

UN MEMBRE DE L'EXTRÊME GAUCHE. — Il fallait défendre la République hier quand on l'attaquait !

M. LE PRÉSIDENT. — L'opposition a affecté de couvrir d'applaudissements et mon observation et celle de M. le Ministre, que la mienne avait précédée.

Je disais à M. Victor Hugo qu'il a parfaitement le droit de contester la convenance de demander la révision de l'art. 45 en termes de droit, mais qu'il n'a pas le droit de discuter, sous une forme insultante, une candidature personnelle qui n'est pas en jeu.

VOIX À L'EXTRÊME GAUCHE. — Mais si, elle est en jeu.

M. CHARRAS. — Vous l'avez vu vous-même, à Dijon, face à face.

M. LE PRÉSIDENT. — Je vous rappelle à l'ordre ici, parce que je suis président ; à Dijon, je respectais les convenances, et je me suis tu.

M. CHARRAS. — On ne les a pas respectées envers vous.

M. VICTOR HUGO. — Je réponds à M. le Ministre et à M. le Président, qui m'accusent d'offenser M. le Président de la République, qu'ayant le droit constitutionnel d'accuser M. le Président de la République, j'en userai le jour où je le jugerai convenable, et je ne perdrai pas mon temps à l'offenser ; mais ce n'est pas l'offenser que de dire qu'il n'est pas un grand homme. (*Vives réclamations sur quelques bancs de la droite.*)

M. BRIFFAUT. — Vos insultes ne peuvent aller jusqu'à lui.

M. DE CAULAINCOURT. — Il y a des injures qui ne peuvent l'atteindre, sachez-le bien !

M. LE PRÉSIDENT. — Si vous continuez après mon avertissement, je vous rappellerai à l'ordre.

M. VICTOR HUGO. — Voici ce que j'ai à dire, et M. le Président ne m'empêchera pas de compléter mon explication. (*Vive agitation.*)

Ce que nous demandons à M. le Président responsable de la République, ce que nous attendons de lui, ce que nous avons le droit d'attendre fermement de lui, ce n'est pas qu'il tienne le pouvoir en grand homme, c'est qu'il le quitte en honnête homme.

À GAUCHE. — Très bien ! très bien !

M. CLARY [1]. — Ne le calomniez pas en attendant.

M. VICTOR HUGO. — Ceux qui l'offensent, ce sont ceux de ses amis qui laissent entendre que le deuxième dimanche de mai il ne quittera pas le pouvoir purement et simplement, comme il le doit, à moins d'être un séditieux.

VOIX À GAUCHE. — Et un parjure !

M. VIEILLARD [2]. — Ce sont là des calomnies ; M. Victor Hugo le sait bien.

M. VICTOR HUGO. — Messieurs de la majorité, vous avez supprimé la liberté de la presse ; voulez-vous supprimer la liberté de la tribune ? (*Mouvement.*) Je ne viens pas demander de la faveur, je viens demander de la franchise. Le soldat qu'on empêche de faire son devoir brise son épée ; si la liberté de la tribune est morte, dites-le-moi, afin que je brise mon mandat. Le jour où la tribune ne sera plus libre, j'en descendrai pour n'y plus remonter. (*À droite.* Le beau malheur !) La tribune sans liberté n'est acceptable que pour l'orateur sans dignité. (*Profonde sensation.*)

Eh bien ! si la tribune est respectée, je vais voir. Je continue. Non ! après Napoléon le Grand, je ne veux pas de Napoléon le Petit !

Allons, respectez les grandes choses. Trêve aux parodies ! Pour qu'on puisse mettre un aigle sur les drapeaux, il faut d'abord avoir un aigle aux Tuileries ! Où est l'aigle ! (*Longs applaudissements.*)

M. LÉON FAUCHER. — L'orateur insulte le président de la République. (*Oui ! oui ! à droite.*)

M. LE PRÉSIDENT. — Vous offensez le président de la République. (*Oui ! oui ! à droite. — M. Abatucci [3] gesticule vivement.*)

M. VICTOR HUGO. — Je reprends :

1. Aujourd'hui sénateur. 30 000 francs par an.
2. Sénateur. 30 000 par an.
3. Aujourd'hui ministre de la Justice de l'empire. 120 000 francs par an.

Messieurs, comme tout le monde, comme vous tous, j'ai tenu dans mes mains ces journaux, ces brochures, ces pamphlets impérialistes ou césaristes, comme on dit aujourd'hui. Une idée me frappe, et il m'est impossible de ne pas la communiquer à l'Assemblée. (*Immense agitation, l'orateur poursuit :*) Oui, il m'est impossible de ne pas la laisser déborder devant cette Assemblée. Que dirait ce soldat, ce grand soldat de la France, qui est couché là, aux Invalides, et à l'ombre duquel on s'abrite, et dont on invoque si souvent et si étrangement le nom ; que dirait ce Napoléon, qui, parmi tant de combats prodigieux, est allé, à huit cents lieues de Paris, provoquer la vieille barbarie moscovite à ce grand duel de 1812 ? Que dirait ce sublime esprit, qui n'entrevoyait qu'avec horreur la possibilité d'une Europe cosaque, et qui, certes, quels que fussent ses instincts d'autorité, lui préférait l'Europe républicaine ; que dirait-il, lui ! si, du fond de son tombeau, il pouvait voir que son empire, son glorieux et belliqueux empire, a aujourd'hui pour panégyristes, pour apologistes, pour théoriciens et pour reconstructeurs, qui ? des hommes qui, dans notre époque rayonnante et libre, se tournent vers le Nord avec un désespoir qui serait risible, s'il n'était monstrueux ? des hommes qui, chaque fois qu'ils nous entendent prononcer les mots démocratie, liberté, humanité, progrès, se couchent à plat ventre avec terreur et se collent l'oreille contre terre pour écouter s'ils n'entendront pas enfin venir le canon russe !

(*Longs applaudissements à gauche. Clameurs à droite. — Toute la droite se lève et couvre de ses cris les dernières paroles de l'orateur. — À l'ordre ! à l'ordre ! à l'ordre !*)

(*Plusieurs ministres se lèvent sur leurs bancs et protestent avec vivacité contre les paroles de l'orateur. — Le tumulte va croissant. — Des apostrophes violentes sont lancées à l'orateur par un grand nombre de membres. — MM. Bineau* [1], *le général Gourgaud et plusieurs autres*

---

1. Aujourd'hui sénateur, 30 000 francs, et ministre des Finances de l'empire, 120 000 francs ; total, 150 000 francs par an.

*représentants siégeant sur les premiers bancs de la droite
se font remarquer par leur animation.)*

M. LE MINISTRE DES AFFAIRES ÉTRANGÈRES [1]. — Vous
savez bien que cela n'est pas vrai ! Au nom de la France,
nous protestons !

M. DE RANCÉ [2]. — Nous demandons le rappel à l'ordre.

M. DE CROUSEILHES, *ministre de l'Instruction publique* [3]. — Faites une application personnelle de vos paroles ! À qui les appliquez-vous ? Nommez ! nommez !

M. LE PRÉSIDENT. — Je vous rappelle à l'ordre, M. Victor Hugo, parce que, malgré mes avertissements, vous ne
cessez pas d'insulter.

QUELQUES VOIX À DROITE. — C'est un insulteur à
gages !

M. CHAPOT. — Que l'orateur nous dise à qui il s'adresse.

M. DE STAPLANDE. — Nommez ceux que vous accusez,
si vous en avez le courage ! (*Agitation tumultueuse.*)

VOIX DIVERSES À DROITE. — Vous êtes un infâme
calomniateur. — C'est une lâcheté et une insolence. (*À
l'ordre ! à l'ordre !*)

M. LE PRÉSIDENT. — Avec le bruit que vous faites,
vous avez empêché d'entendre le rappel à l'ordre que j'ai
prononcé.

M. VICTOR HUGO. — Je demande à m'expliquer. (*Murmures bruyants et prolongés.*)

M. DE HEECKEREN [4]. — Laissez, laissez-le jouer sa pièce.

M. LÉON FAUCHER, *ministre de l'Intérieur.* — L'orateur… (*Interruption à gauche.*) L'orateur…

À GAUCHE. — Vous n'avez pas la parole !

M. LE PRÉSIDENT. — Laissez M. Victor Hugo s'expliquer. Il est rappelé à l'ordre.

M. LE MINISTRE DE L'INTÉRIEUR. — Comment, messieurs, un orateur pourra insulter ici le président de la
République… (*Bruyante interruption à gauche.*)

1. Le même Baroche.
2. Aujourd'hui commissaire général de police. 40 000 francs par an.
3. Aujourd'hui sénateur. 30 000 francs par an.
4. Sénateur. 30 000 francs par an.

M. Victor Hugo. — Laissez-moi m'expliquer ! je ne vous cède pas la parole.

M. le Président. — Vous n'avez pas la parole. Ce n'est pas à vous à faire la police de l'Assemblée. M. Victor Hugo est rappelé à l'ordre ; il demande à s'expliquer ; je lui donne la parole, et vous rendrez la police impossible si vous voulez usurper mes fonctions.

M. Victor Hugo. — Messieurs, vous allez voir le danger des interruptions précipitées. (*Plus haut ! plus haut !*) J'ai été rappelé à l'ordre, et un honorable membre que je n'ai pas l'honneur de connaître…

M. Bourbousson. — C'est moi, M. Bourbousson.

M. Victor Hugo. — … Dit qu'il faudrait m'infliger la censure.

Voix à droite. — Oui ! oui !

M. Victor Hugo. — Pourquoi ? Pour avoir qualifié comme c'est mon droit… (*Dénégation à droite.*) … pour avoir qualifié les auteurs des pamphlets césaristes. (*Réclamations à droite, — M. Victor Hugo se penche vers le sténographe du* Moniteur *et lui demande communication immédiate de la phrase de son discours qui a provoqué l'émotion de l'Assemblée.*)

Voix à droite. — M. Victor Hugo n'a pas le droit de faire changer la phrase au *Moniteur*.

M. le Président. — L'Assemblée s'est soulevée contre les paroles qui ont dû être recueillies par le sténographe du *Moniteur*. Le rappel à l'ordre s'applique à ces paroles, telles que vous les avez prononcées, et qu'elles resteront certainement. Maintenant, en vous expliquant, si vous les changez, l'Assemblée sera juge.

M. Victor Hugo. — Comme le sténographe du *Moniteur* les a recueillies de ma bouche… (*Interruptions diverses.*)

Plusieurs membres. — Vous les avez changées ! — Vous avez parlé au sténographe ! (*Bruits confus.*)

M. de Panat et autres membres. — Vous n'avez rien à craindre. Les paroles paraîtront au *Moniteur* comme elles sont sorties de la bouche de l'orateur.

M. VICTOR HUGO. — Messieurs, demain, quand vous lirez le *Moniteur* (*Rumeurs à droite*), quand vous y lirez cette phrase que vous avez interrompue et que vous n'avez pas entendue, cette phrase dans laquelle je dis que Napoléon s'étonnerait, s'indignerait de voir que son empire, son glorieux empire, a aujourd'hui pour théoriciens et pour reconstructeurs, qui ? des hommes qui, chaque fois que nous prononçons les mots *démocratie, liberté, humanité, progrès*, se couchent à plat ventre avec terreur, et se collent l'oreille contre terre pour écouter s'ils n'entendront pas enfin venir le canon russe…

VOIX À DROITE. — À qui appliquez-vous cela ?

VOIX À GAUCHE. — À Romieu ! au *Spectre rouge* !

M. VICTOR HUGO. — J'ai été rappelé à l'ordre pour cela !

M. LE PRÉSIDENT, *à M. Victor Hugo*. — Vous ne pouvez pas isoler une phrase de votre discours entier. Et tout cela est venu à la suite d'une comparaison insultante entre l'empereur qui n'est plus, et le président de la République qui existe. (*Agitation prolongée. — Un grand nombre de membres descendent dans l'hémicycle ; ce n'est qu'avec peine que, sur l'ordre de M. le Président, les huissiers font reprendre les places et ramènent un peu de silence.*)

M. VICTOR HUGO. — Vous reconnaîtrez demain la vérité de mes paroles.

VOIX À DROITE. — Vous avez dit : *Vous*.

M. VICTOR HUGO. — Jamais, et je le dis du haut de cette tribune, jamais il n'est entré dans mon esprit un seul instant de les adresser à qui que ce soit dans l'Assemblée. (*Réclamations et rires bruyants à droite.*)

M. LE PRÉSIDENT. — Alors l'insulte reste tout entière pour M. le Président de la République.

M. DE HEECKEREN. — S'il ne s'agit pas de nous, pourquoi nous le dire, et ne pas réserver la chose pour l'*Événement* ?

M. VICTOR HUGO, *se tournant vers M. le Président*. — Ce n'est pas du président de la République qu'il s'agit maintenant !

M. LE PRÉSIDENT. — Vous l'avez traîné aussi bas que possible...

M. VICTOR HUGO. — Ce n'est pas là la question !

M. LE PRÉSIDENT. — Dites que vous n'avez pas voulu insulter M. le Président de la République dans votre parallèle, à la bonne heure ! (*L'agitation continue ; des apostrophes d'une extrême violence sont adressées à l'orateur et échangées entre plusieurs membres de droite et de gauche.*)

(*M. Lefebvre-Duruflé, s'approchant de la tribune, remet à l'orateur une feuille de papier qu'il le prie de lire.*)

M. VICTOR HUGO, *après avoir lu*. — On me transmet l'observation que voici, et à laquelle je vais donner immédiatement satisfaction. Voici :

"Ce qui a révolté l'Assemblée, c'est que vous avez dit *vous*, et que vous n'avez pas parlé indirectement."

L'auteur de cette observation reconnaîtra demain, en lisant *Le Moniteur*, que je n'ai pas dit *vous*, que j'ai parlé indirectement, que je ne me suis adressé à personne directement dans l'Assemblée, et je répète que je ne m'adresse à personne.

Faisons cesser ce malentendu.

VOIX À DROITE. — Bien ! bien ! Passez outre !

M. LE PRÉSIDENT. — Faites sortir l'Assemblée de l'état où vous l'avez mise.

Messieurs, veuillez faire silence.

M. VICTOR HUGO. — Vous lirez demain *Le Moniteur* qui a recueilli mes paroles, et vous regretterez votre précipitation. Jamais je n'ai songé un seul instant à un seul membre de cette Assemblée, je le déclare, et je laisse mon rappel à l'ordre sur la conscience de M. le Président. (*Mouvement. — Très bien ! très bien !*)

Encore un instant, et je descends de la tribune.

(*Le silence se rétablit sur tous les bancs. L'orateur se tourne vers la droite.*)

Monarchie légitime, monarchie impériale ! qu'est-ce que vous nous voulez ? Nous sommes les hommes d'un

autre âge. Pour nous, il n'y a de fleurs de lis qu'à Fonte-
noy, et il n'y a d'aigles qu'à Eylau et à Wagram.

Je vous l'ai déjà dit, vous êtes le passé. De quel droit
mettez-vous le présent en question ? qu'y a-t-il de commun entre vous et lui ? Contre qui et pour qui vous coa-
lisez-vous ? Et puis, que signifie cette coalition ?
Qu'est-ce que c'est que cette alliance ? Qu'est-ce que
c'est que cette main de l'empire que je vois dans la main
de la légitimité ? Légitimistes, l'empire a tué le duc d'Enghien ! Impérialistes, la légitimité a fusillé Murat ! (*Vive
impression.*)

Vous vous touchez les mains ; prenez garde, vous mêlez
des taches de sang ! (*Sensation.*)

Et puis, qu'espérez-vous ? détruire la République ?
Vous entreprenez là une besogne rude. Y avez-vous bien
songé ? Quand un ouvrier a travaillé dix-huit heures,
quand un peuple a travaillé dix-huit siècles, et qu'ils ont
enfin l'un et l'autre reçu leur paiement, allez donc essayer
d'arracher à cet ouvrier son salaire et à ce peuple sa république ! (*Applaudissements.*)

Savez-vous ce qui fait la République forte ? savez-
vous ce qui la fait invincible ? savez-vous ce qui la fait
indestructible ? Je vous l'ai dit en commençant, et en
terminant je vous le répète, c'est qu'elle est la somme du
labeur des générations, c'est qu'elle est le produit accu-
mulé des efforts antérieurs, c'est qu'elle est un résultat
historique autant qu'un fait politique, c'est qu'elle fait
pour ainsi dire partie du climat actuel de la civilisation ;
c'est qu'elle est la forme absolue, suprême, nécessaire, du
temps où nous vivons ; c'est qu'elle est l'air que nous res-
pirons, et qu'une fois que les nations ont respiré cet air-
là, prenez-en votre parti, elles ne peuvent plus en respirer
d'autre ! Oui, savez-vous ce qui fait que la République est
impérissable ? C'est qu'elle s'identifie d'un côté avec le
siècle, et de l'autre avec le peuple ! Elle est l'idée de
l'un et la couronne de l'autre ! (*Bravo ! bravo !*)

Messieurs les révisionnistes, je vous ai demandé ce
que vous vouliez. Ce que je veux, moi, je vais vous le

dire. Toute ma politique, la voici en deux mots : Il faut supprimer dans l'ordre social un certain degré de misère, et dans l'ordre politique une certaine nature d'ambition. Plus de paupérisme et plus de monarchisme. La France ne sera tranquille que lorsque, par la puissance des institutions qui donneront du travail et du pain aux uns et qui ôteront l'espérance aux autres, nous aurons vu disparaître du milieu de nous tous ceux qui tendent la main, depuis les mendiants jusqu'aux prétendants. (*Explosion d'applaudissements. — Cris et murmures à droite.*) »

....

....

NOTE II

Ce somnambule obscur, brusquement frénétique,
Que Schœlcher a nommé le président Obus.

Livre VI, page 223, *Éblouissements*.

Le représentant Schœlcher, un de ceux qui ont le plus contribué à imprimer un cachet d'héroïsme aux luttes armées de la gauche contre le coup d'État dans les rues de Paris, était, on le sait, membre du comité des Sept qui, pendant quatre jours, dirigea le combat. Le représentant Schœlcher a continué dans l'exil sa vaillante et généreuse guerre au crime et à l'usurpation. Il a raconté en détail toutes les scélératesses du coup d'État et du gouvernement engendré par le coup d'État, dans les deux livres excellents intitulés : *Les Crimes du deux décembre*, Londres, 1852. — *Le Gouvernement du deux décembre*, Londres, 1853.

NOTE III

Oui, nous appellerons jusqu'au dernier soupir,
Au secours de la France aux fers et presque éteinte,
Comme nos grands aïeux, l'insurrection sainte.

Livre VI, page 244, Le Parti du Crime.

M. Bonaparte, ayant jugé utile à ses intérêts de publier dans son *Moniteur* la déclaration des proscrits républicains de Jersey au sujet du vote à l'empire, nous lui rendons le service de la reproduire ici :

« AU PEUPLE

Citoyens,

L'empire va se faire. Faut-il voter ? Faut-il continuer de s'abstenir ? Telle est la question qu'on nous adresse.

Dans le département de la Seine, un certain nombre de Républicains, de ceux qui, jusqu'à ce jour, se sont abstenus, comme ils le devaient, de prendre part, sous quelque forme que ce fût, aux actes du gouvernement de M. Bonaparte, sembleraient aujourd'hui ne pas être éloignés de penser qu'à l'occasion de l'empire une manifestation opposante de la ville de Paris, par la voie du scrutin, pourrait être utile, et que le moment serait peut-être venu d'intervenir dans le vote. Ils ajoutent que, dans tous les cas, le vote pourrait être un moyen de recensement pour le parti républicain ; grâce au vote, on se compterait.

Ils nous demandent conseil.

Notre réponse sera simple ; et ce que nous dirons pour la ville de Paris peut être dit pour tous les départements.

Nous ne nous arrêterons point à faire remarquer que M. Bonaparte ne s'est pas décidé à se déclarer empereur sans avoir au préalable arrêté avec ses complices le nombre de voix dont il lui convient de dépasser les 7 500 000 de son 20 décembre. À l'heure qu'il est, huit millions, neuf millions, dix millions, son chiffre est fait. Le scrutin n'y changera rien. Nous ne prendrons pas la peine de vous rappeler ce que c'est que le "suffrage universel" de M. Bonaparte, ce que c'est que les scrutins de M. Bonaparte. Manifestation de la ville de Paris ou de la ville de Lyon, recensement du parti républicain, est-ce que cela est possible ? Où sont les garanties du scrutin ? où est le contrôle ? où sont les scrutateurs ? où est la liberté ? Songez à toutes ces dérisions. Qu'est-ce qui sort de l'urne ? la volonté de M. Bonaparte. Pas autre chose. M. Bonaparte a les clefs des boîtes dans sa main, les Oui et les Non dans sa main, le vote dans sa main. Après le travail des préfets et des maires terminé, ce gouvernant de grand chemin s'enferme tête à tête avec le scrutin, et le dépouille. Pour lui, ajouter ou retrancher des voix, altérer un procès-verbal, inventer un total, fabriquer un chiffre, qu'est-ce que c'est ? un mensonge, c'est-à-dire peu de chose ; un faux, c'est-à-dire rien.

Restons dans les principes, Citoyens. Ce que nous avons à vous dire, le voici :

M. Bonaparte trouve que l'instant est venu de s'appeler Majesté. Il n'a pas restauré un pape pour le laisser à rien faire ; il entend être sacré et couronné. Depuis le 2 décembre, il a le fait, le despotisme ; maintenant il veut le mot, l'empire. Soit.

Nous, Républicains, quelle est notre fonction ? quelle doit être notre attitude ?

Citoyens, Louis Bonaparte est hors la Loi ; Louis Bonaparte est hors l'Humanité. Depuis dix mois que ce malfaiteur règne, le droit à l'insurrection est en permanence et domine toute la situation. À l'heure où nous sommes, un perpétuel appel aux armes est au fond des consciences. Or, soyons tranquilles, ce qui se révolte dans toutes les consciences arrive bien vite à armer tous les bras.

Amis et Frères ! en présence de ce gouvernement infâme, négation de toute morale, obstacle à tout progrès social, en présence de ce gouvernement meurtrier du peuple, assassin de la République et violateur des lois, de ce gouvernement né de la force et qui doit périr par la force, de ce gouvernement élevé par le crime et qui doit être terrassé par le droit, le Français, digne du nom de citoyen, ne sait pas, ne veut pas savoir s'il y a quelque part des semblants de scrutin, des comédies de suffrage universel et des parodies d'appel à la nation ; il ne s'informe pas s'il y a des hommes qui votent et des hommes qui font voter, s'il y a un troupeau qu'on appelle le Sénat et qui délibère, et un autre troupeau qu'on appelle le peuple et qui obéit ; il ne s'informe pas si le pape va sacrer au maître-autel de Notre-Dame l'homme qui — n'en doutez-pas, ceci est l'avenir inévitable — sera ferré au poteau par le bourreau ; — en présence de M. Bonaparte et de son gouvernement, le citoyen digne de ce nom ne fait qu'une chose et n'a qu'une chose à faire : charger son fusil et attendre l'heure.

VIVE LA RÉPUBLIQUE !
*Les Proscrits démocrates-socialistes
de France, résidant à Jersey, et réunis en
assemblée générale, le 31 octobre 1852.*

Pour copie conforme :

La commission,
VICTOR HUGO,
FOMBERTAUX,
PHILIPPE FAURE. »

NOTE IV

On ne peut pas vivre sans pain ;
On ne peut pas non plus vivre sans la patrie.

Livre VII, p. 303. *Chanson.*

Nous croyons utile de reproduire ici les deux discours de l'auteur de ce livre, au nom de la proscription de

Jersey, sur la tombe des deux derniers proscrits morts à Jersey. (Nous écrivons cette note le 1er octobre 1853.) Voici les discours.

I

(23 AVRIL 1853. — AU CIMETIÈRE DE SAINT-JEAN.)

« Citoyens,

L'homme auquel nous sommes venus dire l'adieu suprême, JEAN BOUSQUET (de Tarn-et-Garonne), fut un énergique soldat de la démocratie. Nous l'avons vu, proscrit inflexible, dépérir douloureusement au milieu de nous. Le mal du pays le rongeait ; il se sentait lentement empoisonné par le souvenir de tout ce qu'on laisse derrière soi ; il pouvait revoir les êtres absents, les lieux aimés, sa ville, sa maison ; il pouvait revoir la France, il n'avait qu'un mot à dire, cette humiliation exécrable que M. Bonaparte appelle amnistie ou grâce, s'offrait à lui, il l'a chastement repoussée, et il est mort. Il avait trente-quatre ans. Maintenant le voilà ! (L'orateur montre la fosse.)

Je n'ajouterai pas un éloge à cette simple vie, à cette grande mort. Qu'il repose en paix, dans cette fosse obscure où la terre va le couvrir, et où son âme est allée retrouver les éternelles espérances du tombeau !

Qu'il dorme ici, ce républicain, et que le peuple sache qu'il y a encore des cœurs fiers et purs, dévoués à sa cause ! Que la République sache qu'on meurt plutôt que de l'abandonner ! Que la France sache qu'on meurt parce qu'on ne la voit plus !

Qu'il dorme, ce patriote, au pays de l'étranger ! Et nous, ses compagnons de lutte et d'adversité, nous qui lui avons fermé les yeux, à sa ville natale, à sa famille, à ses amis, s'ils nous demandent : Où est-il ? nous répondrons : Mort dans l'exil ! comme les soldats répondaient au nom de Latour-d'Auvergne : Mort au champ d'honneur !

Citoyens ! Aujourd'hui, en France, les apostasies sont en joie. La vieille terre du 14 juillet et du 10 août assiste à l'épanouissement hideux des trahisons et à la marche triomphale des traîtres. Pas une indignité qui ne reçoive immédiatement une récompense. Ce maire a violé la loi : on le fait préfet ; ce soldat a déshonoré le drapeau : on le fait général ; ce prêtre a vendu la religion : on le fait évêque ; ce juge a prostitué la justice : on le fait sénateur ; cet aventurier, ce prince a commis tous les crimes, depuis les turpitudes devant lesquelles reculerait un filou jusqu'aux horreurs devant lesquelles reculerait un assassin : il passe empereur. Autour de ces hommes, tout est fanfares, banquets, danses, harangues, applaudissements, génuflexions. Les servilités viennent féliciter les ignominies. Citoyens, ces hommes ont leurs fêtes ; eh bien ! nous aussi nous avons les nôtres. Quand un de nos compagnons de bannissement, dévoré par la nostalgie, épuisé par la fièvre lente des habitudes rompues et des affections brisées, après avoir bu jusqu'à la lie toutes les agonies de la proscription, succombe enfin et meurt, nous suivons sa bière couverte d'un drap noir ; nous venons au bord de la fosse ; nous nous mettons à genoux, nous aussi, non devant le succès, mais devant le tombeau ; nous nous penchons sur notre frère enseveli et nous lui disons : — Ami ! nous te félicitons d'avoir été vaillant, nous te félicitons d'avoir été généreux et intrépide, nous te félicitons d'avoir été fidèle, nous te félicitons d'avoir donné à ta foi républicaine jusqu'au dernier souffle de ta bouche, jusqu'au dernier battement de ton cœur, nous te félicitons d'avoir souffert, nous te félicitons d'être mort ! — Puis nous relevons la tête, et nous nous en allons, le cœur plein d'une sombre joie. Ce sont là les fêtes de l'exil.

Telle est la pensée austère et sereine qui est au fond de toutes nos âmes : et devant ce sépulcre, devant ce gouffre où il semble que l'homme s'engloutit, devant cette sinistre apparence du néant, nous nous sentons consolidés dans nos principes et dans nos certitudes ; l'homme convaincu n'a jamais le pied plus ferme que sur la terre mouvante du tombeau ; et l'œil fixé sur ce mort, sur cet être évanoui, sur cette ombre qui a passé, croyants inébranlables, nous glorifions celle qui est immortelle et celui qui est éternel, la Liberté et Dieu !

Oui, Dieu ! jamais une tombe ne doit se fermer sans que ce grand mot, sans que ce mot vivant y soit tombé. Les morts le réclament, et ce n'est pas nous qui le leur refuserons. Que le peuple religieux et libre au milieu duquel nous vivons le comprenne bien, les hommes du progrès, les hommes de la démocratie, les hommes de la révolution savent que la destinée de l'âme est double, et l'abnégation qu'ils montrent dans cette vie prouve combien ils comptent profondément sur l'autre. Leur foi dans ce grand et mystérieux avenir résiste même au spectacle repoussant que nous donne depuis le 2 décembre le clergé catholique asservi. Le papisme romain en ce moment épouvante la conscience humaine. Ah ! je le dis, et j'ai le cœur plein d'amertume en songeant à tant d'abjection et de honte, ces prêtres qui, pour de l'argent, pour des palais, pour des mitres et des crosses, pour l'amour des biens temporels, bénissent et glorifient le parjure, le meurtre et la trahison, ces églises où l'on chante *Te Deum* au crime couronné, oui, ces églises, oui, ces prêtres suffiraient pour ébranler les plus fermes convictions dans les âmes les plus profondes, si l'on n'apercevait, au-dessus de l'église, le ciel, et, au-dessus du prêtre, Dieu !

Et ici, citoyens, sur le seuil de cette tombe ouverte, au milieu de la foule recueillie qui environne cette fosse, le moment est venu de semer, pour qu'elle germe dans toutes les consciences, une grave et solennelle parole.

Citoyens, à l'heure où nous sommes, heure fatale et qui sera comptée dans les siècles, le principe absolutiste, le vieux principe du passé, triomphe par toute l'Europe ; il triomphe comme il lui convient de triompher, par le glaive, par la hache, par la corde et le billot, par les massacres, par les fusillades, par les tortures, par les supplices. Le despotisme, ce Moloch entouré d'ossements, célèbre à la face du soleil ses effroyables mystères sous le pontificat sanglant des Haynau, des Bonaparte et des Radetzky. Potences en Hongrie, potences en Lombardie, potences en Sicile ; en France, la guillotine, la déportation et l'exil. Rien que dans les États du pape, et je cite le pape qui s'intitule *le roi de douceur*, rien que dans les États du pape, dis-je, depuis trois ans, seize cent quarante-quatre patriotes, le chiffre est authentique, sont morts fusillés ou pendus, sans compter les innombrables morts ensevelis vivants dans les cachots et les oubliettes. Au moment où je parle, le continent, comme aux plus mauvais temps de l'histoire, est encombré d'échafauds et de cadavres ; et le jour où la Révolution voudrait se faire un drapeau des lin-ceuls de toutes les victimes, l'ombre de ce drapeau noir couvrirait l'Europe.

Ce sang, tout ce sang qui coule de toutes parts, à ruis-seaux, à torrents, démocrates, c'est le vôtre.

Eh bien, citoyens, en présence de cette saturnale de massacre et de meurtre, en présence de ces infâmes tri-bunaux où siègent des assassins en robes de juges, en pré-sence de tous ces cadavres chers et sacrés, en présence de cette lugubre et féroce victoire des réactions, je le déclare solennellement, au nom des proscrits de Jersey qui m'en ont donné le mandat, et j'ajoute au nom de tous les pros-crits républicains, car pas une voix de vrai républicain ayant quelque autorité ne me démentira, je le déclare devant ce cercueil d'un proscrit, le deuxième que nous descendons dans la fosse depuis dix jours, nous les exi-lés, nous les victimes, nous abjurons, au jour inévitable et prochain du grand dénouement révolutionnaire, nous abjurons toute volonté, tout sentiment, toute idée de représailles sanglantes !

Les coupables seront châtiés, certes, tous les coupables, et châtiés sévèrement, il le faut ; mais pas une tête ne tom-bera ; pas une goutte de sang, pas une éclaboussure d'échafaud ne tachera la robe immaculée de la Répu-blique de Février. La tête même du brigand de décembre sera respectée avec horreur par le progrès. La révolution fera de cet homme un plus grand exemple en remplaçant sa pourpre d'empereur par la casaque du forçat. Non, nous ne répliquerons pas à l'échafaud par l'échafaud. Nous répudions la vieille et inepte loi du talion. Comme la monarchie, le talion fait partie du passé ; nous répudions le passé. La peine de mort, glorieusement abolie par la République en 1848, odieusement rétablie par Louis Bonaparte, reste abolie pour nous, abolie à jamais. Nous avons emporté dans l'exil le dépôt sacré du progrès ; nous le rapporterons à la France fidèlement. Ce que nous demandons à l'avenir, ce que nous voulons de lui, c'est la justice, ce n'est pas la vengeance. D'ailleurs, de même que pour avoir à jamais le dégoût des orgies, il suffisait aux Spartiates d'avoir vu des esclaves ivres de vin, à nous républicains, pour avoir à jamais horreur des échafauds, il nous suffit de voir les rois ivres de sang.

Oui, nous le déclarons, et nous attestons cette mer qui lie Jersey à la France, ces champs, cette calme nature qui nous entoure, cette libre Angleterre qui nous écoute, les hommes de la révolution, quoi qu'en disent les abominables calomnies bonapartistes, rentreront en France, non comme des exterminateurs, mais comme des frères ! Nous prenons à témoin de nos paroles ce ciel sacré qui rayonne au-dessus de nos têtes et qui ne verse dans nos âmes que des pensées de concorde et de paix ! nous attestons ce mort qui est là dans cette fosse et qui, pendant que je parle, murmure à voix basse dans son suaire : Oui, frères, repoussez la mort ! je l'ai acceptée pour moi, je n'en veux pas pour autrui !

La République, c'est l'union, l'unité, l'harmonie, la lumière, le travail créant le bien-être, la suppression des conflits d'homme à homme et de nation à nation, la fin des exploitations inhumaines, l'abolition de la loi de mort et l'établissement de la loi de vie.

Citoyens, cette pensée est dans vos esprits, et je n'en suis que l'interprète ; le temps des sanglantes et terribles nécessités révolutionnaires est passé ; pour ce qui reste à faire, l'indomptable loi du progrès suffit ; d'ailleurs, soyons tranquilles, tout combat avec nous dans les grandes batailles qui nous restent à livrer ; batailles dont l'évidente nécessité n'altère pas la sérénité des penseurs ; batailles dans lesquelles l'énergie révolutionnaire égalera l'acharnement monarchique ; batailles dans lesquelles la force unie au droit terrassera la violence alliée à l'usurpation ; batailles superbes, glorieuses, enthousiastes, décisives, dont l'issue n'est pas douteuse, et qui seront les Tolbiac, les Hastings et les Austerlitz de la démocratie. Citoyens, l'époque de la dissolution du vieux monde est arrivée. Les antiques despotismes sont condamnés par la loi providentielle ; le temps, ce fossoyeur courbé dans l'ombre, les ensevelit ; chaque jour qui tombe les enfouit plus avant dans le néant. Dieu jette les années sur les trônes comme nous jetons les pelletées de terre sur les cercueils.

Et maintenant, frères, au moment de nous séparer, poussons le cri de triomphe ; poussons le cri du réveil, c'est sur les tombes qu'il faut parler de résurrection. Certes, l'avenir, un avenir prochain, je le répète, nous promet en France la victoire de l'idée démocratique, l'avenir nous promet la victoire de l'idée sociale ; mais il nous promet plus encore, il nous promet sous tous les climats, sous tous les soleils, dans tous les continents, en Amérique aussi bien qu'en Europe, la fin de toutes les oppressions et de tous les esclavages. Après les dures épreuves que nous subissons, ce qu'il nous faut, ce n'est pas seulement l'émancipation de telle ou telle classe qui a souffert trop longtemps, l'abolition de tel ou tel privilège, la consécration de tel ou tel droit ; cela, nous l'aurons ; mais cela ne nous suffit pas ; ce qu'il nous faut, ce que nous obtiendrons, n'en doutez pas, ce que pour ma part, du fond de cette nuit sombre de l'exil, je contemple d'avance avec l'éblouissement de la joie, citoyens, c'est la délivrance de tous les peuples, c'est l'affranchissement de tous les hommes ! Amis, nos souffrances engagent Dieu. Il nous en doit le prix. Il est débiteur fidèle, il s'acquittera. Ayons donc une foi virile et faisons avec transport notre sacrifice. Opprimés de toutes les nations, offrez vos plaies, Polonais, offrez vos misères, Hongrois, offrez votre gibet, Italiens, offrez votre croix, héroïques déportés de Cayenne et d'Afrique, nos frères, offrez votre chaîne ; proscrits, offrez votre proscription, et toi, martyr, offre ta mort à la liberté du genre humain.

Vive la République universelle ! »

II

(26 JUILLET 1853. — AU CIMETIÈRE DE SAINT-JEAN.)

« Citoyens,

Trois cercueils en quatre mois.

La mort se hâte et Dieu nous délivre un à un.

Nous ne t'accusons pas, nous te remercions, Dieu puissant qui nous rouvres, à nous exilés, les portes de la patrie éternelle !

Cette fois l'être inanimé et cher que nous apportons à la tombe, c'est une femme.

Le 21 janvier dernier, une femme fut arrêtée chez elle par le sieur Boudrot, commissaire de police à Paris. Cette femme, jeune encore, elle avait trente-cinq ans, mais estropiée et infirme, fut envoyée à la préfecture et enfermée dans la cellule n° 1, dite *cellule d'essai*. Cette cellule, sorte de cage de sept à huit pieds carrés à peu près, sans air et sans jour, la malheureuse prisonnière l'a peinte d'un mot ; elle l'appelle : *cellule-tombeau* ; elle dit, je cite ses propres paroles : "C'est dans cette cellule-tombeau, qu'estropiée, malade, j'ai passé vingt et un jours, collant mes lèvres d'heure en heure contre le treillage pour aspirer un peu d'air vital et ne pas mourir [1]." — Au bout de ces vingt et un jours, le 14 février, le gouvernement de Décembre mit cette femme dehors et l'expulsa. Il la jeta à la fois hors de la prison et hors de la patrie. La proscrite

1. Voir *Les Bagnes d'Afrique et la Transportation de Décembre*, par Ch. Ribeyrolles, page 199.

sortait du cachot d'essai avec les germes de la phtisie. Elle quitta la France et gagna la Belgique. Le dénuement la força de voyager, toussant, crachant le sang, les poumons malades, en plein hiver, dans le Nord, sous la pluie et la neige, dans ces affreux wagons découverts qui déshonorent les riches entreprises des chemins de fer. Elle arriva à Ostende ; elle était chassée de France, la Belgique la chassa. Elle passa en Angleterre. À peine débarquée à Londres, elle se mit au lit. La maladie contractée dans le cachot, aggravée par le voyage forcé de l'exil, était devenue menaçante. La proscrite, je devrais dire la condamnée à mort, resta gisante deux mois et demi. Puis, espérant un peu de printemps et de soleil, elle vint à Jersey. On se souvient encore de l'y avoir vue arriver par une froide matinée pluvieuse, à travers les brumes de la mer, râlant et grelottant sous sa pauvre robe de toile, toute mouillée. Peu de jours après son arrivée, elle se coucha ; elle ne s'est plus relevée.

Il y a trois jours elle est morte.

Vous me demanderez ce qu'était cette femme et ce qu'elle avait fait pour être traitée ainsi ; je vais vous le dire :

Cette femme, par des chansons patriotiques, par de sympathiques et cordiales paroles, par de bonnes et civiques actions, avait rendu célèbre, dans les faubourgs de Paris, le nom de Louise Julien sous lequel le peuple la connaissait et la saluait. Ouvrière, elle avait nourri sa mère malade ; elle l'a soignée et soutenue dix ans. Dans les jours de lutte civile, elle faisait de la charpie ; et boiteuse et se traînant, elle allait dans les ambulances, et secourait les blessés de tous les partis. Cette femme du peuple était un poète, cette femme du peuple était un esprit ; elle chantait la République, elle aimait la liberté, elle appelait ardemment l'avenir fraternel de toutes les nations et de tous les hommes ; elle croyait à Dieu, au peuple, au progrès, à la France, elle versait autour d'elle, comme un vase, dans les esprits des prolétaires, son grand cœur plein d'amour et de foi. Voilà ce que faisait cette femme. M. Bonaparte l'a tuée.

Ah ! une telle tombe n'est pas muette ; elle est pleine de sanglots, de gémissements et de clameurs.

Citoyens, les peuples, dans le légitime orgueil de leur toute-puissance et de leur droit, construisent avec le granit et le marbre des édifices sonores, des enceintes majestueuses, des estrades sublimes, du haut desquelles parle leur génie, du haut desquelles se répandent à flots dans les âmes les éloquences saintes du patriotisme, du progrès et de la liberté ; les peuples, s'imaginant qu'il suffit d'être souverains pour être invincibles, croient inaccessibles et imprenables ces citadelles de la parole, ces forteresses sacrées de l'intelligence humaine et de la civilisation, et ils disent : la tribune est indestructible. Ils se trompent ; ces tribunes-là peuvent être renversées. Un traître vient, des soldats arrivent, une bande de brigands se concerte, se démasque, fait feu, et le sanctuaire est envahi, et la pierre et le marbre sont dispersés, et le palais, et le temple où la grande nation parlait au monde s'écroule, et l'immonde tyran vainqueur s'applaudit, bat des mains et dit : c'est fini. Personne ne parlera plus. Pas une voix ne s'élèvera désormais. Le silence est fait. — Citoyens ! à son tour le tyran se trompe. Dieu ne veut pas que le silence se fasse ; Dieu ne veut pas que la liberté, qui est son verbe, se taise ; citoyens ! au moment où les despotes triomphants croient la leur avoir ôtée à jamais, Dieu redonne la parole aux idées. Cette tribune détruite, il la reconstruit. Non au milieu de la place publique, non avec le granit et le marbre, il n'en a pas besoin. Il la reconstruit dans la solitude ; il la reconstruit avec l'herbe du cimetière, avec l'ombre des cyprès, avec le monticule sinistre que font les cercueils cachés sous terre ; et de cette solitude, de cette herbe, de ces cyprès, de ces cercueils disparus, savez-vous ce qui sort, citoyens ? Il en sort le cri déchirant de l'humanité, il en sort la dénonciation et le témoignage, il en sort l'accusation inexorable qui fait pâlir l'accusé couronné, il en sort la formidable protestation des morts ! Il en sort la voix vengeresse, la voix inextinguible, la voix qu'on n'étouffe pas, la voix qu'on ne bâillonne pas !

— Ah ! M. Bonaparte a fait taire la tribune ; c'est bien ; maintenant qu'il fasse donc taire le tombeau !

Lui et ses pareils n'auront rien fait tant qu'on entendra sortir un soupir d'une tombe, et tant qu'on verra rouler une larme dans les yeux augustes de la pitié.

Pitié !... ce mot que je viens de prononcer, il a jailli du plus profond de mes entrailles devant ce cercueil, cercueil d'une femme, cercueil d'une sœur, cercueil d'une martyre ! Pauline Roland en Afrique, Louise Julien à Jersey, Francesca Maderspach à Temesvár, Blanca Téléki à Pest, tant d'autres, Rosalie Gobert, Eugénie Guillemot, Augustine Péan, Blanche Clouart, Joséphine Prabeil, Élisabeth Partlès, Marie Reviel, Claudine Hibruit, Anne Sangla, veuve Combescure, Armantine Huet, et tant d'autres encore, sœurs, mères, filles, épouses, proscrites, exilées, transportées, torturées, suppliciées, crucifiées, ô pauvres femmes ! Oh ! quel sujet de larmes profondes et d'inexprimables attendrissements ! Faibles, souffrantes, malades, arrachées à leur famille, à leurs maris, à leurs parents, à leurs soutiens, vieilles quelquefois et brisées par l'âge, toutes ont été des héroïnes, plusieurs ont été des héros ! Oh ! ma pensée en ce moment se précipite dans ce sépulcre et baise les pieds froids de cette morte dans son cercueil ! Ce n'est pas une femme que je vénère dans Louise Julien, c'est la femme ; la femme de nos jours, la femme digne de devenir citoyenne ; la femme telle que nous la voyons autour de nous, dans tout son dévouement, dans toute sa douceur, dans tout son sacrifice, dans toute sa majesté ! Amis, dans les temps futurs, dans cette belle, et paisible, et tendre, et fraternelle République sociale de l'avenir, le rôle de la femme sera grand ; mais quel magnifique prélude à ce rôle que de tels martyres si vaillamment endurés ! Hommes et citoyens, nous avons dit plus d'une fois dans notre orgueil : — Le dix-huitième siècle a proclamé le droit de l'homme ; le dix-neuvième proclamera le droit de la femme ; — mais il faut l'avouer, citoyens, nous ne nous sommes point hâtés ; beaucoup de considérations, qui étaient graves, j'en conviens, et qui

voulaient être mûrement examinées, nous ont arrêtés ;
et à l'instant où je parle, au point même où le progrès est
parvenu, parmi les meilleurs Républicains, parmi les
démocrates les plus frais et les plus purs, bien des esprits
excellents hésitent encore à admettre dans l'homme et
dans la femme l'égalité de l'âme humaine, et par consé-
quent l'assimilation, sinon l'identité complète des droits
civiques. Disons-le bien haut, Citoyens, tant que la prospérité a duré, tant que la République a été debout, les
femmes, oubliées par nous, se sont oubliées elles-mêmes ;
elles se sont bornées à rayonner comme la lumière, à
échauffer les esprits, à attendrir les cœurs, à éveiller les
enthousiasmes, à montrer du doigt à tous le bon, le juste,
le grand et le vrai. Elles n'ont rien ambitionné au-delà.
Elles qui, par moments, sont l'image de la patrie vivante,
elles qui pouvaient être l'âme de la cité, elles ont été
simplement l'âme de la famille. À l'heure de l'adversité,
leur attitude a changé ; elles ont cessé d'être modestes ; à
l'heure de l'adversité, elles nous ont dit : — Nous ne
savons pas si nous avons droit à votre puissance, à votre
liberté, à votre grandeur ; mais ce que nous savons, c'est
que nous avons droit à votre misère. Partager vos souffrances, vos accablements, vos dénuements, vos détresses,
vos renoncements, vos exils, votre abandon si vous êtes
sans asile, votre faim si vous êtes sans pain, c'est là le
droit de la femme, et nous le réclamons. — Ô mes frères !
et les voilà qui nous suivent dans le combat, qui nous
accompagnent dans la proscription, et qui nous devancent
dans le tombeau !

Citoyens, puisque cette fois encore vous avez voulu que
je parlasse en votre nom, puisque votre mandat donne à
ma voix l'autorité qui manquerait à une parole isolée ; sur
la tombe de Louise Julien, comme il y a trois mois, sur la
tombe de Jean Bousquet, le dernier cri que je veux jeter,
c'est le cri de courage, d'insurrection et d'espérance !

Oui, des cercueils comme celui de cette noble femme
qui est là signifient et prédisent la chute prochaine des
bourreaux, l'inévitable écroulement des despotismes et

des despotes. Les proscrits meurent l'un après l'autre ; le tyran creuse leur fosse ; mais à un jour venu, citoyens, la fosse tout à coup attire et engloutit le fossoyeur !

Ô morts qui m'entourez et qui m'écoutez, malédiction à Louis Bonaparte ! Ô morts, exécration à cet homme ! Pas d'échafauds quand viendra la victoire, mais longue et infamante expiation à ce misérable ! Malédiction sous tous les cieux, sous tous les climats, en France, en Autriche, en Lombardie, en Sicile, à Rome, en Pologne, en Hongrie, malédiction aux violateurs du droit humain et de la loi divine ! Malédiction aux pourvoyeurs des pontons, aux dresseurs de gibets, aux destructeurs des familles, aux tourmenteurs des peuples ! Malédiction aux proscripteurs des pères, des mères et des enfants ! Malédiction aux fouetteurs de femmes ! Proscrits ! soyons implacables dans ces solennelles et religieuses revendications du droit et de l'humanité. Le genre humain a besoin de ces cris terribles ; la conscience universelle a besoin de ces saintes indignations de la pitié. Exécrer les bourreaux, c'est consoler les victimes. Maudire les tyrans, c'est bénir les nations !

Vive la République universelle ! »

LA FIN

JERSEY, 9 octobre 1853

Comme j'allais fermer ces pages inflexibles,
Sur les troncs croulants, perdus par leur sauveur,
La guerre s'est dressée, et j'ai vu, moi rêveur,
Passer dans un éclair sa face aux cris terribles.

Et j'ai vu frissonner l'homme de grand chemin !
Cette foudre subite éblouit ses prunelles.
Il frémit, effaré, devant les Dardanelles,
    Ô lâche ! Et peut-être demain,

Grâce aux soldats nos fils, vaillants, quoique infidèles,
Demain sur ce front vil, sur cet abject cimier,
Comme un aigle parfois s'abat sur un fumier,
Quelque victoire aveugle ira poser ses ailes !

Malgré ta couardise, il faut combattre, allons !
Bats-toi, bandit ! c'est dur ; il le faut. Dieu t'opprime.
Toi qui, le front levé, te ruas dans le crime,
    Marche à la gloire à reculons !

Quoi ! même en se traînant comme un chien qui se couche
Quoi ! même en criant grâce, en demandant pardon,
Même en léchant les pieds des cosaques du Don,
On ne peut éviter Austerlitz ? Non, Cartouche.

Nul moyen de sortir de la peau de César !
En guerre, faux lion ! ta crinière l'exige.
Voici le Rhin, voici l'Elster, voici l'Adige,
    Voici la fosse auprès du char !

La guerre, c'est la fin. Ô Peuples, nous y sommes.
Pour t'entendre sonner je monte sur ma tour,
Formidable angélus de ce grand point du jour,
Dernière heure des rois, première heure des hommes !

Droits, progrès, qu'on croyait éclipsés pour jamais,
Liberté, qu'invoquaient nos voix exténuées,
Vous surgissez ! voici qu'à travers les nuées
Reparaissent les grands sommets !

Des révolutions nous revoyons les cimes.
Vieux monde du passé, marche, allons ! c'est la loi.
L'ange au glaive de feu, debout derrière toi,
Te met l'épée aux reins et te pousse aux abîmes !

[9 octobre 1853.]

PIÈCES AJOUTÉES
À L'ÉDITION DE 1870
(20 octobre)

Au moment de rentrer en France s'insère entre la *Préface* et *Nox* ;

Les Trois Chevaux, daté dans le manuscrit « En mer (29 juillet 1868) entre Douvres et Ostende », a été placé au livre VI entre *Stella* et *Applaudissement* ;

Patria (janvier 1853?), d'abord retenu, puis exclu des plans de 1853, a pris, dans le livre VII, le numéro 7, repoussant *La Caravane* en 8 : on est en guerre ;

« *Il est des jours abjects...* » et *Saint-Arnaud* (1854) ont été placés, toujours dans le livre VII, en 15 et 16 avant *Ultima Verba*.

AVERTISSEMENT DE L'ÉDITEUR

Chacun sait que l'immortel livre que nous réimprimons ici est né dans l'exil. Une seule édition y fut imprimée en 1853 sous les yeux de l'auteur et par nos soins. Depuis, d'innombrables contrefaçons en ont été faites, dont le moindre défaut était souvent l'incorrection la plus grossière. La législation imposée par l'empire avait ses contre-coups même sur les pays circonvoisins. Elle était telle, que, pour être assuré du secret, il fallut créer une imprimerie et un imprimeur, et que l'auteur, se trouvant n'avoir nulle part aucun droit sur son livre, n'a jamais, non plus que son éditeur, tiré un sou de son énorme débit, depuis la première édition publiée à ses frais pour la plus grande partie, puis aux frais du colonel Charras, de Victor Schœlcher, et aux miens pour le reste. C'est à nos dépens que nous avons tous, par une cotisation de nos ressources d'exilés, pu faire entendre à l'empire les premières paroles de vérité.

Cette édition de 1853 faite, l'auteur n'a pu même essayer de revoir les éditions de contrefaçon de son œuvre et les empêcher de se substituer à l'édition primitive. Un nombre immense d'exemplaires des *Châtiments* dans ces éditions ultra-défectueuses se sont ainsi répandus dans le monde entier, et, récemment, car la contrefaçon a toujours été attentive, elle n'aime nulle part à perdre son temps, ils ont fait irruption en France, et y demeureraient si l'éditeur primitif du livre, d'accord avec l'auteur, n'avait pour devoir de les arrêter. La spéculation en était venue même à ce point d'effronterie de vendre sous le nom de Victor Hugo des rapsodies telles que *Le Christ au Vatican*. Quelques contrefaçons des *Châtiments* portent cet appendice inepte. L'heure est enfin venue de donner une édition complète des *Châtiments*, digne de l'œuvre et digne de la France.

L'édition que nous publions, augmentée de plusieurs pièces, est donc plus complète qu'aucune autre et que l'édition primitive elle-même.

Lue ou relue avec l'esprit de vérité qui souffle enfin sur notre pays, l'œuvre de Victor Hugo semblera nouvelle aujourd'hui. Elle apparaîtra telle à ceux mêmes qui la savent par cœur ; elle montrera aux temps futurs qu'il y a eu, dès l'empire, la justice anticipée de la poésie sur l'histoire.

Les Châtiments [1] resteront comme une de ces œuvres éternelles qui plaident aux yeux de l'avenir pour les faiblesses d'un peuple aveugle, et qui finalement les rachètent. « La lumière était donc quelque part. Il y avait donc quelque part un flambeau qu'aucune tempête n'avait pu éteindre, se diront nos enfants. Rien n'était dès lors tout à fait perdu, puisque, du milieu des abaissements les plus extrêmes, une telle voix parlait encore. »

L'éditeur de ce livre a été, jusqu'à l'amnistie, pendant huit ans, le compagnon d'exil du poète, un exilé comme lui.

Depuis sa rentrée en France, il a consacré sa vie à publier des livres d'éducation à l'usage des générations nouvelles. C'était à son sens l'œuvre la plus pressante à faire. Il ne croit pas sortir de sa voie en l'agrandissant et en reprenant l'œuvre de l'exil.

Les Châtiments, comme les *Annales* de Tacite, comme les *Satires* de Juvénal, sont un livre d'éducation pour les peuples — ces enfants qui ont tant de peine à mûrir. Nul homme sérieux, nul homme sincère ne reculera devant cet aveu.

J. HETZEL.

---

1. Apparition de l'article en 1870. Hetzel emploie le titre définitif : *Les Châtiments*.

AU MOMENT DE RENTRER EN FRANCE
31 AOÛT 1870

Qui peut en ce moment où Dieu peut-être échoue,
      Deviner
Si c'est du côté sombre ou joyeux que la roue
      Va tourner ?

Qu'est-ce qui va sortir de ta main qui se voile,
      Ô destin ?
Sera-ce l'ombre infâme et sinistre, ou l'étoile
      Du matin ?

Je vois en même temps le meilleur et le pire ;
      Noir tableau !
Car la France mérite Austerlitz, et l'empire
      Waterloo.

J'irai, je rentrerai dans ta muraille sainte,
      Ô Paris !
Je te rapporterai l'âme jamais éteinte
      Des proscrits.

Puisque c'est l'heure où tous doivent se mettre à l'œuvre,
      Fiers, ardents,
Écraser au dehors le tigre, et la couleuvre
      Au dedans ;

Puisque l'idéal pur, n'ayant pu nous convaincre,
      S'engloutit ;
Puisque nul n'est trop grand pour mourir, ni pour vaincre
      Trop petit ;

Puisqu'on voit dans les cieux poindre l'aurore noire
          Du plus fort ;
Puisque tout devant nous maintenant est la gloire
          Ou la mort ;

Puisqu'en ce jour le sang ruisselle, les toits brûlent,
          Jour sacré !
Puisque c'est le moment où les lâches reculent,
          J'accourrai.

Et mon ambition, quand vient sur la frontière
          L'étranger,
La voici : part aucune au pouvoir, part entière
          Au danger.

Puisque ces ennemis, hier encor nos hôtes,
          Sont chez nous,
J'irai, je me mettrai, France, devant tes fautes,
          À genoux !

J'insulterai leurs chants, leurs aigles noirs, leurs serres,
          Leurs défis ;
Je te demanderai ma part de tes misères,
          Moi ton fils.

Farouche, vénérant, sous leurs affronts infâmes,
          Tes malheurs,
Je baiserai tes pieds, France, l'œil plein de flammes
          Et de pleurs.

France, tu verras bien qu'humble tête éclipsée
          J'avais foi,
Et que je n'eus jamais dans l'âme une pensée
          Que pour toi.

Tu me permettras d'être en sortant des ténèbres
          Ton enfant ;
Et tandis que rira ce tas d'hommes funèbres
          Triomphant,

Tu ne trouveras pas mauvais que je t'adore,
                    En priant,
Ébloui par ton front invincible, que dore
                    L'Orient.

Naguère, aux jours d'orgie où l'homme joyeux brille,
                    Et croit peu,
Pareil aux durs sarments desséchés où pétille
                    Un grand feu,

Quand, ivre de splendeur, de triomphe et de songes,
                    Tu dansais
Et tu chantais, en proie aux éclatants mensonges
                    Du succès,

Alors qu'on entendait ta fanfare de fête
                    Retentir,
Ô Paris, je t'ai fui comme le noir prophète
                    Fuyait Tyr.

Quand l'empire en Gomorrhe avait changé Lutèce,
                    Morne, amer,
Je me suis envolé dans la grande tristesse
                    De la mer.

Là, tragique, écoutant ta chanson, ton délire,
                    Bruits confus,
J'opposais à ton luxe, à ton rêve, à ton rire,
                    Un refus.

Mais aujourd'hui qu'arrive avec sa sombre foule
                    Attila,
Aujourd'hui que le monde autour de toi s'écroule,
                    Me voilà.

France, être sur ta claie à l'heure où l'on te traîne
                    Aux cheveux,
Ô ma mère, et porter mon anneau de ta chaîne,
                    Je le veux !

J'accours, puisque sur toi la bombe et la mitraille
Ont craché,
Tu me regarderas debout sur ta muraille,
Ou couché.

Et peut-être, en ta terre où brille l'espérance,
Pur flambeau,
Pour prix de mon exil, tu m'accorderas, France,
Un tombeau.

Bruxelles, 31 août 1870.

LES TROIS CHEVAUX

Trois chevaux, qu'on avait attachés au même arbre,
Causaient.

       L'un, coureur leste à la croupe de marbre,
Valait cent mille francs, était vainqueur d'Epsom,
Et, tout harnaché d'or, s'écriait : *sum qui sum !*
Cela parle latin, les bêtes. Des mains blanches
Cent fois de ce pur-sang avaient flatté les hanches,
Et souvent il avait, dans le turf ébloui,
Senti courir les cœurs des femmes après lui.
De là bien des succès à son propriétaire.

Le second quadrupède était un militaire,
Un dada formidable, une brute d'acier,
Un cheval que Racine eût appelé coursier.
Il se dressait, bridé, superbe, ivre de joie,
D'autant plus triomphant qu'il avait l'œil d'une oie.
Sur sa housse on lisait : Essling, Ulm, Iéna,
Il avait la fierté massive que l'on a
Lorsqu'on est orgueilleux de tout ce qu'on ignore ;
Son caparaçon fauve était riche et sonore ;
Il piaffait, il semblait écouter le tambour.

Et le troisième était un cheval de labour.
Un bât de corde au cou, c'était là sa toilette.
Triste bête ! on croyait voir marcher un squelette,
Ayant assez de peau sous la bise et le vent
Pour faire un peu l'effet d'un être encor vivant.

Le beau cheval de luxe, espèce de jocrisse,
Disait :

— Ici le pape, et là le baron Brisse [1] ;
Pour l'estomac Brébant [2] ; pour l'âme Loyola ;
Être béni, bien boire et bien manger, voilà
Ce que prêche mon maître ; et moi, roi de la joute,
J'estime que mon maître a raison, et j'ajoute
Que les cocottes font l'ornement du derby.
Il faut au peuple un dieu par les prêtres fourbi,
À nous une écurie en acajou, la Bible
Pour l'homme, et les journaux, morbleu, le moins possible !
Le Jockey-Club vaut mieux que l'esprit-Légion.
Pas de société sans la religion.
Si je n'étais cheval, je voudrais être moine.

— Moi, je voudrais manger parfois un peu d'avoine
Et de foin, soupira le cheval paysan.
Je travaille beaucoup, et je suis, jugez-en
Par ma côte saignante et mon échine maigre,
Presque aussi mal traité que l'homme appelé nègre.
Compter les coups de fouet que je reçois, serait
Compter combien d'oiseaux chantent dans la forêt ;
J'ai faim, j'ai soif, j'ai froid ; je ne suis pas féroce,
Mais je suis malheureux.

                              Ainsi parla la rosse.

Le cheval de bataille alors, plein de fureur,
Indigné, bien pensant, dit : — Vive l'empereur !

1. Le baron Brisse (1813-1876) faisait paraître un menu par jour
dans *La Liberté*.
2. Brébant : célèbre restaurant du boulevard Poissonnière.

PATRIA

Musique de Beethoven

Là-haut, qui sourit ?
  Est-ce un esprit ?
  Est-ce une femme ?
Quel front sombre et doux !
  Peuple, à genoux !
  Est-ce notre âme
  Qui vient à nous ?

Cette figure en deuil
Paraît sur notre seuil,
Et notre antique orgueil
  Sort du cercueil.
Ses fiers regards vainqueurs
Réveillent tous les cœurs,
Les nids dans les buissons,
  Et les chansons.

C'est l'ange du jour ;
  L'espoir, l'amour
  Du cœur qui pense ;
Du monde enchanté
  C'est la clarté.
  Son nom est France
  Ou Vérité.

Bel ange, à ton miroir
Quand s'offre un vil pouvoir,
Tu viens, terrible à voir,
  Sous le ciel noir.

Tu dis au monde : Allons !
Formez vos bataillons !
Et le monde ébloui
        Te répond : Oui !

        C'est l'ange de nuit.
        Rois, il vous suit
        Marquant d'avance
    Le fatal moment
        Au firmament.
        Son nom est France
        Ou Châtiment.

Ainsi que nous voyons
En mai les alcyons,
Voguez, ô nations,
        Dans ses rayons !
Son bras aux cieux dressé
Ferme le noir passé
Et les portes de fer
        Du sombre enfer.

        C'est l'ange de Dieu.
        Dans le ciel bleu
        Son aile immense
    Couvre avec fierté
        L'Humanité.
        Son nom est France
        Ou Liberté !

                        Jersey, septembre 1853.

« IL EST DES JOURS ABJECTS... »

Il est des jours abjects où, séduits par la joie
        Sans honneur,
Les peuples au succès se livrent, triste proie
        Du bonheur.

Alors des nations, que berce un fatal songe
        Dans leur lit,
La vertu coule et tombe, ainsi que d'une éponge
        L'eau jaillit.

Alors devant le mal, le vice, la folie,
        Les vivants
Imitent les saluts du vil roseau qui plie
        Sous les vents.

Alors festins et jeux ; rien de ce que dit l'âme
        Ne s'entend ;
On boit, on mange, on chante, on danse, on est infâme
        Et content.

Le crime heureux, servi par d'immondes ministres,
        Sous les cieux
Rit, et vous frissonnez, grands ossements sinistres
        Des aïeux.

On vit honteux, les yeux troubles, le pas oblique,
        Hébété ;
Tout à coup un clairon jette aux vents : République !
        Liberté !

Et le monde, éveillé par cette âpre fanfare,
        Est pareil
Aux ivrognes de nuit qu'en se levant effare
        Le soleil.

Jersey, 1853.

SAINT-ARNAUD

Cet homme avait donné naguère un coup de main
Au recul de la France et de l'esprit humain ;
Ce général avait les états de service
D'un chacal, et le crime aimait en lui le vice.
Buffon l'eût admis, certe, au rang des carnassiers.
Il avait fait charger le septième lanciers
Secouant les guidons aux trois couleurs françaises,
Sur des bonnes d'enfants, derrière un tas de chaises ;
Il était le vainqueur des passants de Paris ;
Il avait mitraillé les cigares surpris
Et broyé Tortoni fumant, à coups de foudre ;
Fier, le tonnerre au poing, il avait mis en poudre
Un marchand de coco près des Variétés ;
Avec quinze escadrons, bien armés, bien montés,
Et trente bataillons, et vingt pièces de douze,
Il avait pris d'assaut le perron Sallandrouze [1] ;
Il avait réussi même, en fort peu de temps,
À tuer sur sa porte un enfant de sept ans ;
Et sa gloire planait dans l'ouragan qui tonne
De l'égout Poissonnière au ruisseau Tiquetonne.
Tout cela l'avait fait maréchal. Nous aussi,
Nous étions des vaincus, je dois le dire ici ;
Nous étions douze cents ; eux, ils étaient cent mille.
Or ce Verrès croyait qu'on devient Paul-Émile ;
Pendant que Beauharnais, l'être ignorant le mal,
Affiche aux trois poteaux d'un chiffre impérial,
Son nom hideux, dégoût des lèvres de l'histoire ;
Pendant qu'un bas empire éclôt sous un prétoire

---

1. Industriel dont le magasin d'exposition essuya la canonnade du
4 décembre.

Et s'étale, amas d'ombre où rampent les serpents,
Fumier de trahison, de dol, de guet-apens,
Dont n'auraient pas voulu les poules de Carthage ;
Pendant que de la France on se fait le partage ;
Pendant que des milliers d'innocents égorgés
Pourrissent, par le ver du sépulcre rongés ;
Pendant que les proscrits, que la chiourme accompagne,
Cheminant deux à deux dans les sabots du bagne,
Vieillards, enfants brûlés de fièvre, sans sommeil,
Vont à Guelma [1] casser des pierres au soleil ;
Pendant qu'à Bône on meurt et qu'en Guyane on tombe,
Et qu'ici, chaque jour, nous creusons une tombe,
Ce sbire galonné du crime, ce vainqueur,
De la fraude et du vol sinistre remorqueur,
Cet homme, bras sanglant de la trahison louche,
Ce Mars Mandrin ayant pour Jupiter Cartouche,
S'était dit : — Bah ! la France oublie. Un vrai laurier !
Et l'on n'osera plus sur mes talons crier.
En guerre ! Il n'est pas bon que la gloire demeure
Au charnier Montfaucon : nous avons à cette heure
Trop de Dix-huit Brumaire et trop peu d'Austerlitz ;
Lorsque nous secouons nos drapeaux, de leurs plis
Ils ne laissent tomber sur nous que des huées ;
Au lieu des vieillards morts et des femmes tuées,
Il est temps qu'il se dresse autour de nous un peu
De fanfare et d'orgueil, chantant dans le ciel bleu ;
Or, voici que la guerre à l'Orient se lève ;
Je ne suis que couteau, je puis devenir glaive.
On me crache au visage aujourd'hui ; mais demain
J'apparaîtrai, superbe, éclatant, surhumain,
Vainqueur, dans une illustre et splendide fumée,
Et duc de la mer Noire et prince de Crimée,
Et je ferai voler ce mot : Sébastopol,
Des tours de Notre-Dame au dôme de Saint-Paul !
Le vieux monstre Russie, aux regards ronds et troubles,
Qui fascine l'Europe avec des yeux de roubles,
Je le prendrai, j'irai le saisir dans son trou ;

1. Un des bagnes d'Algérie.

Et je rapporterai sur mon poing ce hibou.
On verra sous mes yeux fondre le czar qui croule,
Paris m'admirera de la Bastille au Roule ;
On me battra des mains au fond des vieux faubourgs ;
Les gamins marqueront le pas à mes tambours ;
La porte Saint-Denis tirera des fusées ;
Et, quand je passerai, du haut de ses croisées,
Le boulevard Montmartre applaudira. — Partons.
Effaçons d'un seul trait tueries, exils, pontons,
Et jetons cette poudre aux yeux froids de l'histoire.
Je m'en irai Massacre et reviendrai Victoire ;
Je serai parti chien, je reviendrai lion.
En guerre ! —

                    Tu mettrais Atlas sur Pélion,
Tu ferais plus qu'aucun dont l'homme se souvienne,
Tu forcerais Moscou, Pétersbourg, Berlin, Vienne,
Tu tiendrais dans tes mains ainsi que des serpents
Tous les fleuves domptés, tremblants, soumis, rampants,
Le Don, le Nil, le Tibre, et le Rhin basaltique,
Tu prendrais la mer Noire avec la mer Baltique,
On te verrait, vainqueur, au front des escadrons,
Précédé des tambours et suivi des clairons,
Parmi les plus fameux marcher le plus insigne,
Que tu ne ferais pas décroître d'une ligne
L'épaisseur du carcan qui pend à l'échafaud !
Que tu n'ôterais pas une lettre au fer chaud
Que l'histoire, quand vient l'heure de comparaître,
Imprime au dos du lâche et sur le front du traître !

On est ivre parfois quand on a bu du sang.
Nul ne sait le destin. Fais ton rêve, passant !
L'éternel Océan nous regarde, et sanglote.

Il prit ce qu'il voulut dans l'armée et la flotte ;
Il reçut le baiser de Néron-le-Petit,
Gagna Toulon, sa ville, et partit. Il partit,
Traînant des millions après lui dans ses coffres,
Entouré de banquiers qui lui faisaient des offres,
En satrape persan, en proconsul romain,

Son bâton de velours et d'aigles dans sa main,
Emportant pour sa table un service de Chine,
Suivi de vingt fourgons, brodé jusqu'à l'échine,
Empanaché, doré, magnifique, hideux.
Un jour, on déterra l'un de ceux de l'an deux,
Un vieux républicain, le général Dampierre [1] ;
On le trouva couché tout armé sous la pierre,
Et portant, fier soldat que nul n'avait vu fuir,
L'épaulette de laine et la dragonne en cuir.

Il partit, tout trempé d'eau bénite ; et ce reître
Partout sur son chemin baisait la griffe au prêtre,
Car cette hypocrisie est le genre actuel ;
Le crime, qui jadis bravait le rituel,
L'ancien vieux crime impie à présent dégénère
En clins d'yeux qu'à Tartuffe adresse Lacenaire ;
Le brigand est béni du curé point ingrat ;
Papavoine aujourd'hui se confesse à Mingrat ;
Le bedeau Poulmann sert la messe. — Ah ! je l'avoue,
Quand un bandit sincère, entier, sentant la roue,
Honnête à sa façon, bonne fille, complet,
Se déclare bandit, s'annonce ce qu'il est,
Fuit les honnêtes gens, sent qu'il les dépareille,
Et porte carrément son crime sur l'oreille ;
Mon Dieu ! quand un voleur dit : je suis un voleur,
Quand un pauvre histrion de foire, un avaleur
De sabres, au milieu d'un torrent de paroles,
Un arracheur de dents, avec ses bottes molles,
Orné de galons faux et de poil de lapin,
Quand un drôle ingénu, qui peut-être est sans pain,
Met sa main dans ma poche et m'empoigne ma montre,
Quand, le matin, poussant ma porte qu'il rencontre,
Il entre, prend ma bourse et mes couverts d'argent,
Et, si je le surprends à même et pataugeant,
Me dit : c'est vrai, monsieur, je suis une canaille ;
Je ris, et je suis prêt à dire : qu'il s'en aille !
Amnistie au coquin qui se donne pour tel !

1. Général Dampierre (1756-1793), général républicain mort au combat près de Valenciennes.

Mais quand l'assassinat s'étale sur l'autel
Et que sous une mitre un prêtre l'escamote ;
Quand un soldat féroce entre ses dents marmotte
Un oremus infâme au bout d'un sacrebleu ;
Quand on fait devant moi cette insulte au ciel bleu
De faire Magnan saint et Canrobert ermite ;
Quand le carnage prend des airs de chattemite,
Et quand Jean-l'Écorcheur se confit en Veuillot ;
Quand le massacre affreux, le couteau, le billot,
Le rond-point la Roquette et la place Saint-Jacques,
Tout ruisselants de sang, viennent faire leurs pâques ;
Quand les larrons, après avoir coupé le cou
Au voyageur, et mis ses membres dans un trou,
Vont au lieu saint ouvrir et piller la valise ;
Quand j'attends la caverne et quand je vois l'église ;
Quand le meurtre sournois qui chourina sans bruit
La loi, par escalade et guet-apens, la nuit,
Et qui par la fenêtre entra dans nos demeures,
Prend un cierge, se signe, ânonne un livre d'heures,
Offre sa pince au Dieu sous qui l'Horeb tremblait,
Et de sa corde à nœuds se fait un chapelet,
Alors, ô cieux profonds ! ma prunelle s'allume,
Mon pouls bat sur mon cœur comme sur une enclume,
Je sens grandir en moi la colère, géant,
Et j'accours éperdu, frémissant, secouant
Sur ces horreurs, à l'âme humaine injurieuses,
Dans mes deux mains, des fouets de strophes furieuses !
Stamboul, lui prodiguant galas, orchestre et bal,
Lui fit fête, Capoue où manquait Annibal.
Ce bandit rayonna quelque temps dans des gloires ;
Byzance illumina pour lui ses promontoires ;
Au cirque Franconi, quand vient le dénouement,
Quand la toile de fond se lève brusquement
Et que tout le décor n'est plus qu'une astragale,
On voit ces choses-là dans un feu de bengale.
Et pendant ces festins et ces jeux, on brûla,
Les Russes, Silistrie, et les Anglais, Kola.

Le moment vint ; l'escadre appareilla ; les roues
Tournèrent ; par ce tas de voiles et de proues,

Dont l'âpre artillerie en vingt salves gronda,
L'infini se laissa violer. L'armada,
Formidable, penchant, prête à cracher le soufre,
Les gueules des canons sur les gueules du gouffre,
Nageant, polype humain, sur l'abîme béant,
Et, comme un noir poisson dans un filet géant,
Prenant l'ouragan sombre en ses mille cordages,
S'ébranla ; dans ses flancs, les haches d'abordages,
Les sabres, les fusils, le lourd tromblon marin,
La fauve caronade aux ailerons d'airain,
Se heurtaient ; et, jetant de l'écume aux étoiles,
Et roulant dans ses plis des tempêtes de toiles,
Frégate, aviso, brick, brûlot, trois-ponts, steamer,
Le troupeau monstrueux couvrit la vaste mer.
La flotte ainsi marchait en ordre de bataille.

Ô mouches ! il est temps que cet homme s'en aille.
Venez ! Soufflc, ô vent noir des moustiques de feu !
Hurrah ! les inconnus, les punisseurs de Dieu !
L'obscure légion des hydres invisibles,
L'infiniment petit, rempli d'ailes horribles,
Accourut ; l'âpre essaim des moucherons, tenant
Dans un souffle, et qui fait trembler un continent,
L'atome, monde affreux peuplant l'ombre hagarde,
Que l'œil du microscope avec effroi regarde,
Vint, groupe insaisissable et vague où rien ne luit,
Et plana sur la flotte énorme dans la nuit.
Et les canons, hurlant contre l'homme, molosses
De la mort, les vaisseaux, titaniques colosses,
Les mortiers lourds, volcans aux hideux entonnoirs,
Les grands steamers, dragons dégorgeant des flots noirs,
Tous ces géants tremblaient au sein des flots terribles
Sous ce frémissement d'ailes imperceptibles !
Et le lugubre essaim, vil, céleste, infernal,
Planait, planait toujours, attendant un signal.

Terre ! dit la vigie. Et l'on toucha la rive.
La gloire, qui, parfois, jusqu'aux bandits arrive,
Apparut, et cet homme entrevit les combats,
Les tentes, les bivouacs, et tout au fond, là-bas,

Vous couvrant de son ombre, horreurs atténuées,
L'immense arc de triomphe au milieu des nuées.

Il débarqua. L'essaim planait toujours. Hurrah !
C'est l'heure. Et le Seigneur fit signe au choléra.

La peste saisissant son condamné sinistre,
À défaut du césar acceptant le ministre,
Dit à la guerre pâle et reculant d'effroi :
— Va-t'en. Ne me prends pas cet homme. Il est à moi.
Et cria, de sa voix où siffle une couleuvre :
— Bataille, fais ta tâche et laisse-moi mon œuvre.

Alors, suivant le doigt qui d'en haut l'avertit,
L'essaim vertigineux sur ce front s'abattit ;
Le monstre aux millions de bouches, l'impalpable,
L'infini, se rua sur le blême coupable ;
Les ténèbres, mordant, rongeant, piquant, suçant,
Entrèrent dans cet homme, et lui burent le sang,
Et l'enfer, le tordant vivant dans ses tenailles,
Se mit à lui manger dans l'ombre les entrailles.

Et dans ce même instant la bataille tonna,
Et cria dans les cieux : Wagram ! Ulm ! Iéna !
En avant ! bataillons ! dans la fière mêlée !

Peuples ! ceci descend de la voûte étoilée ;
Et c'est l'histoire et c'est la justice de Dieu :
Pendant que, sous les flots de mitraille, au milieu
Des balles, bondissaient vers le but électrique
Les highlanders d'Écosse et les spahis d'Afrique,
Tandis que, s'excitant et s'entre-regardant,
Le chasseur de Vincennes et le zouave ardent
Rampaient et gravissaient la montagne en décombres
Tandis que Mentschikoff [1] et ses grenadiers sombres,
À travers les obus, sur l'âpre escarpement,

1. Mentschikoff (1789-1869), général russe vaincu à l'Alma et à
Inkermann.

Voyaient, plus effarés de moment en moment,
Monter vers eux ce tas de tigres dans les ronces,
Et que les lourds canons s'envoyaient des réponses,
Et qu'on pouvait, fût-on serf, esclave ou troupeau,
Tomber du moins en brave à l'ombre d'un drapeau,
Lui, l'homme frémissant du boulevard Montmartre,
Ayant son crime au flanc qui se changeait en dartre,
Les boulets indignés se détournant de lui,
Vil, la main sur le ventre, et plein d'un sombre ennui,
Il voyait, pâle, amer, l'horreur dans les narines,
Fondre sous lui sa gloire en allée aux latrines.
Il râlait ; et, hurlant, fétide, ensanglanté,
À deux pas de son champ de bataille, à côté
Du triomphe, englouti dans l'opprobre incurable,
Triste, horrible, il mourut. Je plains ce misérable.

Ici, spectre ! Viens là que je te parle. Oui,
Puisque dans le néant tu t'es évanoui
Sous l'œil mystérieux du Dieu que je contemple,
Puisque la mort a fait sur toi ce grand exemple,
Et que, traînant ton crime, abject, épouvanté,
Te voilà face à face avec l'éternité,
Puisque c'est du tombeau que la prière monte,
Que tu n'es plus qu'une ombre, et que Dieu sur la honte
De ton commencement met l'horreur de ta fin,
Quoique au-dessous du tigre esclave de la faim,
Tu me serres le cœur, bandit, et je t'avoue
Que je me sens un peu de pitié pour ta boue,
Que je frémis de voir comme mon Dieu te suit,
Et que, plusieurs ici, qui sommes dans la nuit,
Nous avons fait un signe avec notre front pâle,
Quand l'ange Châtiment, qui, penché sur ton râle,
Te gardait, et tenait sur toi ses yeux baissés,
S'est tourné vers nous, spectre, en disant : Est-ce assez ?

Jersey.

NOTE

PATRIA. *Musique de Beethoven*

Ce chant en l'honneur de la France a deux auteurs ; l'un français, pour les paroles, l'autre allemand, pour la musique, symbole de cette sainte fraternité de la France et de l'Allemagne que les rois ne parviendront point à détruire. Voici l'admirable musique de Beethoven :

Là-haut qui sou-rit ? Est-ce un es-prit ? Est-ce u-ne fem-me ? Quel front sombre et doux ! Peuple, à ge-noux ! Est-ce notre â me Qui vient à nous ? Cet-te fi-gure en deuil Pa-raît sur no-tre seuil, Et notre an-tique or-gueil Sort du cer-cueil. Ses fiers re-gards vain-queurs Ré-veillent tous les cœurs, Les nids dans les buis-sons, Et les chan-sons.

LES CLÉS DE L'ŒUVRE

I - AU FIL DU TEXTE

II - DOSSIER HISTORIQUE ET LITTÉRAIRE

Pour approfondir votre lecture, LIRE vous propose une sélection
commentée :
• de morceaux « classiques » devenus incontournables, signalés
  par ➠ (droit au but).
• d'extraits représentatifs de l'œuvre, signalés par ➮ (en flânant).

AU FIL DU TEXTE

Par Gérard Gengembre,
professeur de littérature française à l'université de Caen.

AU FIL DU TEXTE

I - DÉCOUVRIR

• LES PHRASES CLÉS

« Rien ne dompte la conscience de l'homme, car la conscience de l'homme, c'est la pensée de Dieu. »

Préface, p. 24.

« C'est pour cela qu'il faut que les vieilles grand'mères
De leurs pauvres doigts gris que fait trembler le temps,
Cousent dans le linceul des enfants de sept ans. »

« Souvenir de la nuit du 4 », II, III, p. 84.

« Toi, tandis qu'au poteau le châtiment te cloue,
Que le carcan te force à lever le menton,
Tandis que, de ta veste arrachant le bouton,
L'histoire à mes côtés met à nu ton épaule,
Tu dis : je ne sens riens ! et tu nous railles, drôle,
Ton rire sur mon nom gaîment vient écumer ;
Mais je tiens le fer rouge et vois ta chair fumer. »

« L'homme a ri », III, II, p. 106.

« Et percez-le toutes ensemble,
Faites honte au peuple qui tremble,
Aveuglez l'immonde trompeur,
Acharnez-vous sur lui, farouches,
Et qu'il soit chassé par les mouches
Puisque les hommes en ont peur ! »

« Le Manteau impérial », V, III, p. 178.

« Il neigeait. On était vaincu par sa conquête.
Pour la première fois l'aigle baissait la tête.
[...]
Waterloo ! Waterloo ! Waterloo ! morne plaine !

[...]
La tombe alors s'emplit d'une lumière étrange
Semblable à la clarté de Dieu quand il se venge ;
Pareils aux mots que vit resplendir Balthazar,
Deux mots dans l'ombre écrits flamboyaient sur César ;
Bonaparte, tremblant comme une enfant sans mère,
Leva sa face pâle et lut : – DIX-HUIT-BRUMAIRE ! »

« L'Expiation », V, XIII, pp. 202, 204, 213.

« Debout, vous qui dormez ; – car celui qui me suit,
Car celui qui m'envoie en avant la première,
C'est l'ange liberté, c'est le géant Lumière. »

« Stella », VI, XV, p. 258.

« Sonnez, sonnez toujours, clairons de la pensée. »

VII, I, p. 263.

« Si l'on n'est plus que mille, eh bien, j'en suis ! Si même
Ils ne sont plus que cent, je brave encore Sylla ;
S'il en demeure dix, je serai le dixième ;
Et s'il n'en reste qu'un, je serai celui-là. »

« Ultima Verba », VII, XIV, p. 307.

« Et nous qui serons morts, morts dans l'exil peut-être,
Martyrs saignants, pendant que les hommes, sans maître,
Vivront, plus fiers, plus beaux,
Sous ce grand arbre, amour des cieux qu'il avoisine,
Nous nous réveillerons pour baiser sa racine
Au fond de nos tombeaux. »

« Lux », p. 318.

• LA DATE

En quittant Paris, Hugo se fait un serment : écrire « l'histoire immédiate et toute chaude » des événements dont il a été « acteur,
témoin et juge » (à Mme Hugo, 14 décembre 1851). Dans sa préface,
Gabrielle Chamarat rappelle l'évolution de ce projet (pp. 5-8).

Les poèmes ont été composés en 1852 et 1853. Le recueil est
publié à Bruxelles les 23 et 24 novembre 1853, par Pierre-Jules
Hetzel avec le concours de l'éditeur belge Henri Samuel, en deux
éditions simultanées, l'une expurgée avec l'indication « Bruxelles,

Henri Samuel », l'autre complète, sans nom d'éditeur et avec la mention « Genève et New York », puis à Paris le 20 octobre 1870 par Hetzel. Hugo est rentré d'exil le 5 septembre. Expurgée ou complète, l'édition originale circule clandestinement en France. En 1870, Hugo ajoute cinq pièces : « Au moment de rentrer en France », « Les Trois Chevaux », « Patria », « Il est des jours abjects... », « Saint-Arnaud ».

Depuis 1843 et l'échec théâtral des *Burgraves*, Victor Hugo n'a pratiquement rien publié, bien qu'il n'eût cessé d'écrire. Son dernier recueil poétique, *Les Rayons et les ombres*, date de 1840 et sa dernière prose, avant *Napoléon le Petit*, *Le Rhin*, date de 1842.

Dans toute la production hugolienne, *Les Châtiments* sont sans doute l'écrit qui est le plus en prise directe avec l'événement historique et politique, venant après *Napoléon le Petit*, publié le 5 août 1852, coup d'État littéraire qui répondait au coup d'État politique, et qui lui a valu l'exil, en Belgique d'abord, à Jersey ensuite. Tournant capital dans sa vie, l'exil fait de Hugo l'opposant par excellence au tyran. « Là-bas dans l'île », le poète mage et prophète prend place dans l'Histoire.

Il prend ainsi une direction contraire à celle de la plupart des écrivains qui se réfugient dans leur art après la coupure de 1848. En effet, ils ont été horrifiés par le spectacle du peuple ouvrier insurgé en juin. Avec *Les Châtiments*, Hugo prend date pour acquérir une stature inégalée dans la mémoire française, celle d'un écrivain héros populaire et mythique.

● LE TITRE

Le titre original est *Châtiments*, sans article. La première à pouvoir circuler librement, l'édition de 1870, ajoute l'article défini[1]. L'intention dénonciatrice est évidente et proclamée. Hugo s'inscrit dans la tradition des poètes imprécateurs, il se fait juge et exécuteur de la sentence. Le langage poétique est une arme, mais aussi un moyen de suppléer à une action politique pour l'heure impossible. Il s'agit alors de se faire prophète : le châtiment infligé grâce aux poèmes se prolongera et trouvera sa pleine efficacité dans et par le châtiment historique, puisque le Mal incarné par les fomenteurs du coup d'État sera vaincu et laissera place à un avenir radieux.

---

1. Cette édition reprend le texte de 1853, ajoute les additions ultérieures mais garde – par commodité – le titre de l'édition de 1870.

• **COMPOSITION**

Le point de vue de l'auteur

Le pacte de lecture

C'est d'abord celui de la parole pamphlétaire et de la poésie satirique. À proprement parler, le pamphlet est un « écrit polémique, assez court, attaquant avec vigueur une personne, un parti, un groupe, une situation, que l'auteur considère comme socialement ou politiquement intolérable. Ce genre littéraire est donc une sorte de satire, mais toujours âcre et virulente, souvent même féroce » (Étienne Souriau, *Vocabulaire d'esthétique*, P.U.F., 1990, p. 1105). La satire au sens étroit est un « poème de longueur moyenne (quelques pages) en un seul mètre, généralement en rimes plates, qui dénonce un travers et le combat par le ridicule. [...] Dans un sens plus large, on appelle satire tout texte littéraire ayant cette fonction de combat par la raillerie » (*ibid.*, p. 1268).

Cependant, en dépit de leur spécificité thématique, *Les Châtiments* sont aussi liés au reste de la production poétique hugolienne, notamment celle postérieure à 1848. En particulier certains poèmes lyriques, comme « Nox », « Expiation » ou « Lux », annoncent *Les Contemplations* ou *La Légende des siècles*.

D'une certaine façon, le recueil traduit l'itinéraire personnel du poète. Face à la criminelle tromperie de Louis-Napoléon Bonaparte, Hugo assume sa fonction de dénonciateur et de prophète. Il approfondit ce qu'il avait énoncé dans le poème « Fonction du poète » du recueil de 1840, *Les Rayons et les ombres* :

> « Peuples ! écoutez le poète !
> Écoutez le rêveur sacré !
> Dans votre nuit, sans lui complète,
> Lui seul a le front éclairé !
> Des temps futurs perçant les ombres,
> Lui seul distingue en leurs flancs sombres
> Le germe qui n'est pas éclos.
> Homme, il est doux comme une femme.
> Dieu parle à voix basse à son âme
> Comme aux forêts et comme aux flots !
>
> C'est lui qui, malgré les épines,
> L'envie et la dérision,
> Marche, courbé dans vos ruines,
> Ramassant la tradition.

De la tradition féconde
Sort tout ce qui couvre le monde,
Tout ce que le ciel peut bénir.
Toute idée, humaine ou divine,
Qui prend le passé pour racine
A pour feuillage l'avenir.

Il rayonne ! Il jette sa flamme
Sur l'éternelle vérité !
Il la fait resplendir pour l'âme
D'une merveilleuse clarté !
Il inonde de sa lumière
Ville et déserts, Louvre et chaumière,
Et les plaines et les hauteurs ;
À tous d'en haut il la dévoile ;
Car la poésie est l'étoile
Qui mène à Dieu rois et pasteurs ! »

Ainsi, on assiste à l'affirmation d'un moi poétique. Il ne s'agit nullement d'un recueil impersonnel. Il possède une dimension lyrique. Il s'agit de la « métamorphose du poète humilié » et « Ultima verba », à la fin du volume, se donne à la fois comme le « testament d'un moi ancien et la justification de l'"âpre exil" » (Bernard Leuilliot).

On peut reprendre les propos de Maurice Blanchot, pour qui, quand la parole devient prophétique, c'est « le présent qui est retiré, et toute possibilité d'une présence ferme et durable » ; elle devient une « mimique vivante », ce qui suppose « l'identification (peut-être hystérique) du prophète à la catastrophe » (Bernard Leuilliot).

Les objectifs d'écriture

La préface indique le propos du recueil : dénoncer le coup d'État, qui se définit comme une accumulation de crimes. Si le recueil s'attache à proposer une lecture de l'événement, il le place sous la lumière déformante de la satire ou de la dénonciation violente. Il s'agit de clouer au pilori bandits et pantins, de fustiger le criminel en chef, héritier symbolique d'une lignée de traîtres remontant à Caïn, de peindre en couleurs crues la fête impériale. Cela s'effectue en opposant la vraie épopée impériale, celle du grand Napoléon, dont l'évocation constitue le véritable fil rouge du recueil. L'avenir apparaît comme la rédemption de ce crime, accomplissement des fins dernières, apothéose de la liberté, à l'ombre de « l'arbre saint du Progrès ». On voit comment Histoire, poésie et mythe se conjuguent, composant une épopée de l'humanité à partir d'un événement qui fait époque.

L'unité d'inspiration se conjugue avec la diversité des tons : on passe de la violence indignée à l'ironie assassine, le poète donne libre cours à la gouaille, à la passion, y mêle des accents pathétiques, des sarcasmes, mais aussi de sublimes envolées... Tout se passe comme si la parole poétique, qui se veut à la fois jugement, sentence et exécution, devait se démultiplier en autant d'actes, et proposer un florilège des genres. De fait, le recueil déploie tour à tour diverses formes : élégie, épopée, invective, chanson (le mot sert cinq fois de titre), satire, diatribe, discours, fable (*Fable ou histoire*, III, III), vision prophétique.

« Dante, Tacite, Juvénal, Jérémie, David sont violents. Jésus était violent, il prend une verge et il frappe de toutes ses forces, dit saint Chrysostome. Comme Jésus, je frappe de toute ma force. [...] Ce n'est pas avec de petits coups qu'on agit sur les masses. J'effaroucherai le bourgeois, peut-être, qu'est-ce que cela me fait si je réveille le peuple ? Enfin, n'oubliez pas ceci : je veux avoir un jour le droit d'arrêter les représailles, de me mettre en travers des vengeances, d'empêcher s'il se peut le sang de couler, et de sauver toutes les têtes, même celle de Louis Bonaparte. Or, ce serait un pauvre titre que des rimes modérées. Dès à présent, comme homme politique, je veux semer dans les cœurs, au milieu de mes paroles indignées, l'idée d'un châtiment autre que le carnage. Ayez mon but présent à l'esprit : clémence implacable... Être violent, qu'importe ? Être vrai, tout est là » (lettre à Hetzel, 6 février 1853).

Structure de l'œuvre

La préface place le recueil sous la lumière d'une parole fulgurante : « Si l'on met un bâillon à la bouche qui parle, la parole se change en lumière, et l'on ne bâillonne pas la lumière. »
Les Châtiments se définissent comme « traversée de l'ombre vers la lumière » (Bernard Leuilliot). L'ensemble des poèmes (6 200 vers) se dispose entre « Nox » (composé du 16 au 22 novembre 1852) et « Lux » (16-20 décembre), entre une ouverture qui concentre les thèmes de l'œuvre et un épilogue qui prophétise la délivrance, garantie par Dieu, et l'« épanouissement de l'homme sous le ciel ». Cette structure s'est aussi élaborée avec « L'Expiation » (25-30 novembre). Ce mouvement d'ensemble sera également celui des autres grands recueils de l'exil et Pierre Albouy en a donné la formule : « Chute, Expiation, Rédemption. » Le 24 février 1853,

Hugo achève « La Vision de Dante », initialement prévue pour être le livre VIII du recueil, mais qui ne sera publiée qu'en 1883 dans la série complémentaire de *La Légende des siècles*.

Six des sept livres prennent pour titre les formules officielles par lesquelles l'usurpateur entend légitimer son forfait, déclinant par antiphrase les crimes du régime et, mimant le parcours de Josué autour de Jéricho (« Sonnez, sonnez toujours clairons de la pensée... », VII), font surgir la parole vengeresse et justicière : « La société est sauvée », « L'ordre est rétabli », « La famille est restaurée », « La religion est glorifiée », « L'autorité est sacrée », « La stabilité est assurée ». Le septième livre résume en son titre toute l'espérance du poète : « Les sauveurs se sauveront. »

Outre cette logique implacable, le recueil obéit aussi à l'ordre d'un trajet mythique. D'abord voix, le poète devient moi. Exprimant la conscience dilatée d'un sujet de l'histoire, le livre devient un « livre-monde » (Pierre Albouy). Tout procède par antithèses, et cette figure privilégiée de la poésie hugolienne constitue la structure profonde du recueil.

On peut détailler l'organisation de celui-ci en insistant sur quelques lignes de force **thématiques** :

1. « Nox » se compose de neuf parties qui varient les mètres et les strophes. Il se présente comme une ouverture. Hugo y concentre les thèmes de l'œuvre et y dispose des tons variés : indignation, raillerie bouffonne, satire épique, épopée lyrique, caricature... Il s'agit d'écrire une histoire symbolique de l'événement, de rappeler la figure de l'Oncle glorieux, évocation à la fonction dévalorisante, de brosser le tableau de l'orgie des gens d'ordre, d'évoquer les victimes. Ensuite, le poète fustige la sinistre dérision impie du *Te Deum*, se pose comme l'exilé debout sur son rocher dialoguant avec la mer, lance un appel à la vengeance au nom de « L'Idée à qui tout cède et qui toujours éclaire », avant d'invoquer la Muse Indignation pour dresser « assez de piloris pour faire une épopée ». On voit comment le poème contient en germe tout le recueil.

2. À cette pièce initiale répond d'abord le dernier poème numéroté, « Ultima Verba ». On aura une structure semblable dans *Les Contemplations*, où « Ce que dit la bouche d'ombre » est le dernier poème numéroté, qui énonce la contemplation suprême, et où « À celle qui est restée en France », le poème conclusif, s'adresse une dernière fois à la destinataire privilégiée du recueil, Léopoldine, la fille disparue.

Les seize quatrains d'« Ultima verba » sont symboliquement datés du 2 décembre 1852. Il s'agit d'installer définitivement la figure du poète, qui refuse de plier devant l'adversité et les puissances coalisées autour du César criminel. Il se fait « la voix qui dit : malheur ! la bouche qui dit : non ! », et il revendique fièrement la solitude, cette vertu suprême : « Et s'il n'en reste qu'un je serai celui-là ! » C'est le défi lancé par le poète à l'ordre triomphant, la révolte de la parole poétique.

3. « Lux », la conclusion (qui sera elle-même suivie de « La Fin », sorte de vision de guerre apocalyptique sonnant la « dernière heure des rois, première heure des hommes ! »), retrouve symétriquement l'alternance strophique et métrique de « Nox ». Le poète prophétise la délivrance, garantie par Dieu, et, au-delà, l'« épanouissement de l'homme sous le ciel ». On a affaire à l'évocation d'une fin de l'Histoire, d'un accomplissement des fins dernières, en une apothéose de la liberté. L'avenir se couvre de « l'arbre saint du Progrès ».

4. Le livre contient plus que la seule dénonciation du coup d'État. Il embrasse une véritable épopée de l'humanité, ce qui annonce déjà l'ambition de *La Légende des siècles*. En effet, une lignée de tyrans et de criminels issue de Caïn aboutit à Napoléon III : voir en particulier « Cette nuit-là », I, VII ; « Ad majorem dei gloriam », I, VII ; « On est Tibère… », V, VI ; « Éblouissements », VI, V… De même, depuis Judas, une lignée de traîtres se continue chez ses acolytes. Face à ces figures maudites, se dresse une succession de grands ancêtres, de libérateurs et de martyrs qui se réincarnent en Victor Hugo. Voir notamment « La Caravane », VII, VII, et « Ce serait une erreur de croire que ces choses… », VII, IX.

5. Le recueil accentue le travail sur l'antithèse. Rappelons que les titres des livres sont autant d'antiphrases. C'est pourquoi Hugo alterne farce et épopée, grotesque et terreur. Il s'agit d'exposer le spectacle de la nouvelle société issue du crime sous autant d'éclairages violents. Voir « Apothéose », III, I ; « Ainsi les plus abjects… », III, IV. Le poète est confronté à un terrible cortège d'avortons hideux : « Floréal », VI, XIV.

6. Annoncé par « Nox », le motif nocturne, associé au crime, scande le livre : « Cette nuit-là », I, V ; « C'est la nuit ; la nuit noire… », I, XIV ; « On loge à la nuit », IV, XIII ; « Cette nuit, il pleuvait… », VII, VIII, et bien sûr « Souvenir de la nuit du 4 », II, III.

7. Pour rendre justice à ces bandits et à ces pantins, le poète convoque les grandes ombres du panthéon littéraire, les maîtres de la satire : « Juvénal », VI, XIII ; Dante, Rabelais, Shakespeare, Beaumarchais (« Splendeurs », III, VIII)… La satire se donne de multiples cibles qu'elle déchire férocement :

– dévots (mais Hugo se garde de tomber dans l'anticléricalisme :
« À un martyr », I, VIII) : « Approchez-vous ; ceci c'est le tas des
dévots » (I, III) ;
– boutiquiers : « Un bon bourgeois dans sa maison » (II, VII) ;
– journalistes : « À des journalistes de robe courte » (IV, IV) ;
– juges : « Les Commissions mixtes », (IV, III), « Grands Corps de
l'État » (V, VII) ;
– conservateurs : « Paroles d'un conservateur » (VII, XI) ;
– courtisans du sérail : « Querelles du sérail » (III, V).

Le tout forme « Le Parti du crime » (VI, XI) qui célèbre
d'ignobles et bouffonnes « Idylles » (II, I).

8. Face à cette tourbe et à cette fange, se dresse la troupe martyre
des victimes souvent innocentes, à laquelle s'ajoutent les déportés :
« À quatre prisonniers », IV, XII ; « Hymne des transportés », VI, III,
et la catégorie particulière des femmes : « Les Martyres », VI, II.
Cette masse anonyme impose au poète et aux hommes de
conscience respect et pitié (« Aux morts du 4 décembre », I, IV ;
« Souvenir de la nuit du 4 », II, III).

9. Le peuple passif est tancé, admonesté (« Au Peuple », II, II ;
« À ceux qui dorment », VI, VI). Il est réduit, à l'exception des
femmes, ici encore privilégiées (« Aux femmes », VI, VIII), à un
troupeau (« Ceux qui vivent, ce sont ceux qui luttent… », IV, IX). Si
la nation avilie (« Applaudissement », VI, XVI) doit être vengée par
un « esprit vengeur » (« Oh ! je sais qu'ils feront des mensonges… », I, XI), il n'en reste pas moins que c'est bien en ce
peuple dégradé que réside l'espoir (« Au Peuple », VI, IX).

10. Si l'oppression étouffe l'Europe entière (« Carte d'Europe »,
I, XII), la fête impériale bat son plein et se livre à de monstrueuses
épousailles avec la nation (« L'Empereur s'amuse », III, X – qui rappelle le titre d'un drame de Hugo, *Le Roi s'amuse*). Tout fait du
régime une suite d'orgies : « Chanson », I, X ; « Joyeuse Vie », II,
IX ; « L'Histoire a pour égout… », III, XIII… et transforme la France
en lupanar, en maison de jeu et en cloaque (« L'Égout de Rome »,
VII, IV), souillé de vin et de sang. Tout un registre de motifs
sadiques et digestifs se déroule dans les poèmes, épopée rouge et
noire.

11. Véritable fil rouge du recueil, constamment rappelée, domine
l'épopée impériale, la seule, la vraie. Napoléon le Grand écrase le
Petit (« Chanson », VII, VI), de « Toulon » (I, II) à la morne plaine
de Waterloo (« L'Expiation », V, XIII) en passant par Wagram (« Ô

drapeau de Wagram ! ô pays de Voltaire !... », V, v). Tout chez Louis-Napoléon Bonaparte insulte les abeilles du « Manteau impérial » (V, III), sans effacer pourtant le précédent du Dix-Huit Brumaire (« *L'Expiation* »). À la soldatesque avide de répression privée de perspective glorieuse (« La Reculade », VII, II) s'opposent les héros de jadis, soldats de l'an II (« À l'obéissance passive », I, VII) et immortelles phalanges des guerres impériales.

12. La fureur homicide est au cœur des *Châtiments*, développée à partir du désir de vengeance et de fustigation (« Le Chasseur noir », VI, III). Mais, au nom de la « Force des choses » (VII, XII), il ne faut point, pour punir l'homme qui rit (III, II), cet empereur qui s'amuse (III, x), de tyrannicide (« Non », III, XVI ; « Sacer esto », IV, I). « L'Aube » illuminée viendra (IV, x), comme l'affirment « Stella » (VI, xv) et « Luna » (VI, VII), puis « Patria ». Aux ombres terrifiantes succéderont les rayons célestes. Souvent animalisé en loup ou en singe, cité à comparaître devant la face divine du soleil (I, IV), dans un cosmos où résonnent les voix allégoriques (« Le Bord de la mer », III, xv), « Napoléon III » (VI, I), dont le « Sacre » se chante de manière dérisoire sur l'air de Malbrouck (V, I), doit répondre devant « Le Progrès, calme et fort et toujours innocent » (V, VIII). Le mal, Satan seront vaincus. Il faut accorder toute son importance à « Stella », vision lyrique de l'ange Liberté.

13. Au total, on voit comment Hugo pense son recueil : « encrier contre canon » (lettre à Mme Hugo, 26 février 1852).

II - LIRE

Pour approfondir votre lecture, LIRE vous propose une sélection commentée de morceaux « classiques » devenus incontournables, signalés par •◆ *(droit au but).*

Nous donnons ici quelques pistes pour la lecture méthodique de quinze poèmes.

•◆ **1 - « *Nox* » (II)**
   de « C'est fini... » à « ... Veuillot ».   pp. 28-29

- Le titre du poème renvoie à la nuit du 1er au 2 décembre 1851, celle des derniers préparatifs du coup d'État, à la nuit du 4, la fête des vainqueurs après le massacre de l'après-midi, à la nuit générale du second Empire, aux ténèbres de la tyrannie et de l'obscurantisme. Cette nuit s'oppose à la lumière du poème conclusif, « Lux ».
- Le tableau du triomphe des comploteurs est celui d'une orgie sanglante au milieu des cadavres. Remarquer les champs lexicaux du feu, du sang, de la mort, de l'argent, de la fête.
- Cette partie du poème se présente comme une accumulation descriptive à forte charge dénonciatrice. Les différentes cibles que le poète visera tout au long du recueil sont déjà énumérées.

•◆ **2 - « *Oh ! je sais qu'ils feront des mensonges sans nombre...* » (I, XI)**   pp. 68-70

- Hugo définit ici sa mission poétique. Il doit s'engager dans le combat et devenir prophète.
- Parmi les images choisies pour caractériser le poète, notons le gardien de prison, le gueux le fouetteur, l'esprit vengeur. Toutes ces comparaisons sont reprises et amplifiées dans le recueil.
- Le poète parle à et au nom de la collectivité, et il a la nature pour témoin. Sa fonction est ainsi élargie à l'universalité.

3 - « *Souvenir de la nuit du 4* » (II, III)   pp. 83-84

- Une scène vue restituée presque comme un reportage.
- Une anecdote tragique traitée par les moyens du pathos.
- Un acte d'accusation rendu d'autant plus percutant par le choix de la victime.

4 - « *Puisque le juste est dans l'abîme...* » (II, V)   pp. 86-87

- Ce poème est construit rhétoriquement. Remarquer notamment le rôle des anaphores et repérer les articulations logiques.
- La France républicaine apparaît bafouée et soumise à une terrible déchéance.
- L'exilé se réfugie dans son exil et au sein de la nature. Noter les métaphores qui la caractérisent et qui la symbolisent comme réceptacle de valeurs morales.

5 - « *À l'obéissance passive* » (II, VII, I)
**   les 9 premières strophes**   pp. 91-93

- La composition du passage suit la progression d'un grandissement épique.
- Hugo célèbre l'héroïsme révolutionnaire dont on devine qu'il sera opposé à la bassesse et à la lâcheté des comploteurs et de la soldatesque du coup d'État.
- La structure strophique en 12/12/6/12/12/6 permet un rythme altier en harmonie avec l'Histoire évoquée et mythifiée. Cela va de pair avec le jeu des sonorités.

6 - « *Fable ou histoire* » (III, III)   p. 107

- La fable est imité de La Fontaine, comme le montrent plusieurs traits de style.
- Le singe est Louis-Napoléon Bonaparte, le tigre Napoléon Ier et le belluaire le poète.
- Le jeu sur les mots du titre : la fable est une dénonciation satirique transparente, elle raconte une histoire dont le sens est clair, elle explique l'Histoire.

- Les trois derniers vers participent à la définition de la mission du poète.
- Remarquer le présent du dernier vers, qui situe l'enjeu du poème et de l'ensemble du recueil.

7 - « *Ce que le poète se disait en 1848* » (IV, II)   p. 146

- Il s'agit d'une des pièces avant l'exil dont la fonction est de montrer au lecteur la permanence des préoccupations du poète tout en possédant une dimension autocritique.
- Il faut se souvenir que Hugo avait d'abord soutenu le prince-président, mais celui-ci a changé, et Hugo a gardé la même attitude.
- On soulignera l'importance des rejets dans les vers 1 et 2 après la césure et en début de vers (« le pouvoir » « ton œuvre ») Voir aussi le rejet de « paître » au vers 6, de « s'égorge » au vers 9, le rejet après la césure de « et désarmé » au vers 12.
- Noter aussi l'importance et l'effet des enjambements.

8 - « *Ceux qui vivent, ce sont ceux qui luttent...* » (IV, IX)   pp. 162-163

- Remarquer la mise en relief du verbe « luttent » par le rythme du vers 1.
- Tout le poème vise à célébrer l'énergie, physique et morale. Il met sur le même plan les grandes figures emblématiques (le penseur, le prophète) et les humbles travailleurs.
- Il leur oppose la foule anonyme, passive et versatile, tirée du côté du corps et de ses appétits, aliénée.
- Le poète veut parler pour une autre humanité, celle qui s'élève par la lutte et la pensée.

9 - « *Chanson* » (V, II)   p. 176

- Ce poème court n'est en rien anodin malgré sa forme légère affectée.
- Le poète met en scène Dieu et Satan en les humanisant. Leur jeu rappelle ceux des dieux de la mythologie grecque jouant le destin des hommes.
- La chanson dénonce les grands personnages et les rabaisse comme marionnettes du diable.

– Pour apprécier l'intention de Hugo dans l'utilisation du genre
chanson, on peut citer ces vers des *Feuilles d'automne* :

> « Si parfois de mon sein s'envolent mes pensées,
> Mes chansons par le monde en lambeaux dispersées ;
> S'il me plaît de cacher l'amour et la douleur
> Dans le coin d'un roman ironique et railleur ;
> Si j'ébranle la scène avec ma fantaisie,
> Si j'entre-choque aux yeux d'une foule choisie
> D'autres hommes comme eux, vivant tous à la fois
> De mon souffle et parlant au peuple avec ma voix ;
> Si ma tête, fournaise où mon esprit s'allume,
> Jette le vers d'airain qui bouillonne et qui fume
> Dans le rythme profond, moule mystérieux
> D'où sort la strophe ouvrant ses ailes dans les cieux :
> C'est que l'amour, la tombe, et la gloire, et la vie,
> L'onde qui fuit, par l'onde incessamment suivie,
> Tout souffle, tout rayon, ou propice ou fatal,
> Fait reluire et vibrer mon âme de cristal,
> Mon âme aux mille voix, que le Dieu que j'adore
> Mit au centre de tout comme un écho sonore. »

10 - « *Le manteau impérial* » (V, III)   pp. 177-178

– La pourpre du manteau impérial de Napoléon Iᵉʳ était semée
d'abeilles d'or.
– Le poète donne ici vie à ces abeilles et les charge d'une mission
morale en les lançant à l'attaque de Napoléon III, indigne héritier
de son oncle.
– L'idéalisation des abeilles contraste avec la fange et l'infamie.
– En précipitant son rythme, le mouvement du poème passe d'une
ouverture lyrique à une charge vengeresse contre l'usurpateur.
Remarquer la douceur des onze premiers vers avec l'annonce de
l'exhortation qui va suivre. Suivront des impératifs et des apostrophes.

11 - « *L'Expiation* » (V, XIII)
les trois premières parties   pp. 202-208

– Sans être annoncé immédiatement, le thème de l'expiation est
suggéré dès les deux premiers vers. Puis s'organise une suite de
tableaux qui progressent vers le châtiment.

- La tonalité épique est à la mesure de l'épisode napoléonien, et procède par animations.
- On peut insister sur le jeu des rejets qui dramatisent le récit.
- De même, on remarque la variété du rythme des vers, qui se conforme à chacune des phases.
- La troisième partie développe la comparaison de Napoléon avec Prométhée.

●◆ **12 - « *Stella* » (VI, xv)**   pp. 257-258

- Le titre est évidemment révélateur. Il s'agit d'écrire l'un des poèmes de la lumière avant la conclusion énoncée dans « Lux ».
- La nature permet de définir une sorte d'état de grâce, propice à la révélation et à la vision prophétique.
- Le poème s'organise selon une révélation progressive qui se marque par des changements de rythme.
- Les métaphores participent à la mise en place d'un symbolisme.

●◆ **13 - « *Sonnez, sonnez toujours, clairons de la pensée…* » (VII, I)**   pp. 263-264

- Hugo réutilise un épisode de la Bible (*Josué*, VI), la prise de Jéricho par les Hébreux, quand la trompette de Josué a fait miraculeusement tomber les murailles de la ville. Hugo ne conserve de cet épisode que les sept tours du septième jour.
- L'histoire prend une valeur symbolique, et le poète y trouve une confirmation de sa mission.
- Un double contraste dynamise le poème : entre les Hébreux et les habitants de la ville ; entre l'épopée et les éléments familiers.
- La progression du texte se fait selon une logique dramatique.
- Le rôle du premier vers est essentiel : l'apostrophe vise à asseoir le sens symbolique du poème qui ensuite se déroule narrativement.

●◆ **14 - « *Cette nuit il pleuvait…* » (VII, VIII)**   p. 286

- En apparence, le thème du poème semble différent de la ligne générale du recueil. Cependant le dernier vers montre qu'il n'en est rien. Rétrospectivement d'autres éléments du poème établis-

sent le lien. Voir notamment « Et la vague, dressant sa tête sur l'abîme, / Comme pour éloigner un témoin de son crime, / Furieuse, se mit à hurler après moi ».
- Les éléments sont anthropomorphisés et les hommes sont impuissants.
- Dieu est présenté ici comme une divinité destructrice, qui se joue de ses créatures. Le mystère de la création s'épaissit. Le mal fait partie de l'ordre obscur du monde.

15 - « *Ultima verba* » (VII, XIV, strophes 5 à 16)   pp. 305-307

- La composition du passage peut être établie ainsi : une période de 4 strophes, suivie d'une chute ; une élégie de l'exil développée sur 6 strophes ; la dernière strophe proclamant le défi du poète.
- Remarquons la structure rhétorique des 4 premiers quatrains et le jeu de l'anaphore. Cette première partie brosse le portrait d'un César criminel et lui oppose les proscrits.
- La chute statufie l'exilé qui réitère son amour de la patrie et de la liberté.
- La posture de l'exilé est celle d'un « je » farouche et déterminé, fier de sa singularité et de sa solitude. Le Moi du poète à lui seul renvoie l'oppression à son ignominie.

• **LES THÈMES CLÉS**

- Le coup d'État comme crime.
- Napoléon le Petit comme caricature grotesque et odieuse de Napoléon le Grand.
- Le retournement grotesque.
- La dénonciation de l'orgie impériale et de tous ses profiteurs.
- La grandeur des victimes.
- L'appel à la révolte et à la vengeance.
- L'évocation d'un avenir lumineux et républicain, utopie nécessaire.
- L'explication des vrais enjeux de l'événement et de l'Histoire.
- L'opposition de la parole du mage, du prophète, du génie.
- La situation de l'exilé.
- La force de l'invective, de la dérision, de l'ironie contre l'oppression.

III - POURSUIVRE

- ## LECTURES CROISÉES

Quelques citations de Hugo

« Je hais l'oppression d'une haine profonde.
[…]
Oh ! la muse se doit aux peuples sans défense.
J'oublie alors l'amour, la famille, l'enfance,
Et les molles chansons et le loisir serein,
Et j'ajoute à ma lyre une corde d'airain. »

Les Feuilles d'automne, 1831.

« Ô Muse, contiens-toi ! Muse aux hymnes d'airain !
Muse de la loi juste et du droit souverain !
Toi dont la bouche abonde en mots trempés de flamme,
Étincelles de feu qui sortent de ton âme,
Oh ! ne dis rien encore et laisse-le aller.
[…]
Qu'aucun pan de ta robe en leur fange ne traîne ;
Et que tous ces pervers tremblent dès à présent
De voir auprès de toi, formidable, et posant
Son ongle de lion sur ta lyre étoilée,
Ta colère superbe à tes pieds muselée. »

Les Rayons et les ombres, 1840.

« La forme et le fond sont aussi invisibles que la chair et le sang. […] Fouillez les étymologies, arrivez à la racine des vocables, image et idée sont le même mot. Il y a entre ce que vous nommez forme et ce que vous nommez fond identité absolue, l'une étant l'extérieur de l'autre, la forme étant le fond rendu visible. »

« Promontorium Somnii », *Post-scriptum de ma vie*.

« Le poète en des jours impies
Vient préparer des jours meilleurs.
Il est l'homme des utopies,
Les pieds ici, les yeux ailleurs. »

Les Rayons et les ombres.

« L'art pour l'art peut être beau, mais l'art pour le progrès est plus beau encore. Le génie n'est pas fait pour le génie, il est fait pour l'homme [...]. Quelques purs amants de l'art, épris d'une préoccupation qui, du reste, a sa dignité et sa noblesse, écartent cette formule : l'art pour le progrès, le beau utile, craignant que l'utile ne déforme le beau [...]. Ils se trompent. L'utile, loin de circonscrire le sublime, le grandit. Aide des forts aux faibles, aide des grands aux petits, aide des libres aux enchaînés, aide des penseurs aux ignorants, aide du solitaire aux multitudes, telle est la loi depuis Isaïe jusqu'à Voltaire. Qui ne suit pas cette loi peut être un génie, mais n'est qu'un génie de luxe. En ne maniant point les choses de la terre, il croit s'épurer, il s'annule. Il est le raffiné, il est le délicat, il est peut-être l'exquis, il n'est pas le grand » (*William Shakespeare*, 1864).

« Un rêveur qui se promène seul sur une grève, un désert autour d'un songeur, une tête vieillie et tranquille autour de laquelle tournent des oiseaux de tempête étonnés, l'assiduité d'un philosophe au lever rassurant du matin. Dieu pris à témoin de temps en temps en présence des rochers et des arbres, un roseau qui non seulement pense, mais médite, les cheveux qui de noirs deviennent gris et de gris deviennent blancs dans la solitude, un homme qui se sent de plus en plus devenir une ombre, le long passage des années sur celui qui est absent, mais qui n'est pas mort, la gravité de ce déshérité, la nostalgie de cet innocent, rien de plus redoutable aux malfaiteurs couronnés.

Quoi qu'ils fassent, les tout-puissants momentanés, l'éternel fond leur réussite. Ils n'ont que la surface de la certitude, le dessous appartient aux penseurs. De là l'immortelle espérance. Vous exilez un homme. Soit. Et après ? Vous pouvez arracher un arbre de ses racines, vous n'arracherez pas le jour du ciel. Demain, l'aurore » (*Actes et paroles*, 1875).

« Le droit, c'est le juste et le vrai. Le propre du droit, c'est de rester éternellement beau et pur. Le fait, même le plus nécessaire en apparence, même le mieux accepté des contemporains, s'il n'existe que comme fait et s'il ne contient que trop peu de droit ou point du tout de droit, est destiné infailliblement à devenir, avec la durée du temps, difforme, immonde, peut-être même monstrueux » (*Actes et paroles*, 1875).

Pour mesurer l'évolution de Hugo, de « La Fonction du poète » aux poèmes des *Contemplations* comme « Le Poète s'en va dans les

champs » (I, II), « Oui, je suis le rêveur... » (I, XXVII), « Il faut que
le poète... » (I, XXVIII), « Le Poète » (III, XXVIII), « Magnitudo
Parvi » (III, XXX), « Les Mages » (VI, XXIII) et « Ce que dit la
bouche d'ombre » (VI, XXVI), on ajouterait entre autres nombreuses
pièces :
- « Le Poète dans les révolutions », *Odes et ballades*, texte de
  1821.
- « Le Poète », *Odes et ballades*, texte de 1823.
- « Ce qu'on entend sur la montagne », *Les Feuilles d'automne*,
  texte de 1829.
- « Le Satyre », *La Légende des siècles*, 1859.
- « Le Poète bat aux champs », *Chansons des rues et des bois*,
  1865.
- « Le Poète prend la parole », *La Corde d'airain*, d'abord publié
  avec la seconde série de *Toute la lyre*, 1893.

L'image de Napoléon chez Hugo

Grande figure traversant l'œuvre de Hugo, Napoléon illustre par
la succession de ses représentations l'évolution politique du poète.
Avant 1823, il est l'agent de la colère divine, le despote, l'usurpateur. Lorsque Hugo retrouve son père, général de l'Empereur, il
célèbre la grandeur de l'épopée napoléonienne et médite sur le
destin fabuleux de l'Aigle. En 1827, l'ode « À la colonne Ven-
dôme » chante la gloire impériale. De plus en plus fasciné, Hugo
sacralise Napoléon dans *Les Orientales*, puis dans *Les Feuilles
d'automne* et les recueils suivants, l'érigeant en esprit supérieur à la
pensée immense et clairvoyante. Après le coup d'État de Louis-
Napoléon Bonaparte, le neveu, l'Oncle devient pour Hugo la figure
de comparaison dévalorisante pour Napoléon le Petit (qui donne son
nom au texte publié en 1852). *Les Châtiments* exaltent systémati-
quement le souvenir du grand homme et sa dimension épique pour
mieux dénoncer la petitesse et la vulgarité de la fête impériale.
Toute une philosophie de l'Histoire trouve ainsi son expression
quasi allégorique, Hugo faisant de la chute et du martyre de l'Empereur la grandeur poétique d'un nouveau Prométhée. Le chapitre
des *Misérables* consacré à Waterloo est sans doute l'un des textes
les plus représentatifs de cet aboutissement.

« [Mille ans après Charlemagne] un autre génie est venu, qui a
ramassé ce glaive et ce sceptre, et qui s'est dressé debout sur le
continent, qui a fait l'histoire gigantesque dont l'éblouissement
dure encore, qui a enchaîné la révolution en France et qui l'a déchaî-

née en Europe, qui a donné à son nom pour synonymes éclatants Rivoli, Iéna, Essling, Friedland, Montmirail ! » (*Actes et paroles*, 1875).

La Révolution chez Hugo

On se référera à l'édition Pocket de *Quatrevingt-Treize* (n° 6110).

Hanté par la Révolution, Victor Hugo voit dans le XIXᵉ siècle le fils de l'événement climatérique, ce « grand fait chaotique et génésiaque que nos pères ont vu et qui a donné un nouveau point de départ au monde » (*William Shakespeare*, 1864). Il fait s'équivaloir Révolution et sens même de l'Histoire. « Ce mot, Révolution, sera le nom de la civilisation, jusqu'à ce qu'il soit remplacé par le mot Harmonie » (*ibid.*). L'action poétique et politique s'écrit constamment au verso d'une page sans cesse relue et interrogée.

Si Hugo s'éprouve initialement comme étant du « parti de sa mère », fidèle à la légende d'une Sophie Trébuchet vendéenne, s'il fait de la Vendée une métaphore de sa propre origine, il se rapproche à la fois de son père et de la Révolution après la mort de sa mère. Vers la fin de la Restauration, après 1827, Victor Hugo, révolutionnaire en littérature, le devient progressivement en politique. En 1830, il identifie le « vaste progrès » qui s'accomplit en art à un « corollaire immédiat de notre grand mouvement social de 1789 ». Puis l'exil lui rendra plus proches les figures de Danton et Robespierre. Fondamentalement, ses vues politiques ne changeront guère. L'exemple de la Terreur, considérée comme paroxysme de la Révolution, nous le montre : elle est affreuse dans l'absolu, contingence nécessaire à son heure, inutile et probablement impossible désormais.

Donc, après avoir exalté « La Vendée » en 1819, qualifié 1793 de « saturnales de l'athéisme et de l'anarchie » dans la préface des *Odes*, refusé les « gens coiffés du bonnet rouge et entêtés de la guillotine » (*Journal d'un révolutionnaire de 1830*, recueilli dans *Littérature et philosophie mêlées*, 1834), désigné « 93, point noir dans le ciel bleu de 89 » (*Étude sur Mirabeau*, 1835), proclamé en 1841 dans son discours de réception à l'Académie française la grandeur de la Convention (« Assemblée qui a brisé le trône et qui a sauvé le pays […], qui a commis des attentats et qui a fait des prodiges ; que nous pouvons détester, que nous pouvons maudire, mais que nous devons admirer ! »), Hugo se décide sans retour pour la République, et fustige à partir des *Châtiments* toutes les monarchies de l'Histoire. Pièce liminaire, « Nox » comporte une invocation à 93.

Puis *Les Contemplations* (« Les révolutions, qui viennent tout venger, / Font un bien éternel dans leur mal passager », « Écrit en 1846 ») et l'épopée écrite en 1857, mais publiée seulement en 1881 dans *Les Quatre Vents de l'esprit* marquent de façon décisive la place que 1793 prend désormais dans l'imaginaire hugolien : « Car ce quatrevingt-treize où vous avez frémi, / Qui dut être, et que rien ne peut plus faire éclore, / C'est la lueur de sang qui se mêle à l'aurore » (« Écrit en 1846 »).

1793 figure également dans *Les Misérables* et sous-tend le dialogue entre Monseigneur Myriel et l'ancien conventionnel G. (I, x). S'y confirme l'idée que la Terreur ne saurait avoir le dernier mot, ce que l'ajout de 1870 au poème de 1857 corrobore : « Soit. Mais quoi que ce soit qui ressemble à la haine / N'est pas le dénouement, et l'aurore est certaine... » Non daté, destiné à une publication posthume, « L'Échafaud » rassemble tous les thèmes pertinents pour comprendre le roman. Quant à « Jean Chouan », écrit en 1876, il vaut comme postface à *Quatrevingt-Treize*, roman de la Révolution, portant un ultime regard sur les « héros de l'ombre ».

• PISTES DE RECHERCHES

Exposés et dossiers : questions thématiques

– La composition du recueil ; l'évolution entre les poèmes liminaire et conclusif ; les titres des parties ; l'alternance des genres.
– La poésie de l'engagement.
– La figure de Louis-Napoléon Bonaparte ; Napoléon le Grand et Napoléon le Petit.
– Le thème du grotesque.
– Les différents genres à l'œuvre dans le recueil : satire, épopée, ode, etc. :
  • L'élargissement de la satire en épopée, l'évocation d'un passé glorieux, la vision épique d'un avenir lumineux.
  • Le rôle du lyrisme qui change les rythmes (voir les chansons), apporte une détente ou chante l'espoir de temps meilleurs.
– L'antithèse comme principe organisateur et comme figure centrale.
– Les références bibliques, mythologiques et historiques.
– L'ironie : sarcasmes, invectives, dévalorisation par le ridicule et l'abaissement.
– La figure du poète : l'exilé, le dénonciateur, le juge, le bourreau, le mage, le prophète.

- Le peuple.
- Les cibles de la satire.
- L'image de l'Empire : la débauche et l'orgie, l'oppression, les profiteurs et le règne de l'argent.
- L'image de la France.
- La communion avec les victimes et avec l'univers.
- La morale et l'idéal politique de liberté, de justice, de progrès et de bonheur (« J'ai reconnu qu'il ne suffisait pas d'être pour l'idée, qui est la liberté, et qu'il fallait être aussi pour la forme, qui est la république. Rien ne vit hors de sa forme », *Souvenirs personnels*).
- Le thème de l'exil.

Utilisation du dossier historique et littéraire

Outre un index des noms propres et un historique de la période et de la composition du recueil, deux utiles instruments de travail, le dossier historique et littéraire suit l'histoire du texte, de sa genèse à sa publication. Il propose ensuite des extraits des deux autres textes pamphlétaires participant de la polémique hugolienne contre Napoléon III : *Histoire d'un crime* et *Napoléon le Petit*, tous deux en prose. Il ajoute des extraits d'*Actes et paroles* qui permettent de situer l'action et la pensée politiques de Hugo durant cette période cruciale, qui s'éclaire autrement grâce au projet de Constitution qu'Émile de Girardin avait élaboré et envoyé à Louis-Napoléon Bonaparte, qui n'en tint aucun compte.

À l'aide d'une telle documentation, un travail d'envergure peut être mené pour mettre en place la figure politique de Victor Hugo, en la comparant à celle qu'il adopta sous la Restauration, et l'élargir à ses prises de position postérieures, notamment après la Commune et quand il publie *Quatrevingt-Treize*.

Pour situer Victor Hugo : la notion de poète mage et prophète

Dans la postulation lyrique, le poète est d'abord celui qui dit « je ». Dès lors, le Moi devient sujet et objet du poème. Dans un premier temps, le cœur, ses affres, ses élans deviennent l'enjeu et le lieu de la poésie, chargée de dire l'émotion. Le battement du cœur trouve son écho dans le rythme du vers (« Ah ! frappe-toi le cœur, c'est là qu'est le génie » dira Musset). Mais on ne saurait réduire la figure du poète romantique à l'image réductrice et fausse des sanglots, des épanchements, des sentiments sans cesse et complaisamment étalés. Après celui de l'écrivain, un véritable sacre du Poète s'effectue à l'époque romantique.

Il faut insister sur le sens du mot « Poète » – surtout écrit avec une majuscule : il ne désigne plus tant une compétence technique de versificateur qu'un être compris dans sa globalité. Cette évolution sémantique est liée à celle des mots poésie et poème. Nommant encore une écriture soumise à des règles prosodiques, poésie définit aussi une certaine qualité des idées et des sentiments, pour devenir « miroir de la Divinité » qui réfléchit par les couleurs, les sons et les rythmes toutes les beautés de l'univers, selon le mot de Mme de Staël dans *De l'Allemagne*. C'est dire que la poésie est affaire de contenu autant que d'expression, de forme que de fond. Elle se perçoit dans les choses, dans les choses qui sont derrière les choses, et non pas seulement dans les mots. On parlera donc de rapport poétique au monde comme composante essentielle du romantisme. Dès lors, poème peut désigner également un texte en prose, poème en prose, mais aussi récit. Cela devient une catégorie de l'écriture.

Cette nouvelle notion entraîne la redéfinition du Poète, ce « monde enfermé dans un homme », selon Hugo. On assiste à une véritable mutation esthétique et conceptuelle. Le Poète en passe alors par un processus d'héroïsation et devient une sorte de Héros mythique. Il se reconnaît à des signes qui le sacrent et à son destin d'exception. La figure du Poète-Mage prend véritablement forme sous la monarchie de Juillet. On renverra par exemple à la préface de Vigny à *Chatterton* (1835). L'auteur y distingue l'homme de lettres, carriériste dont le talent reflète les goûts d'un public qu'il flatte, le véritable écrivain, doté d'une nature méditative, lutteur généreux qui incarne un idéal intellectuel et moral, et le Poète, héros de l'échec et du malheur, qui seul peut accéder aux sphères supérieures de la beauté et de la vérité. Il est habité et agi par une force, une présence intérieure, qui lui permet de révéler des mondes inconnus. On comprend que la poésie se définit comme un savoir, le plus haut des savoirs. Mais cette passion du beau et du vrai, cette distinction suprême est aussi le martyre du Poète, qui vit une véritable Passion. Prédestiné, le Poète est donc sacré et maudit.

À cette position négative répond le retournement qui fait de lui le prophète, le guide de l'humanité en marche. Mythe romantique, la notion de Poète est ambivalente. La figure du mage-prophète est donc prise entre l'isolement et la communion humaine, entre l'enfermement douloureux et la mission civilisatrice. C'est que le Poète ne fait pas autre chose que répondre à la situation historique. D'un côté il énonce la nostalgie d'un ordre disparu, d'une intégration de l'homme dans un système de valeurs, de l'autre il affirme une ambition prométhéenne. C'est Victor Hugo qui incarnera le plus complètement cette dimension, tout particulièrement après l'exil de 1851. Il montre que, penseur, philosophe, le mage-prophète peut s'incarner dans d'autres personnes que l'écrivain : « Ce serait tantôt le savant, tantôt le voyant, tantôt l'architecte, tantôt le mage, tantôt le législateur, tantôt le philosophe, tantôt le prophète, tantôt le héros, tantôt le poète » (Hugo, *William Shakespeare*, 1864).

Messie, le Mage est bien un homme-Dieu. Il intériorise la transcendance, et Dieu devient une force que le Poète devine en lui, dont il reçoit en quelque sorte son propre sacre. Ainsi le Mage devient-il un être cosmique qui parle pour Dieu, et donc comme Dieu. Voix oraculaire, il prédit et prescrit. Il est porteur du Verbe, exerçant un pouvoir spirituel absolu.

« Ce qui met le mage au-dessus du poète et du prêtre ordinaires, ce n'est pas seulement sa pratique vivante de la méditation, son sentiment de l'infini, c'est surtout un caractère de profondeur, un sens du mystère, un effroi métaphysique que Hugo lui attribue en accord avec sa propre religion ; c'est la quête inlassable et l'angoisse du caché, quelque chose en somme d'obstiné et d'éperdu qui fait de lui un personnage hautement pathétique » (Paul Bénichou, *Mages romantiques*, Gallimard, 1988, p. 496).

● **PARCOURS CRITIQUE**

« Entre le prologue "Nox" et l'épilogue "Lux" des *Châtiments*, les quatre-vingt-dix-huit poèmes qui roulent, qui brisent, qui éclairent, qui tonnent comme les vagues d'une mer invisible exécutent leur chœur d'harmonies montantes et descendantes avec presque autant de profondeur, de variété, de force musicale, avec autant de puissance, de vie, avec autant d'unité passionnée que les eaux des rivages sur lesquels ils furent écrits » (Algernon Swinburne, 1865).

« Il a en une fois et tout d'un coup, comme une créature à qui les mondes ne coûtent rien, rajeuni, repétri, transformé vingt formes de l'art, forçant la satire à se faire, sous sa main de géant, ode, épopée, roman, tragédie, chanson, et à soupirer et à chanter, elle qui n'avait jamais fait que rugir, et à résonner tour à tour sur toutes les cordes diverses de la lyre » (Théodore de Banville, 1870).

« *Les Châtiments* : tout Homère, tout Eschyle, tout Pindare, tout Shakespeare et plusieurs fois Jésus-Christ faits républicains. [...] C'est ce qui empêchera pour toute votre vie (et c'est ce qui empêchera votre instinct, qui vaut mieux que vous) de donner jamais dans aucune tyrannie temporelle, fût-elle radicale, et fût-elle, derechef, cléricale » (Charles Péguy, 1910).

« Dans *Les Châtiments*, quand enfin triomphe *la chose à dire*, [...] se fait l'union parfaite de la chose à exprimer et des moyens d'expression [...]. Ici se consomme comme nulle part le mariage raisonné et sensible de la forme et du fond, la fusion de la technique et de l'idée, le battement unique de la musique et du cœur » (Louis Aragon, 1952).

« Toute sa sensibilité, toute sa pensée nourrit une vision mythique de l'homme engagé dans sa révolte – et c'est aussi autour de ce mythe, de cette exaltation de l'efficacité humaine que se partagent ceux qui aiment et ceux qui n'aiment pas Hugo » (Gaëtan Picon, 1964).

« La parole prophétique fait ainsi paraître l'invisible : "Stella" est le poème de cette révélation. Nous assistons à la naissance du jour, à l'éveil d'une conscience [...], de la conscience d'être soi-même naît la conscience d'être regardé : l'étoile se fait œil, visage, lumière et parole. L'étoile se fait verbe. Le poème se prend lui-même comme objet à travers l'acte qui le constitue comme révélation de l'unité du monde physique et moral » (Bernard Leuilliot, 1972).

« L'acte de parole des *Châtiments* s'apparente donc à un performatif ; la démarche de Hugo y consiste moins à formuler un propos convaincant qu'à accomplir une prise de parole et à parler comme si la cause était entendue : en bourreau exécutant un jugement acquis, en prophète dont les malédictions font survenir l'avenir qu'elles prédisent, en confesseur de la foi dont le martyre participe des mystères qu'il enseigne » (Guy Rosa et Anne Ubersfeld, article « Hugo », *Dictionnaire des littératures de langue française*, Bordas, 1987, tome I, p. 1133).

DOSSIER HISTORIQUE ET LITTÉRAIRE

I - INDEX DES NOMS PROPRES

II - HISTORIQUE DE LA PÉRIODE
ET DE LA COMPOSITION DU RECUEIL

1848 La victoire de l'insurrection populaire provoque la chute de la royauté et le départ pour l'exil de Louis-Philippe. Hugo tente de faire accepter la régence de la duchesse d'Orléans.

Le 24 février, le gouvernement provisoire proclame la République. Lamartine propose à Hugo le ministère de l'Instruction publique ; il refuse. Le 4 juin il est élu député de droite à l'Assemblée constituante.

Du 23 au 26 juin, à la suite de l'affaire des ateliers nationaux, nouvelle insurrection populaire. La répression, à laquelle participe Hugo, met fin aux espoirs qu'avait fait naître la révolution de février. Le général Cavaignac, responsable du caractère sanglant du conflit, prend la tête du gouvernement. Émile de Girardin, fondateur de *La Presse* en 1836, ami de Hugo, dénonce la provocation qui a conduit au soulèvement et est arrêté ; son journal est suspendu. Les mois suivants, Girardin et Hugo, qui craignent le succès d'une candidature de Cavaignac à la présidence de la République, soutiennent celle de Louis-Napoléon Bonaparte, qui, retiré jusque-là à Londres, est rentré en France. Il avait tenté par deux fois et sans succès de prendre le pouvoir sous la monarchie de Juillet et publié quelques ouvrages progressistes, en particulier *L'Extinction du paupérisme*.

Pièces écrites à la fin de l'année :
« Ce que le poète se disait en 1848 » (IV, 2), 27 nov.
« Écrit le 17 juillet 1851 » (IV, 6), nov., ou 1849
Ces deux poèmes seront situés au livre IV, au centre du recueil.

La première version de « La Caravane » (VII, 7)
La première version de « Quelqu'un » (IV, 5)

La Presse, journal de Girardin, et *L'Événement*, journal du « clan » Hugo, inspiré par lui, rédigé par ses fils et ses plus proches amis, orchestrent la campagne en faveur de Louis Napoléon. À l'Assemblée, discours de Hugo en faveur de la liberté de la presse.

10 décembre : élection de Louis Napoléon à la présidence de la République.

31 décembre à minuit : « Ceux qui vivent, ce sont ceux qui luttent »

1849 9 février : victoire de l'insurrection à Rome et proclamation de la République romaine. Louis-Napoléon, avec l'accord de l'Assemblée Constituante et celui de Hugo, envoie un corps expéditionnaire à Rome en principe pour protéger l'Italie des exactions de l'Autriche. L'expédition est détournée de son but et, le 30 avril, le général Oudinot attaque les républicains italiens. Il entre dans Rome le 30 juin et rétablit le pouvoir temporel du pape. Malgré l'intervention du gouvernement français en faveur d'un règlement libéral de la situation, le pape publie une bulle instaurant un despotisme radical du gouvernement clérical dans son domaine temporel. Hugo proteste alors violemment dans un discours à l'Assemblée : « L'Expédition de Rome » (19 octobre 1849).

Mars-avril : soulèvement du Piémont écrasé par l'Autriche ; proclamation de la République indépendante hongroise ; dès octobre, les forces républicaines hongroises sont battues par les troupes autrichiennes et russes.

13 mai : élection à l'Assemblée législative ; large majorité au parti de « l'ordre », celui de Hugo, réélu. Dupin, le 18 mai, est élu président de cette assemblée.

13-15 juin : dernier sursaut populaire à Paris, Lyon et Strasbourg ; les manifestations sont durement réprimées. Hugo a voté l'état de siège.

9 juillet : première rupture de Hugo avec son parti ; il prononce le « Discours sur la misère ».

Octobre : « Ô drapeau de Wagram » (V, 5)

L'Événement, racheté par Girardin, abandonne son parti pris modéré.

1850 15 janvier : discussion à l'Assemblée des lois sur l'enseignement ; discours de Hugo « sur l'enseignement » ; rupture définitive avec la droite.

15 mars : vote de la loi Falloux ; l'enseignement primaire et une large partie de l'enseignement secondaire sont confiés au clergé.

26 avril : la vente de *L'Événement* est interdite sur la voie publique.

21 mai : discours de Hugo « pour le suffrage universel » ; violentes attaques de Veuillot et de Montalembert.

31 mai : loi restreignant le suffrage universel instauré par la république de Février ; un tiers des électeurs sont écartés du vote, les plus pauvres ; l'Assemblée ne reviendra pas sur cette loi et Louis-Napoléon se servira de cette injustice pour justifier le coup d'État, soi-disant nécessaire au rétablissement de la démocratie.

16 juillet : loi répressive sur la presse ; le 9, Hugo avait prononcé à l'Assemblée un discours « sur la liberté de la presse ».

Septembre : « Un autre » (IV, 7)
            « À des journalistes en robe courte »,
deux pièces qui prennent à partie Veuillot et son journal *L'Univers*.

1851 9 janvier : élection de Montalembert à l'Académie ; Hugo a voté Musset. Éviction de Changarnier, royaliste qui était à la tête de la Garde nationale.

10 janvier : le même jour, symboliquement, Hugo visite les caves de Lille et fait voter en son nom, par procuration, contre une dotation supplémentaire de 1 800 000 F à Louis Napoléon ; il s'oppose pour la première fois directement au prince-président.

13 mars : Michelet est révoqué du Collège de France ; protestation de Hugo.

Mars : formation d'un comité chargé de préparer une révision de la Constitution ; celle-ci n'autorisait qu'un seul mandat pour le président de la République, d'une durée de quatre ans ; Louis Napoléon veut en obtenir un second ; le coup d'État naîtra de la résistance de l'Assemblée à cette révision.

Mai : expédition de Saint-Arnaud en Kabylie, menée avec une extrême brutalité.

11 juin : Charles Hugo est condamné à six mois de prison pour un article contre la peine de mort ; Hugo l'avait défendu lui-même aux assises.

17 juillet : discours « sur la révision de la Constitution » et contre les ambitions de celui qu'il appelle pour la première fois « Napoléon-le-Petit ».

Août : Hugo publie un choix de *Discours* tendant à prouver que son républicanisme est ancien ; il donne son adhésion officielle au Manifeste de la Montagne.

15 septembre : condamnation de Paul Meurice et François-Victor Hugo à neuf mois de prison ferme pour délit de presse ; *L'Événement*, interdit, est remplacé par *L'Avènement du peuple* qui est suspendu à son tour ; Auguste Vacquerie qui en avait la gérance est condamné à six mois de prison.

7 novembre : « L'Art et le peuple » (I, 9)

Novembre : l'Assemblée refuse de donner à son président, Dupin, sur proposition des questeurs royalistes, le droit de requérir l'armée ; elle refuse d'autre part d'abroger la loi électorale du 31 mai ; Louis Napoléon a ainsi en main les capacités militaires et « morales » de tenter le coup d'État.

2 décembre : le coup d'État a lieu avec l'aide de la Banque de France qui, le 27 novembre, avait versé vingt-cinq millions à Louis Napoléon.

Le 2 décembre au matin, Paris est couvert d'affiches annonçant la dissolution de l'Assemblée, l'état de siège et le rétablissement du suffrage universel ; plusieurs députés républicains, puis des députés de droite sont arrêtés ; Hugo, que la police n'a pas trouvé à son domicile de la rue de la Tour-d'Auvergne, tente, avec quelques représentants du peuple, d'organiser une résistance clandestine ; quelques barricades masquent mal la passivité du peuple parisien. La résistance est beaucoup plus violente en province mais aucune communication ne se fait avec Paris ; le 4 décembre, Saint-Arnaud, ministre de la Guerre depuis octobre, et Magnan, commandant l'armée de Paris, ordonnent l'attaque des barricades ; l'après-midi du 4, l'armée tire dans la foule sur les boulevards Montmartre et Poissonnière.

11 décembre : Hugo part pour Bruxelles avec le passeport
d'un ami de Juliette Drouet, Lanvin ; le 14, à Bruxelles,
il commence l'*Histoire d'un crime*.

21 décembre : ratification du coup d'État par référen-
dum : 7 500 000 oui, 640 000 non, 1 500 000 abstentions.

1852 1er janvier : « Te Deum » à Notre-Dame de Paris célébré
par Mgr Sibour.

9 janvier : décret expulsant du territoire soixante-six
représentants, dont Victor Hugo.

17 janvier : lettre de Hugo ; il a rencontré Hetzel, proscrit
comme lui ; il va « construire une citadelle d'écrivains et
de libraires d'où nous bombarderons le Bonaparte ».

22 janvier : confiscation des biens de la famille d'Orléans ;
elle scandalise une partie de la bourgeoisie.

3 février : institution des Commissions mixtes.

8 mars : décret faisant obligation du serment de fidélité à
Louis-Napoléon pour les fonctionnaires.

Mars-avril : multiplication des mesures de représailles
contre les enseignants, allant de l'interdiction de porter la
barbe à la révocation de Michelet, Quinet, Mickiewicz du
Collège de France.

14 juin : Hugo abandonne l'*Histoire d'un crime* pour le
pamphlet : *Napoléon-le-Petit*.

31 juillet : départ de Bruxelles où il était jugé indési-
rable pour Jersey ; il ne s'arrête pas à Londres où étaient
réfugiés les proscrits les plus radicaux.

5 août : arrivée à Jersey ; publication de *Napoléon-le-
Petit* ; succès.

15 août : il propose à Hetzel *Les Contemplations* pour
deux mois plus tard mais, dès le 7 septembre, projette un
recueil en deux parties, la première de « poésie pure », la
seconde de « flagellation de tous les drôles et du drôle en
chef ».

22 oct. : « Le Chasseur noir » (VII, 3)

À partir de ce moment, Hugo se consacre à *Châtiments*.

25 oct. : « Le Bord de la mer » (III, 15)
28 oct. : « Toulon » (I, 2)
          « C'est la nuit, la nuit noire… » (I, 14)
30 oct. : « L'Homme a ri » (III, 2)

31 octobre : rédige et signe la proclamation « Au peuple »
des proscrits de Jersey.

5 nov. : « Carte d'Europe » (I, 2)

6 nov. : « Fable ou Histoire » (III, 3)

7 nov. : « Le Te Deum du 1er janvier 1852 » (I, 6)

8 nov. : « Ad majorem Dei gloriam » (I, 7)

9 nov. : « Au peuple » (II, 2)

10 nov. : « Aux morts du 4 décembre » (I, 4)

12 nov. : « Non » (III, 16)

13 nov. : « Oh ! je sais… » (I, 11)

14 nov. : « Sacer esto » (IV, 1)

20 nov. : « Orientale » (III, 6)

21-22 novembre : plébiscite ratifiant le projet de rétablissement de l'Empire.

16 puis 22 nov. : « Nox », « Ô Soleil… » (II, 4)

23 nov. : « Les Grands Corps de l'État » (V, 7)

24 nov. : « Tout s'en va » (V, 4)

25 nov. : « La Caravane » (VII, 7)

27 puis 30 nov. : « L'Expiation » (V, 13)

1er déc. : « Le plus haut attentat… » (V, 12)

2 décembre : proclamation de l'Empire, le jour anniversaire du sacre de Napoléon Ier et d'Austerlitz.

2 déc. : « Souvenir de la nuit du 4 » (II, 3)

3 déc. : « Stella » (VI, 15)

5 décembre : vote de la loi Faider.

5 puis 8 déc. : « À un martyr » (I, 8)

10 déc. : achèvement de « Quelqu'un » (IV, 5)

    « À propos de la loi Faider » (III, 14)

    « Puisque le juste… » (II, 5)

14 déc. : « Ultima Verba » (VI, 14)

19 déc. : « Chanson » (I, 10)

16 puis 20 : « Lux »

23 déc. : « Paroles d'un conservateur… » (VII, 11)

24 déc. : « L'Autre Président » (II, 6)

25 déc. : « Déjà nommé » (IV, 8)

1853   Du 8 au 13 janvier : « À l'obéissance passive » (II, 7)

15 janv. : « À ceux qui dorment » (VI, 6)

17 janv. : « Le Sacre » (V, 1)

    « Cette nuit-là » (I, 5)

    « On est Tibère » (VI, 6)

19 janv. : « Joyeuse Vie » (III, 9)

22-24 janv. : « À un qui veut se détacher » (V, 10)
25 janv. : « L'empereur s'amuse » (III, 10)
28 janv. : « Le Parti du crime » (VI, 11)

23 janvier : lettre à Hetzel. « D'après l'avis unanime je m'arrête à ce titre :

Châtiments

Ce titre est menaçant et simple. C'est-à-dire beau.

Je fais forces de voiles pour finir vite. Il faut se presser, car le Bonaparte me fait l'effet de se faisander. L'Empire l'a avancé, le mariage Montijo l'achève. Si le pape le sacrait tout irait bien. Donc il faut nous hâter. »

29 janvier : mariage de Napoléon III et d'Eugénie de Montijo.

30 janv. : « Confrontations » (I, 6)
31 janv. : « Apothéose » (III, 1)
 4 fév. : « L'Histoire a pour égout… » (III, 13)
 5 fév. : achèvement de « Juvénal » (VI, 13)

6 février : lettre à Hetzel sur la violence et la clémence implacable.

22 fév. : « Chanson » (I, 13)
23 fév. : « Au peuple » (VI, 9)
24 fév. : (cinquième anniversaire de la révolution de février) achèvement de *La Vision de Dante*

24 février : le pape absout Veuillot que l'archevêque de Paris avait condamné, ainsi que *L'Univers*, pour violence et calomnie.

février   : « Le Manteau impérial » (V, 3)
1er mars : « Chanson » (V, 2)
4 mars   : « Même pour le proscrit, avril… »
             (pièce écartée)
12 mars : « Pauline Roland » (V, 11)
19 mars : « Sonnez, sonnez toujours… » (VII, 1)

24 mars : accord donné pour une double publication ; nécessité de se hâter.

25 mars : « Le progrès calme et fort… » (V, 8)
30 mars : « France à l'heure où tu te prosternes… »
            (I, 1)
31 mars : « Luna » (VI, 7)

4-6 avril : achèvement d'« Applaudissement » (VI, 16)
5 avril   : « Cette nuit il pleuvait » (VII, 8)
7 avril   : « Idylles » (II, 1)
13 avril   : « Chanson » (VII, 13)
19 avril   : quatrain sur le furoncle.

20 avril : discours sur la tombe de Jean Bousquet.

28 avril   : « Aube » (IV, 10)
30 avril   : « L'Égout de Rome » (VII, 4)
4 mai   : « Ainsi les plus abjects… » (III, 4)
7 mai   : « Les Commissions mixtes » (IV, 3)
20 mai   : « Vicomte de Foucault » (IV, 11)
             « C'était en juin, j'étais à Bruxelles… »
             (VII, 5)
23 mai   : « Force des choses » (VII, 12)
24 mai   : « Éblouissement » (VI, 5)
26 mai   : « Apportez vos chaudrons, sorcières de
             Shakespeare » (VI, 10)
28 mai   : « Floréal » (VI, 14)
29 mai   : « Ô Robert, un conseil… » (III, 12)
30 mai   : « Aux femmes » (VI, 8)
31 mai   : « Napoléon III » (VI, 1)

Juin : premiers envois de copie pour l'imprimeur ; le 7
lettre à Hetzel : « D'ici à quatre ans que je donne encore
à M. Bonaparte j'ai quinze volumes dans la cervelle
qui remueront, je pense, les feuilles d'arbres quand ils
sortiront. »

5 juillet : lettre à Hetzel, « … or, remarquez tout le mal
que les retards inexplicables nous ont déjà fait. Nous
voici à la veille d'une guerre européenne. Mon livre
devrait avoir paru en mars, et il serait aujourd'hui partout.
Il aiderait au dénouement. Maintenant, il faut que sa voix
lutte avec le bruit du canon. Et si par hasard cet homme
avait aujourd'hui ou demain un succès de guerre, vous
connaissez la France, le livre paraîtrait à contre-poil et
aurait à lutter contre un courant d'opinion. »

23 juil.   : « Hymne des transportés » (VI, 3)

26 juillet : discours sur la tombe de Louise Julien.

31 juil.   : « Le chant de ceux qui vont sur la mer »
             (V, 9)

1er août : « Sentiers où l'herbe... » (III, 11)
    « Quand l'eunuque régnait à côté de César »
    (VII, 11)

2 août : « On dit : soyez prudents... » (VI, 12)

4 août : lettre à Gosselin annonçant *Les Contemplations*
et remettant à plus tard le projet des *Misérables*.

5 août : « Chanson » (VI, 4)
1er sept. : « La Reculade » (VII, 2)
    « Chanson » (VII, 6)

6 septembre : Mme de Girardin débarque à Jersey et initie
le groupe Hugo à la pratique des tables tournantes ; les
voix de Léopoldine, de Louis Napoléon (envoyé par son
oncle pour subir son châtiment), de Dante qui a lu *La
Vision* se font entendre.

9 octobre : « La Fin »

20-21 septembre : affaire du proscrit Hubert qui se révèle
un espion.
Octobre : début des hostilités entre la France et l'Angleterre d'une part et la Turquie et la Russie d'autre part.
21 novembre : publication des *Châtiments* en deux éditions à Bruxelles ; succès médiocre.
24 décembre : lettre à Hetzel sur la République universelle.

1870 Sedan et la débâcle ; la République est proclamée le
4 septembre ; Hugo est à Paris le 5 ; siège de Paris ; nouvelle édition du recueil sous le titre *Les Châtiments* et
avec les pièces rajoutées ; lectures publiques au profit
du peuple et de l'armée ; triomphe, le 21 000e exemplaire est tiré en février 1871.

III - GENÈSE DE *CHÂTIMENTS*

1. Liste des poèmes retenus (folio 8)

Jacques Seebacher date cette liste du 20-21 décembre 1852, en s'appuyant sur la date de la pièce la plus récemment composée : « Chanson » (I, 10), datée du 19. Le 20 décembre, Hugo termine « Lux » ; les trois pièces maîtresses du recueil sont donc en place, « Nox », « L'Expiation » (« 18 brumaire »), « Lux », et du même coup l'armature philosophico-historique de l'ensemble.

Copié

Te deum	44	I, 6	7-XI-(52)
loi Faider	16	III, 14	10-XII-(52)
rentrées	56	VII, 14	14-XII-(52)
décrotteurs	72	V, 7	23-XI-(52)
Toulon	84	I, 2	28-X-52
Art et Peuple	36 ?	I, 9	7-XI-51
Sabres partout	60	I, 12	5-XI-52
chair fume	12	III, 2	30-X-52
à l'assemblée	30	IV, 6	XI-(48 ? ou 49 ?)
ô drapeau de W	26	V, 5	X-49 (ou 48 ?)
aux morts du 4	36 ?	I, 4	10-XI-(52)
Archytas	40	III, 15	25-X-(52)
Non	36	III, 16	12-XI-(52)
2 Xbre	408	Nox	16 (puis 22)-XI-(52)
AMDG	66	I, 6	8-XI-(52)
réveil	16 ?	I, 14	28-X-52
orientale	44	III, 6	20-XI-(52)
univers	116	IV, 4	IX-50
portrait	62	IV, 7	état primitif : 15 strophes alternées + 2 vers. IX-50

Calliopes	54	I, 11	13-XI-(52)
chasseur noir	102	VII, 3	erreur en trop : 14
	(moins)		22-X-52
[haec est illa (??)]	12	V, 12	5-XI-(ou 1-XII ?) 52
18 Brumaire	382	V, 13	erreur en moins : 4
			25 (puis 30)-XI-(52)
à un autre	52	IV, 5	(fin 48 ?) 10-XII-52
ceux qui vivent	44	IV, 9	31-XII-48 minuit
à Ol.	28	IV, 2	27-XI-48

                    1 734

Non copié

(fin) futura	238	Lux	16 (puis 20)-XII-(52)
chanson	28	I, 10	19-XII-(52)
mères, écueils	48	II, 5	10-XII-(52)
à un martyr	115	I, 8	5-8-XII-(52)
enfant mort	60	II, 3	corr. 64 2-XII-52
ô soleil	15	II, 4	22-XI-(52)
Caïn	48	IV, 1	14-XI-(et ?)-(52)
Stella	42	VI, 15	XII-(52)
tout s'en va	34	V, 4	24-XI (et ?)-(52)
Caravane	36	VII, 7	25-XI-(48 et 52 ?)
lion	124	VII, 7	
au peuple	90	II, 2	9-XI-(52)
le singe	20	III, 3	6-XI-(52)

                    798

2. Premier plan en 4 parties (folio 7)

*Ce plan daterait de fin décembre 1852, entre le 25 et le 31.
Les grandes lignes du plan définitif se dessinent ; fixées au
livre III, les deux cibles essentielles : Dupin, réalité et symbole
d'un parlementarisme qui a trahi sa mission représentative ;
Veuillot, caricature sinistre de l'Église asservie au pouvoir. En
position stratégique également, les deux grands poèmes de
l'ouverture du livre II, qui retracent l'histoire du moi et disent
la responsabilité politique qui lui incombe : l'autoaccusation de
1848 et le sursaut de 1851.*

Deux décembre	C	408	NOX
Aux morts du 4	C	36	I, 4
Toulon	C	84	I, 2
Le *Te Deum* du 1er janv.	C	44	I, 6
J.H.S.	C	66	I, 7
À un martyr		115	I, 8
Chanson (l'art)	C	36	I, 9
Chanson (le pain)		28	I, 10
Calliopes	C	54	I, 11
Des sabres sont partout	C	60	I, 12
Bord de la mer	C	40	III, 15
Non	C	36	III, 16
Ce que le poète se disait	C	28	IV, 2
En descendant de la tribune	C	30	IV, 6
À des journalistes de robe courte	C	116	IV, 4
Par hurler, misérable !	C	12	III, 2
Le singe	C	20	III, 3
Ô drapeau de Wagram	C	26	V, 5
Portrait (Veuillot)	C	52	IV, 7
Autre	C	52	IV, 5
Vidangeurs décrotteurs	C	72	V, 7
Le réveil (forçats)	C	16	I, 14
L'enfant de 7 ans		60	II, 3
Ô soleil ! ô face		15	II, 4
Caïn		48	IV, 1
Puisque le juste est dans l'abîme		48	II, 5
Au Peuple (Lazare)		90	II, 2
Dupin	C	48	II, 6 (et IV, 8)
Tout s'en va	C	34	V, 4
Expiation	C	*396*	V, 13
Orientale	C	44	III, 6
Ceux qui vivent	C	44	IV, 9
Stella	C	42	VI, 15
Le chasseur noir	C	102	VII, 3
Caravane		36	VII, 7
Lion	C	124	VII, 7
Jésus-Christ	C	66	VII, 11
Moi	C	*68*	VII, 14
Temps futurs		*244*	LUX

3. Liste des poèmes supplémentaires (folio 7)

Cette liste daterait du 5 février ou quelques jours auparavant en raison du dernier poème écrit : « Retournons à l'école », c'est-à-dire « À Juvénal ». La date de « La Vision de Dante », le 24 février, est probablement plus symbolique que réelle : c'est celle de la révolution de Février.

			éd. de 1870	(janvier 1853)
Patria	C	52	V, 1	16 X/17 janvier
Le sacre Malbr.	C	72	II, 7	7/13 janvier
À l'armée	C	304	III, 8	20 janvier
Maintenant que c'est fait		50	III, 9	19 janvier
Joyeuse vie		144	VI, 11	28 janvier
Verhuell	C	154	V, 10	22/24 janvier
Montalembert	C	136	IV, 13	1er février
On loge à la nuit			III, 1	31 janvier
Robert Macaire	C		*Lég. des S.*	24 février (??)
Vision de Dante			III, 10	25 janvier
L'empereur s'amuse	C		VI, 13	5 février
Retournons à l'école	C		*Lég. des S.*	29 janvier
œil Caïn	C		I, 15	30 janvier
Ô cadavres, parlez !				
Il est force vivants, prêtres du Dieu boutique			III, 7	Novembre 52/ (janvier 53)
Nox ista			I, 5	17 janvier

Alignement sur toute la page des grandes étapes :

NOX
LE 2 DÉCEMBRE
À L'ARMÉE
EXPIATION
VISION DE DANTE
LUX

4. Plan en 8 parties (folio 7)

On le date de début février 1853 ; titre définitif.

I   Nox
     Caïn   *La Conscience (Légende des*
     Toulon   *Siècles)*

Aux morts du 4
Cette nuit-là
Le *Te Deum* du 1er janvier
AMDG   *Ad majorem Dei gloriam*
À un martyr
Chanson (l'art)
Chanson (les pains)
Calliopes   Oh ! je sais qu'ils feront des
Le réveil   mensonges…
Des sabres sont partout   *Carte d'Europe*
Ô cadavres parlez   *Confrontations*

II   Au peuple
    L'enfant   *Souvenir de la nuit du 4*
    Ô soleil, ô face
    Puisque le juste
    L'autre président
    À l'armée   *À l'obéissance passive*

III R. Macaire   *Apothéose*
    Ah ! tu finiras bien par hurler *L'homme a ri*
    Le singe   *Fable ou histoire*
    Maintenant que c'est fait *Splendeurs*
    Querelles du sérail
    Joyeuse vie
    L'empereur s'amuse
    Harmodius   *Le bord de la mer*
    Non

IV En 1848. À Ol[ympio]   *Ce que le poète se disait en…*
    En descendant de la tribune *Écrit le 17 juillet 1851*
    À l'Univers   *À des journalistes de robe*
    Quelqu'un   *courte*
    Un autre
    À 4 prisonniers
    Il est force vivants   *Un bon bourgeois dans sa*
    Ceux qui vivent ce sont   *maison*
    Déjà nommé (Dupin)
    On loge à la nuit

V   Ô drapeau de Wagram
    On est Tibère, on est…
    Ces hommes passeront   *Les grands corps de l'État*

Montalembert   *À un qui veut se détacher*
P. Rolland (à faire)
Je l'ai déjà dit, peuple,
il ne faut pas...   *Sacer esto*

VI   Le sacre Malbr.
     Orientale
     Tout s'en va
     L'expiation

VII À ceux qui dorment
     Patria
     Ainsi ce gouvernant   *Le Parti du crime*
     Retournons à l'école   *À Juvénal*

VIII Stella
     Le chasseur noir
     Caravane
     Le lion
     Jésus-Christ   *Paroles d'un conservateur à...*
     Moi   *Ultima verba*
     Temps futurs   *Lux*

5. Plan en 8 parties de la fin de février 1853

   « *Nox* » et « *Lux* » sortent de l'ensemble des parties ; les parties VII et VIII sont regroupées en une VIIe partie ; « *La Vision
de Dante* » devient la VIIIe partie.

6. Plan en 7 parties (folio 9)

   Ce plan daté d'avril expulse définitivement de Châtiments
« *La Vision de Dante* ».

7. *Deux plans vont être encore composés, l'un début mai, l'autre
   fin mai. La division en 7 parties est désormais acquise ;
   Hugo ajoute, chaque fois, des poèmes nouvellement composés. Une Table générale est rédigée début juin.*

IV - LETTRES À HETZEL
AU COURS DE LA RÉDACTION

Marine Terrace - 6 février - dimanche [1853]

Nos lettres se sont croisées. Vous avez mes pleins pouvoirs, j'attends le traité, et je vous enverrai le manuscrit. Un mot pourtant, cher compagnon de combat. Vous me dites à propos de la mer, mais votre mer est transparente : qui est fort n'a pas besoin d'être violent. Or, je vous déclare que je suis violent. Votre maxime est une ancienne protestation des fouaillés contre les fouailleurs. Jugez-la vous-même. *Ce qui est fort*, etc. Or, Dante est violent, Tacite est violent, Juvénal est violent ; Jérémie appelle Achab *fumier*, David appelle Babylone *prostituée*, Isaïe dit à Jérusalem *tu as ouvert tes cuisses au membre des ânes* — Jérémie, David et Isaïe sont violents. Ce qui n'empêche pas tous ces punisseurs d'être forts. Être violent, qu'importe ? être *vrai*, tout est là. Laissons donc là les vieilles maximes, et prenons-en notre parti. Oui, le droit, le bon sens, l'honneur et la vérité ont raison d'être indignés, et ce qu'on appelle leur violence n'est que leur justice. Jésus était violent ; il prenait une verge et chassait les vendeurs, et *il frappait de toutes ses forces*, dit saint Chrysostome.

Vous qui êtes l'esprit et le courage même, abandonnez aux faibles ces sentiments contre les forts. Quant à moi, je n'en tiens nul compte et je vais mon chemin, et comme Jésus, je frappe *de toutes mes forces*. *Nap. le Petit* est violent. Ce livre-ci sera violent. Ma poésie est honnête, mais pas modérée.

J'ajoute que ce n'est pas avec de petits coups qu'on agit sur les masses. J'effaroucherai le bourgeois peut-être, qu'est-ce que cela me fait si je réveille le peuple ? Enfin, n'oubliez pas ceci : je veux avoir un jour le droit d'arrêter les représailles, de me mettre en travers des vengeances, d'empêcher, s'il se peut, le sang de couler, et de sauver toutes les têtes, même celle de Louis Bonaparte. Or, ce serait un pauvre titre que des rimes modérées. Dès à présent, comme homme politique, je veux semer dans les cœurs, au milieu de mes paroles indignées, l'idée d'un châtiment autre que le carnage. Ayez mon but présent à l'esprit : *clémence implacable*.

Je vous envoie, du reste, car je veux que vous sachiez bien quel ouvrage vous allez publier, je vous envoie une pièce qui vous donne la couleur du volume entier. C'est à propos de ma déclaration de Jersey publiée au *Moniteur*, c'est une réponse aux sottises qu'on a dites et aux chenapans qui nous ont appelés *le parti du crime*. Lisez et voyez. Vous comprendrez [après] avoir lu cela à quel point il faudra que l'impression se fasse mystérieusement. Du reste je vous dirai que cette pièce répond ici aux sentiments de tous et des meilleurs, comme Schœlcher par exemple qui applaudit des deux mains. Je crois que nous n'avions pas d'autre position à prendre que celle-là. Énergie indomptable dans l'exil, afin d'avoir puissance modératrice dans le triomphe. Nous serons modérés quand nous serons vainqueurs. Ce volume d'ailleurs reproduit complètement [l'es]prit de *Nap. le petit* où l'appel [*lacune*]es et l'horreur des représailles sang[lantes] sont à chaque page. — Figurez-vous que vous allez publier quelque chose comme *Nap. le petit* en vers. —

Gardez ces vers pour vous. Il me semble inutile de les déflorer par des communications anticipées. Montrez-les pourtant, si vous le jugez à propos, à nos co-contractants. S'ils persistent, vous m'enverrez le traité, et je vous expédierai le manuscrit. Mais à plus de trois fois, et avec des intervalles dans l'envoi. Il faudrait imprimer et [publier] d'ici à un mois. On le peut.

Le spécimen est bien. J'ai reçu la lettre de M. de Pouhon. [Je] lui écrirai. Avez-vous écrit à M. Pelvey pour mes 618 fr ? Cela [presse ?]. Mes plus tendres amitiés. — Et faites-en part à tous.

                                                              V.

VICTOR HUGO À PIERRE-JULES HETZEL

Marine Terrace — 24 Xbre [1853]

Voici la fin de l'année, cher proscrit, et c'est un peu aussi le moment de régler des comptes. Permettez-moi, à ce propos, de vous gronder un peu. Vous ne pressez pas assez M. Tarride. Il faut absolument compter et régler avec lui. M. Tarride a à nous rendre compte de 20 000 exemplaires. Il est impossible que depuis neuf ou dix mois il ne vende plus du tout. Il me semble que les *Châtiments* ont dû ranimer nécessairement la vente de *Nap. le pet.* Dans tous les cas, il faut en finir. Que M. Tarride rende ses comptes, et, s'il n'y a pas d'autre conclusion, eh bien, partageons les exemplaires restants au prorata du traité. Je vous laisserai les miens en dépôt, et, comme vous me l'avez déjà offert, vous vous chargerez de les faire tenir en vente. Je le répète, finissons-en. Je sais aussi que M. Tarride s'est arrangé *avec des contrefacteurs pris sur le fait.* Qu'il ait la bonté de vous faire connaître le fond de cette affaire, car cet arrangement vous regarde autant que lui. Pressez-le.

Voici, cher éditeur et confrère, la lettre *de la grosse dame* que vous me demandez. Je crois en effet que M. Tarride en a besoin, et je me radoucis au verso de la page que vous ne serez pas forcé de lui montrer. Si le partage s'exécute (médiocre expédient) je compterai sur vous, comme vous me promettez amicalement, pour remiser et faire vendre mes exemplaires côte à côte avec les vôtres.

Pendant que nous sommes en train de compter, je pense que MM. Marescq m'enverront fin décembre leur compte du dernier trimestre. Vous seriez bien aimable de le leur rappeler au besoin ; et puis ne trouvez-vous pas qu'il faudrait en revenir à compter, comme le veut le traité, de mois en mois ? — Je tiens beaucoup, je tiens énormément à ce que vous ayez les 500 francs qui vous amèneront près de moi ; et avec ces 500 fr.-là, beaucoup d'autres. « Et ils eurent beaucoup de billets de mille francs » est une fort bonne fin de compte.

Je crois encore, mais ici vous rencontrerez de notre loyal et noble ami Sam le plus empressé concours, je crois qu'il serait bon de mettre à jour les comptes des premiers 10 000 (petit) et des 2 000 (expurgés) des *Châtiments*. Si le compte pouvait être

prêt pour le 2 janvier on serait dans la lettre du traité. Sinon,
pour le jour que vous choisirez ensemble. Ce que vous ferez à
vous deux, vous mes bons et chers amis, sera très bien fait.

Dites-moi donc où je dois vous écrire. Je vous envoie encore
cette lettre par Mad. Fétis. Une adresse directe vaudrait mieux.

Vous me parlez du petit livre de cette façon charmante qui est
à vous, et je ne saurais vous dire combien j'en suis touché. —
Quant à *république universelle*, voici ma pensée : — vous
auriez complètement raison si je songeais au pouvoir pour moi
et si mon intérêt était une chose dont j'eusse souci. Il est en effet
possible que la crise actuelle aboutisse à une situation que
j'appelle intermédiaire ; en ce cas-là la république serait debout,
et les monarchies continentales aussi. Cela recommencerait
1848, en mieux sans doute, non parce que les hommes vau-
draient mieux, mais parce qu'ils seraient éclairés et avertis. Et
le ministre des Affaires étrangères de cette situation-là pourrait
être fort gêné d'avoir dans son passé le cri *république universelle*. Mais — et quand vous aurez lu jusqu'au bout, je ne doute
pas que vous m'approuviez — je ne serai jamais, moi, le ministre de cette situation-là. J'admire et j'aime toutes sortes de
choses dans Lamartine, mais le recommencer, non, je n'entrerai sous aucun prétexte dans une situation *intermédiaire* ; je ne
serai jamais, si je suis quelque chose, que l'homme d'une situation absolue. Révolution française ne me suffit plus, il me faut
révolution d'Europe. Je n'accepterai point de part dans toute
révolution qui ne sera pas celle-là. Cela m'ajourne, qu'importe.
Je veux une grande chose ou rien ! Donc, en criant *république
universelle* je ne compromets rien de mon avenir tel que je le
veux ; je plante mon drapeau, voilà tout. Maintenant, au-dessus
de moi, et à un point de vue plus élevé, est-ce politique ? Oui,
selon moi. Pourquoi ? Le voici : l'absolutisme connaît sa situation aussi bien que nous-mêmes ; c'est pour cela que, tout
hideux qu'était Bonaparte, il s'est rattaché à cet homme en
désespéré. Il sait que le dernier mot du siècle c'est *révolution
d'Europe* (plus tard on dira *révolution du monde*). Nous n'avons
rien à apprendre là-dessus à l'absolutisme. Les rois, nos alliés
contre Bonaparte ? Jamais ! Ils se coaliseront peut-être contre
lui, mais en enrageant de faire malgré eux les affaires de l'avenir et de la démocratie. En attendant, avec le cri : *États unis
d'Europe et république universelle*, nous tenons les nationalités
en éveil, nous les appelons à nous, et nous nous faisons de
toutes les nations des points d'appui. Nous donnons à Bonaparte

tous les rois pour alliés ; c'est possible ; que m'importe, si, du même coup, nous donnons pour alliés à la révolution tous les peuples. Les peuples, points d'appui, la révolution levier, voilà l'avenir. Vous voyez que je raisonne mon cri.

Venez à Jersey, et amenez-nous Madame Hetzel. Je vous céderai ma chambre qui est laide, mais au midi. Nous achèverons cette causerie politique et nous entamerons le pourparler littéraire. Vous savez quel bonheur nous aurons à serrer vos bonnes mains. Mettez-moi aux pieds de votre charmante femme, écrivez-moi longuement et en détail sur toutes nos affaires. Je suis comme vous, je n'ai plus le sou. Battez-moi monnaie.

Tout bien considéré, je prends le parti, cette lettre étant pressée, de vous l'adresser directement Montagne de la cour.

V - EXTRAITS
DE *HISTOIRE D'UN CRIME*
ET DE *NAPOLÉON-LE-PETIT*

1 - *HISTOIRE D'UN CRIME* (1852)

XVI
LE MASSACRE

Brusquement une fenêtre s'ouvrit.

Sur l'enfer.

Dante, s'il se fût penché du haut de l'ombre, eût pu voir dans Paris le huitième cercle de son poème : le funèbre boulevard Montmartre.

Paris en proie à Bonaparte ; spectacle monstrueux.

Les tristes hommes armés groupés sur ce boulevard sentirent entrer en eux une âme épouvantable ; ils cessèrent d'être eux-mêmes et devinrent démons.

Il n'y eut plus un seul soldat français ; il y eut on ne sait quels fantômes accomplissant une besogne horrible dans une lueur de vision.

Il n'y eut plus de drapeau, il n'y eut plus de loi, il n'y eut plus d'humanité, il n'y eut plus de patrie, il n'y eut plus de France ; on se mit à assassiner.

La division Schinderhannes, les brigades Mandrin, Cartouche, Poulailler, Trestaillon et Troppmann apparurent dans les ténèbres, mitraillant et massacrant.

Non, nous n'attribuons pas à l'armée française ce qui se fit dans cette lugubre éclipse de l'honneur.

Il y a des massacres dans l'histoire, abominables, certes, mais ils ont leur raison d'être ; la Saint-Barthélemy et les Dragonnades s'expliquent par la religion, les Vêpres siciliennes et les tueries de septembre s'expliquent par la patrie ; on supprime l'ennemi, on anéantit l'étranger ; crimes pour le bon motif. Mais le carnage du boulevard Montmartre est le crime sans savoir pourquoi.

Le pourquoi existe cependant. Il est effroyable.

Disons-le.

Deux choses sont debout dans un État, la loi et le peuple. Un homme tue la loi. Il sent le châtiment approcher. Il ne lui reste plus qu'une chose à faire, tuer le peuple. Il tue le peuple.

Le 2 c'est le risque, le 4 c'est l'assurance.

Contre l'indignation qui se lève, on fait surgir l'épouvante.

Cette Euménide, la Justice, s'arrête pétrifiée devant cette furie, l'Extermination. Contre Erynnis on dresse Méduse.

Mettre en fuite Némésis, quel triomphe effrayant !

Louis Bonaparte eut cette gloire, qui est le sommet de sa honte.

Racontons-la.

Racontons ce que n'avait pas encore vu l'histoire.

L'assassinat d'un peuple par un homme.

Subitement, à un signal donné, un coup de fusil tiré n'importe où par n'importe qui, la mitraille se rua sur la foule. La mitraille est une foule aussi ; c'est la mort émiettée. Elle ne sait où elle va, ni ce qu'elle fait. Elle tue et passe.

Et en même temps elle a une espèce d'âme ; elle est préméditée ; elle exécute une volonté. Ce moment fut inouï. Ce fut comme une poignée d'éclairs s'abattant sur le peuple. Rien de plus simple. Cela eut la netteté d'une solution ; la mitraille écrasa la multitude. Que venez-vous faire là ? Mourez. Être un passant, c'est un crime. Pourquoi êtes-vous dans la rue ? Pourquoi traversez-vous le gouvernement ? Le gouvernement est un coupe-gorge. On a annoncé une chose, il faut bien qu'on la fasse ; il faut bien que ce qui est commencé s'achève ; puisqu'on sauve la société, il faut bien qu'on extermine le peuple.

Est-ce qu'il n'y a pas des nécessités sociales ? Est-ce qu'il ne faut pas que Béville ait quatre-vingt-sept mille francs par an, et Fleury quatre-vingt-quinze mille ? Est-ce qu'il ne faut pas que le grand aumônier Menjaud, évêque de Nancy, ait trois cent quarante-deux francs par jour ? et que Bassano et Cambacérès aient par jour chacun trois cent quatre-vingt-trois francs, et Vaillant quatre cent soixante-huit, et Saint-Arnaud huit cent vingt-deux ? Est-ce qu'il ne faut pas que Louis Bonaparte ait par jour soixante-seize mille sept cent douze francs ? Peut-on être empereur à moins ?

En un clin d'œil il y eut sur le boulevard une tuerie longue d'un quart de lieue. Onze pièces de canon effondrèrent l'hôtel Sallandrouze. Le boulet troua de part en part vingt-huit maisons. Les Bains de Jouvence furent sabordés. Tortoni fut massacré. Tout un quartier de Paris fut plein d'une immense fuite et d'un cri terrible. Partout, mort subite. On ne s'attend à rien. On tombe. D'où cela vient-il ? D'en haut, disent les *Te Deum* d'évêques. D'en bas, dit la vérité.

De plus bas que le bagne, de plus bas que l'enfer.

C'est la pensée de Caligula exécutée par Papavoine.

Xavier Durieu entre sur le boulevard. Il le raconte : — *J'ai fait soixante pas, j'ai vu soixante cadavres*. Et il recule. Être dans la rue est un crime, être chez soi est un crime. Les égorgeurs montent dans les maisons et égorgent. Cela s'appelle *chaparder* dans l'infâme argot du carnage. — *Chapardons tout !* crient les soldats.

Adde, libraire, boulevard Poissonnière, n° 17, est sur sa porte ; on le tue. Au même moment, car le meurtre est vaste, fort loin de là, rue de Lancry, le propriétaire de la maison n° 5, M. Thirion de Montauban, est sur sa porte ; on le tue. Rue Tiquetonne, un enfant de sept ans, nommé Boursier, passe ; on le tue. Mademoiselle Soulac, rue du Temple, n° 196, ouvre sa fenêtre, on la tue. Même rue, n° 97, deux femmes, mesdames Vidal et Raboisson, couturières, sont chez elles ; on les tue. Belval, ébéniste, rue de la Lune, n° 10, est chez lui ; on le tue. Debaëcque, négociant, rue du Sentier, n° 45, est chez lui ; Couvercelle, fleuriste, rue Saint-Denis, n° 257, est chez lui ; Labitte, bijoutier, boulevard Saint-Martin, n° 55, est chez lui ; Monpelas, parfumeur, rue Saint-Martin, n° 181, est chez lui ; on tue Monpelas, Labitte, Couvercelle et Debaëcque ; on sabre chez elle, rue Saint-Martin, n° 240, une pauvre brodeuse, mademoiselle Seguin, qui, n'ayant pas de quoi payer le médecin, est morte à l'hôpital Beaujon, le 1er janvier 1852, le jour même du Te Deum-Sibour à Notre-Dame. Une autre, une giletière, Françoise Noël, arquebusée rue du Faubourg-Montmartre, n° 20, est allée mourir à la Charité. Une autre, madame Ledaust, femme de ménage, demeurant passage du Caire, n° 76, mitraillée devant l'archevêché, a expiré à la Morgue. Des passantes, mademoiselle Gressier, demeurant faubourg Saint-Martin, n° 209, madame Guilard, demeurant faubourg Saint-Denis, n° 77, madame Garnier, demeurant boulevard Bonne-Nouvelle, n° 6, tombées sous la mitraille, la première sur le boulevard Montmartre, les deux autres sur le boulevard Saint-Denis, mais vivantes encore, essayèrent de se relever, devinrent point de mire pour les soldats éclatant de rire, et retombèrent, mortes cette fois. Il y eut des faits d'armes. Le colonel Rochefort, qui a probablement été nommé général pour cela, chargea, rue de la Paix, à la tête d'un régiment de lanciers, des bonnes d'enfants qu'il mit en déroute.

Telle fut cette expédition inénarrable. Tous les hommes qui y travaillèrent étaient en proie à des forces obscures ; tous avaient quelque chose qui les poussait ; Herbillon avait derrière lui Zaatcha, Saint-Arnaud la Kabylie, Renault l'affaire des villages Saint-André et Saint-Hippolyte, Espinasse Rome et l'assaut du 30 juin, Canrobert une femme, Magnan ses dettes.

Faut-il continuer ? On hésite. Le docteur Piquet, homme de soixante-dix ans, fut tué dans son salon d'une balle dans le ventre ; le peintre Jolivard d'une balle dans le front, devant son chevalet ; sa cervelle éclaboussa son tableau. Le capitaine anglais William Jesse esquiva une balle qui perça le plafond au-dessus de sa tête ; dans la librairie voisine des magasins du *Prophète*, le père, la mère et les deux filles furent sabrés ; on fusilla dans sa boutique un autre libraire, Lefilleul, boulevard Poissonnière ; rue Le Peletier, Boyer, pharmacien, assis à son comptoir, fut « lardé » par les lanciers. Un capitaine, tuant tout devant lui, prit d'assaut la maison du Grand-Balcon. Un domestique fut tué dans les magasins de Brandus. Reibell, à travers la mitraille, disait à Sax : *Et moi aussi je fais de la musique*. Le café Leblond fut mis à sac. La maison Billecoq fut canonnée au point qu'il fallut l'étançonner le lendemain. Devant la maison Jouvin, il y eut un tas de cadavres, dont un vieillard avec son parapluie et un jeune homme avec son lorgnon. L'hôtel de Castille, la Maison-Dorée, la Petite-Jeannette, le café de Paris, le café Anglais, furent pendant trois heures les cibles de la canonnade. La maison Raquenault s'écroula sous les obus ; les boulets démolirent le bazar Montmartre.

Nul n'échappait. Les fusils et les pistolets travaillaient à bout portant.

C'était l'approche du jour de l'an, il y avait des boutiques d'étrennes ; passage du Saumon, un enfant de treize ans, fuyant devant les feux de peloton, se cacha dans une de ces boutiques sous un monceau de jouets, il y fut saisi et tué. Ceux qui le tuèrent élargissaient en riant ses plaies avec leurs sabres. Une femme m'a dit : *On entendait dans tout le passage les cris du pauvre petit.* Quatre hommes furent fusillés devant la même boutique. L'officier leur disait : *Cela vous apprendra à flâner.* Un cinquième, nommé Mailleret, laissé pour mort, fut porté le lendemain, avec onze plaies, à la Charité. Il y a expiré.

On tirait dans les caves par les soupiraux.

Un ouvrier corroyeur nommé Moulins, réfugié dans une de ces caves mitraillées, a vu, par la lucarne de la cave, un passant blessé d'une balle à la cuisse, s'asseoir sur le pavé en râlant et s'adosser à une boutique. Des soldats entendent ce râle, accourent et achèvent le blessé à coups de baïonnette.

Une brigade tuait les passants de la Madeleine à l'Opéra ; une autre de l'Opéra au Gymnase ; une autre du boulevard Bonne-Nouvelle à la Porte Saint-Denis ; le 75ᵉ de ligne ayant enlevé la barricade de la Porte Saint-Denis, il n'y avait point de combat, il n'y avait que le carnage. Le massacre rayonnait — horrible mot vrai — du boulevard dans toutes les rues. C'était une pieuvre allongeant ses tentacules. Fuir ? Pourquoi ? Se cacher ? À quoi bon ? La mort courait derrière vous plus vite que vous. Rue Pagevin un soldat dit à un passant : — Que faites-vous ici ? — Je rentre chez moi. — Le soldat tue le passant. Rue des Marais on tue quatre jeunes gens dans une cour chez eux. Le colonel Espinasse criait : *Après la baïonnette, le canon !* Le colonel Rocherfort criait : *Piquez, saignez, sabrez !* Et il ajoutait : *C'est une économie de poudre et de bruit.* Devant le magasin de Barbedienne, un officier faisait admirer à ses camarades son arme, qui était une arme de précision, et disait : *Avec ce fusil-là, je fais des coups superbes entre les deux yeux.* Cela dit, il ajustait n'importe qui, et réussissait. Le carnage était frénétique. Pendant que la tuerie, sous les ordres de Carrelet, emplissait le boulevard, la brigade Bourgon ravageait le Temple, la brigade Marulaz ravageait la rue Rambuteau ; la division Renault se distinguait sur la rive gauche. Renault était ce général qui, à Mascara, avait donné à Charras ses pistolets. En 1848, il avait dit à Charras : *Il faut révolutionner l'Europe.* Et Charras lui avait dit : *Pas si vite !* Louis Bonaparte l'avait fait général de division en juillet 1851. La rue aux Ours fut particulièrement dévastée. Morny le soir disait à Louis Bonaparte : — *Un bon point au 15ᵉ léger. Il a nettoyé la rue aux Ours.*

Au coin de la rue du Sentier, un officier de spahis, le sabre levé, criait : — *Ce n'est pas ça ! Vous n'y entendez rien. Tirez aux femmes !* Une femme fuyait, elle était grosse, elle tomba, on la fit accoucher d'un coup de crosse. Une autre, éperdue, allait disparaître à l'angle d'une rue. Elle portait un enfant. Deux soldats l'ajustèrent. L'un dit : *À la femme !* Et il abattit la femme. L'enfant roula sur le pavé. L'autre soldat dit : *À l'enfant !* Et il tua l'enfant.

Un homme considérable dans la science, le docteur Germain Sée, déclare que dans une seule maison, la maison des Bains de Jouvence, il y avait, à six heures, sous un hangar dans la cour, environ quatre-vingts blessés, presque tous (soixante-dix au moins) « vieillards, femmes et enfants ». Le docteur Sée leur donna les premiers soins.

Il y eut rue Mandar, dit un témoin, « un chapelet de cadavres » qui allait jusqu'à la rue Neuve-Saint-Eustache. Devant la maison Odier, vingt-six cadavres. Trente devant l'hôtel Montmorency. Devant les Variétés, cinquante-deux, dont onze femmes. Rue Grange-Batelière, trois cadavres nus. Le n° 19 du faubourg Montmartre était plein de morts et de blessés.

Une femme en fuite, égarée, les cheveux épars, les bras levés au ciel, courait dans la rue Poissonnière en criant : On tue ! on tue ! on tue ! on tue ! on tue !

Les soldats pariaient. — Parions que je descends celui-ci. — C'est ainsi que fut tué, rentrant chez lui, rue de la Paix, n° 52, le comte Poninski.

Je voulus savoir à quoi m'en tenir. De certains forfaits, pour être affirmés, doivent être constatés. J'allai au lieu du meurtre.

Dans une telle angoisse, à force de sentir, on ne pense plus, ou, si l'on pense, c'est éperdument. On ne souhaite plus qu'une fin quelconque. La mort des autres vous fait tant d'horreur que votre propre mort vous fait envie. Si du moins, en mourant, on pouvait servir à quelque chose ! On se souvient des morts qui ont déterminé des indignations et des soulèvements. On n'a plus que cette ambition : être un cadavre utile.

Je marchais, affreusement pensif.

Je me dirigeais vers le boulevard ; j'y voyais une fournaise, j'y entendais un tonnerre.

Je vis venir à moi Jules Simon, qui, dans ces jours funestes, risquait vaillamment une vie précieuse. Il m'arrêta. — Où allez-vous ? me dit-il. Vous allez vous faire tuer. Qu'est-ce que vous voulez ? — Cela, lui dis-je.

Nous nous serrâmes la main.

Je continuai d'avancer.

J'arrivai sur le boulevard ; il était indescriptible. J'ai vu ce crime, cette tuerie, cette tragédie. J'ai vu cette pluie de la mort aveugle, j'ai vu tomber autour de moi en foule les massacrés éperdus. C'est pour cela que je signe ce livre UN TÉMOIN.

La destinée a ses intentions. Elle veille mystérieusement sur l'historien futur. Elle le laisse se mêler aux exterminations et aux carnages ; mais elle ne permet pas qu'il y meure, voulant qu'il les raconte.

Au milieu de cet assourdissement inexprimable, Xavier Durieu me croisa comme je traversais le boulevard mitraillé. Il me dit : — Ah ! vous voilà. Je viens de rencontrer Madame D. Elle vous cherche.

Madame D. et Madame de la R., deux généreuses et vaillantes femmes, avaient promis à Madame Victor Hugo, malade et au lit, de lui faire savoir où j'étais et de lui donner de mes nouvelles. Madame D. s'était héroïquement aventurée dans ce carnage. Il lui était arrivé ceci : à un coin de rue, elle s'était arrêtée devant un amoncellement de cadavres et avait eu le courage de s'indigner ; au cri d'horreur qu'elle avait poussé, un cavalier était accouru derrière elle, le pistolet au poing, et, sans une porte brusquement ouverte où elle se jeta et qui la sauva, elle était tuée.

On le sait, le total des morts de cette boucherie est inconnu. Bonaparte a fait la nuit sur ce nombre. C'est l'habitude des massacreurs. On ne laisse guère l'histoire établir le compte des massacrés. Ces chiffres-là ont un fourmillement obscur qui s'enfonce vite dans les ténèbres. Un des deux colonels qu'on a entrevus dans les premières pages de ce volume a affirmé que son régiment seul avait tué « au moins deux mille cinq cents individus ». Ce serait plus d'un par soldat. Nous croyons que ce colonel zélé exagère. Le crime quelquefois se vante dans le sens de la noirceur.

Lireux, un écrivain saisi pour être fusillé et qui a échappé par miracle, déclare avoir vu « plus de huit cents cadavres ».

Vers quatre heures, les chaises de poste qui étaient dans la cour de l'Élysée furent dételées.

Cette extermination, qu'un témoin anglais, le capitaine William Jesse, appelle « une fusillade de gaîté de cœur », dura de deux heures à cinq heures. Pendant ces trois effroyables heures, Louis Bonaparte exécuta sa préméditation et consomma son œuvre. Jusqu'à cet instant la pauvre petite conscience bourgeoise était presque indulgente. Eh bien, quoi, c'était jeu de prince, une espèce d'escroquerie d'État, un tour de passe-passe de grande dimension ; les sceptiques et les capables disaient :

« C'est une bonne farce faite à ces imbéciles. » Subitement, Louis Bonaparte, devenu inquiet, dut démasquer « toute sa politique ». — *Dites à Saint-Arnaud d'exécuter mes ordres.* — Saint-Arnaud obéit, le coup d'État fit ce qu'il était dans sa loi de faire, et à partir de ce moment épouvantable un immense ruisseau de sang se mit à couler à travers ce crime.

On laissa les cadavres gisants sur le pavé, effarés, pâles, stupéfaits, les poches retournées. Le tueur soldatesque est condamné à ce crescendo sinistre. Le matin, assassin ; le soir, voleur.

La nuit venue, il y eut enthousiasme et joie à l'Élysée. Ces hommes triomphèrent. Conneau, naïvement, a raconté la scène. Les familiers déliraient. Fialin tutoya Bonaparte. — Perdez-en l'habitude, lui dit tout bas Vieillard. En effet, ce carnage faisait Bonaparte empereur. Il était maintenant Majesté. On but, on fuma comme les soldats sur le boulevard ; car, après avoir tué tout le jour, on but toute la nuit ; le vin coula sur le sang. À l'Élysée on était émerveillé de la réussite. On s'extasiait, on admirait. Quelle idée le prince avait eue ! Comme la chose avait été menée ! — Cela vaut mieux que de s'enfuir par Dieppe comme d'Haussez ou par la Membrolle comme Guernon-Ranville ! — ou d'être pris déguisé en valet de pied et cirant les souliers de Madame de Saint-Fargeau comme ce pauvre Polignac ! — Guizot n'a pas été plus habile que Polignac, s'écriait Persigny. Fleury se tournait vers Morny : — Ce ne sont pas vos doctrinaires qui eussent réussi un coup d'État. — C'est vrai, ils n'étaient pas forts, répondait Morny. Il ajouta : — Ce sont pourtant des gens d'esprit, Louis-Philippe, Guizot, Thiers... — Louis Bonaparte, ôtant de ses lèvres sa cigarette, interrompit : — Si ce sont là des gens d'esprit, j'aime mieux être une bête...

— Féroce, dit l'histoire.

2 - NAPOLÉON-LE-PETIT

Histoire d'un Crime, commencée en 1852, ne fut publiée qu'en 1877. Napoléon-le-Petit, publié en 1852 consacrait déjà un livre entier au « Crime » du 4 décembre. Nous en extrayons le passage suivant (III, 9) et la Conclusion du livre (Deuxième Partie, II).

III-9

« Délivrons-nous tout de suite de ces affreux détails.

Le lendemain 5, au cimetière Montmartre, on vit une chose épouvantable.

Un vaste espace, resté vague jusqu'à ce jour, fut "utilisé" pour l'inhumation provisoire de quelques-uns des massacrés. Ils étaient ensevelis la tête hors de terre, afin que leurs familles pussent les reconnaître. La plupart, les pieds dehors, avec un peu de terre sur la poitrine. La foule allait là, le flot des curieux vous poussait, on errait au milieu des sépultures, et par instants on sentait la terre plier sous soi ; on marchait sur le ventre d'un cadavre. On se retournait, on voyait sortir de terre des bottes, des sabots ou des brodequins de femme ; de l'autre côté était la tête que votre pression sur le corps faisait remuer.

Un témoin illustre, le grand statuaire David, aujourd'hui proscrit et errant hors de France, dit : "J'ai vu au cimetière Montmartre une quarantaine de cadavres encore vêtus de leurs habits ; on les avait placés à côté l'un de l'autre ; quelques pelletées de terre les cachaient jusqu'à la tête, qu'on avait laissée découverte, afin que les parents les reconnussent. Il y avait si peu de terre qu'on voyait les pieds encore à découvert, et le public marchait sur ces corps, ce qui était horrible. Il y avait là de nobles têtes de jeunes hommes tout empreintes de courage ; au milieu était une pauvre femme, la domestique d'un boulanger, qui avait été tuée en portant le pain aux pratiques de son maître, et à côté une belle jeune fille, marchande de fleurs sur le boulevard. Ceux qui cherchaient des personnes disparues étaient obligés de fouler aux pieds les corps afin de pouvoir regarder de près les têtes. J'ai entendu un homme du peuple dire avec une expression d'horreur : On marche comme sur un tremplin."

La foule continua de se porter aux divers lieux où des victimes avaient été déposées, notamment cité Bergère ; si bien que ce même jour, 5, comme la multitude croissait et devenait importune, et qu'il fallait éloigner les curieux, on put lire sur un grand écriteau à l'entrée de la cité Bergère ces mots en lettres majuscules : *Ici il n'y a plus de cadavres.*

Les trois cadavres nus de la rue Grange-Batelière ne furent enlevés que le 5 au soir.

On le voit et nous y insistons, dans le premier moment et pour le profit qu'il en voulait faire, le coup d'État ne chercha pas le moins du monde à cacher son crime ; la pudeur ne lui vint que plus tard ; le premier jour, bien au contraire, il l'étala. L'atrocité ne suffisait pas, il fallait le cynisme. Massacrer n'était que le moyen, terrifier était le but. »

CONCLUSION
(II, 2)

Ayons foi.

Non, ne nous laissons pas abattre. Désespérer, c'est déserter. Regardons l'avenir.

L'avenir, — on ne sait pas quelles tempêtes nous séparent du port, mais le port lointain et radieux, on l'aperçoit, — l'avenir, répétons-le, c'est la République pour tous ; ajoutons : l'avenir, c'est la paix avec tous.

Ne tombons pas dans le travers vulgaire qui est de maudire et de déshonorer le siècle où l'on vit. Érasme a appelé le seizième siècle « l'excrément des temps », *fex temporum* ; Bossuet a qualifié ainsi le dix-septième siècle : « temps mauvais et petit » ; Rousseau a flétri le dix-huitième siècle en ces termes : « cette grande pourriture où nous vivons ». La postérité a donné tort à ces esprits illustres. Elle a dit à Érasme : le seizième siècle est grand ; elle a dit à Bossuet : le dix-septième siècle est grand ; elle a dit à Rousseau : le dix-huitième siècle est grand.

L'infamie de ces siècles eût été réelle, d'ailleurs, que ces hommes forts auraient eu tort de se plaindre. Le penseur doit accepter avec simplicité et calme le milieu où la Providence le place. La splendeur de l'intelligence humaine, la hauteur du génie n'éclate pas moins par le contraste que par l'harmonie avec les temps. L'homme stoïque et profond n'est pas diminué par l'abjection extérieure. Virgile, Pétrarque, Racine sont grands dans leur pourpre ; Job est plus grand sur son fumier.

Mais nous pouvons le dire, nous hommes du dix-neuvième siècle, le dix-neuvième siècle n'est pas le fumier. Quelles que soient les hontes de l'instant présent, quels que soient les coups dont le va-et-vient des événements nous frappe, quelle que soit l'apparente désertion ou la léthargie momentanée des esprits, aucun de nous, démocrates, ne reniera cette magnifique époque où nous sommes, âge viril de l'humanité.

Proclamons-le hautement, proclamons-le dans la chute et dans la défaite, ce siècle est le plus grand des siècles : et savez-vous pourquoi ? parce qu'il est le plus doux. Ce siècle, immédiatement issu de la Révolution française et son premier-né, affranchit l'esclave en Amérique, relève le paria en Asie, éteint le suttee dans l'Inde et écrase en Europe les derniers tisons du bûcher, civilise la Turquie, fait pénétrer de l'Évangile jusque dans le Coran, dignifie la femme, subordonne le droit du plus fort au droit du plus juste, supprime les pirates, amoindrit les pénalités, assainit les bagnes, jette le fer rouge à l'égout, condamne la peine de mort, ôte le boulet du pied des forçats, abolit les supplices, dégrade et flétrit la guerre, émousse les ducs d'Albe et les Charles IX, arrache les griffes aux tyrans.

Ce siècle proclame la souveraineté du citoyen et l'inviolabilité de la vie ; il couronne le peuple et sacre l'homme.

Dans l'art il a tous les génies : écrivains, orateurs, poètes, historiens, publicistes, philosophes, peintres, statuaires, musiciens ; la majesté, la grâce, la puissance, la force, l'éclat, la profondeur, la couleur, la forme, le style ; il se retrempe à la fois dans le réel et dans l'idéal, et porte à la main les deux foudres, le vrai et le beau. Dans la science il accomplit tous les miracles ; il fait du coton un salpêtre, de la vapeur un cheval, de la pile de Volta un ouvrier, du fluide électrique un messager, du soleil un peintre ; il s'arrose avec l'eau souterraine en attendant qu'il se chauffe avec le feu central ; il ouvre sur les deux infinis ces deux fenêtres, le télescope sur l'infiniment grand, le microscope sur l'infiniment petit, et il trouve dans le premier abîme des astres et dans le second abîme des insectes qui lui prouvent Dieu. Il supprime la durée, il supprime la distance, il supprime la souffrance ; il écrit une lettre de Paris à Londres, et il a la réponse en dix minutes ; il coupe une cuisse à un homme, l'homme chante et sourit.

Il n'a plus qu'à réaliser — et il y touche — un progrès qui n'est rien à côté des autres miracles qu'il a déjà faits, il n'a qu'à trouver le moyen de diriger dans une masse d'air une bulle d'air plus léger ; il a déjà la bulle d'air, il la tient emprisonnée ; il n'a plus qu'à trouver la force impulsive, qu'à faire le vide devant le ballon, par exemple, qu'à brûler l'air devant l'aérostat comme fait la fusée devant elle ; il n'a plus qu'à résoudre d'une façon quelconque ce problème, et il le résoudra, et savez-vous ce qui arrive alors ? à l'instant même les frontières s'évanouissent, les barrières s'effacent, tout ce qui est muraille de la Chine autour de la pensée, autour du commerce, autour de l'industrie, autour des nationalités, autour du progrès, s'écroule ; en dépit des censures, en dépit des index, il pleut des livres et des journaux partout ; Voltaire, Diderot, Rousseau, tombent en grêle sur Rome, sur Naples, sur Vienne, sur Pétersbourg ; le verbe humain est manne et le serf le ramasse dans le sillon ; les fanatismes meurent, l'oppression est impossible ; l'homme se traînait à terre, il échappe ; la civilisation se fait nuée d'oiseaux et s'envole, et tourbillonne, et s'abat joyeuse sur tous les points du globe à la fois : tenez, la voilà, elle passe, braquez vos canons, vieux despotismes, elle vous dédaigne ; vous n'êtes que le boulet, elle est l'éclair ; plus de haines, plus d'intérêts s'entre-dévorant, plus de guerres ; une sorte de vie nouvelle, faite de concorde et de lumière, emporte et apaise le monde ; la fraternité des peuples traverse les espaces et communie dans l'éternel azur, les hommes se mêlent dans les cieux.

En attendant ce dernier progrès, voyez le point où ce siècle avait amené la civilisation :

Autrefois il y avait un monde où l'on marchait à pas lents, le dos courbé, le front baissé ; où le comte de Gouvon se faisait servir à table par Jean-Jacques ; où le chevalier de Rohan donnait des coups de bâton à Voltaire ; où l'on tournait Daniel de Foe au pilori ; où une ville comme Dijon était séparée d'une ville comme Paris par un testament à faire, des voleurs à tous les coins de bois et dix jours de coche ; où un livre était une espèce d'infamie et d'ordure que le bourreau brûlait sur les marches du palais de justice ; où superstition et férocité se donnaient la main ; où le pape disait à l'empereur : *Jungamus dexteras, gladium gladio copulemus* ; où l'on rencontrait à chaque pas des croix auxquelles pendaient des amulettes, et des gibets auxquels pendaient des hommes ; où il y avait des hérétiques, des juifs, des lépreux ; où les maisons avaient des créneaux et des meurtrières ; où l'on fermait les rues avec une chaîne, les fleuves avec une chaîne, les camps même avec une chaîne, comme à la bataille de Tolosa, les villes avec des murailles, les royaumes avec des prohibitions et des pénalités ; où, excepté l'autorité et la force qui adhéraient étroitement, tout était parqué, réparti, coupé, divisé, tronçonné, haï et haïssant, épars et mort ; les hommes poussière, le pouvoir bloc. Aujourd'hui il y a un monde où tout est vivant, uni, combiné, accouplé, confondu ; un monde où règnent la pensée, le commerce et l'industrie ; où la politique, de plus en plus fixée, tend à se confondre avec la science ; un monde où les derniers échafauds et les derniers canons se hâtent de couper leurs dernières têtes et de vomir leurs derniers obus ; un monde où le jour croît à chaque minute ; un monde où la distance a disparu, où Constantinople est plus près de Paris que n'était Lyon il y a cent ans, où l'Amérique et l'Europe palpitent du même battement de cœur ; un monde tout circulation et tout amour, dont la France est le cerveau, dont les chemins de fer sont les artères et dont les fils électriques sont les fibres. Est-ce que vous ne voyez pas qu'exposer seulement une telle situation, c'est tout expliquer, tout démontrer et tout résoudre ? Est-ce que vous ne sentez pas que le vieux monde avait fatalement une vieille âme, la tyrannie, et que dans le monde nouveau va descendre nécessairement, irrésistiblement, divinement, une jeune âme, la liberté ?

C'est là l'œuvre qu'avait faite parmi les hommes et que continuait splendidement le dix-neuvième siècle, ce siècle de stérilité, ce siècle de décroissance, ce siècle de décadence, ce siècle d'abaissement, comme disent les pédants, les rhéteurs, les imbéciles, et toute cette immonde engeance de cagots, de fripons et de fourbes qui bave béatement du fiel sur la gloire, qui déclare que Pascal est un fou, Voltaire un fat, et Rousseau une brute, et dont le triomphe serait de mettre un bonnet d'âne au genre humain.

Vous parlez de bas-empire ? Est-ce sérieusement ? Est-ce que le bas-empire avait derrière lui Jean Huss, Luther, Cervantes, Shakespeare, Pascal, Molière, Voltaire, Montesquieu, Rousseau et Mirabeau ? Est-ce que le bas-empire avait derrière lui la prise de la Bastille, la fédération, Danton, Robespierre, la Convention ? Est-ce que le bas-empire avait l'Amérique ? Est-ce que le bas-empire avait le suffrage universel ? Est-ce que le bas-empire avait ces deux idées, patrie et humanité : patrie, l'idée qui grandit le cœur ; humanité, l'idée qui élargit l'horizon ? Savez-vous que sous le bas-empire Constantinople tombait en ruine et avait fini par n'avoir plus que trente mille habitants ? Paris en est-il là ? Parce que vous avez vu réussir un coup de main prétorien, vous vous déclarez bas-empire ! C'est vite dit, et lâchement pensé. Mais réfléchissez donc, si vous pouvez. Est-ce que le bas-empire avait la boussole, la pile, l'imprimerie, le journal, la locomotive, le télégraphe électrique ? Autant d'ailes qui emportent l'homme, et que le bas-empire n'avait pas ! Où le bas-empire rampait, le dix-neuvième siècle plane. Y songez-vous ? Quoi ! nous reverrions l'impératrice Zoé,

Romain Argyre, Nicéphore Logothète, Michel Calafate ! Allons donc ! Est-ce que vous vous imaginez que la Providence se répète platement ? Est-ce que vous croyez que Dieu rabâche ?

Ayons foi ! affirmons ! l'ironie de soi-même est le commencement de la bassesse. C'est en affirmant qu'on devient bon, c'est en affirmant qu'on devient grand. Oui, l'affranchissement des intelligences, et par suite l'affranchissement des peuples, c'était là la tâche sublime que le dix-neuvième siècle accomplissait en collaboration avec la France, car le double travail providentiel du temps et des hommes, de la maturation et de l'action, se confondait dans l'œuvre commune, et la grande époque avait pour foyer la grande nation.

Ô patrie ! c'est à cette heure où te voilà sanglante, inanimée, la tête pendante, les yeux fermés, la bouche ouverte et ne parlant plus, les marques du fouet sur les épaules, les clous de la semelle des bourreaux imprimés sur tout le corps, nue et souillée, et pareille à une chose morte, objet de haine, objet de risée, hélas ! c'est à cette heure, patrie, que le cœur du proscrit déborde d'amour et de respect pour toi !

Te voilà sans mouvement. Les hommes de despotisme et d'oppression rient et savourent l'illusion orgueilleuse de ne plus te craindre. Rapides joies. Les peuples qui sont dans les ténèbres oublient le passé et ne voient que le présent et te méprisent. Pardonne-leur ; ils ne savent ce qu'ils font. Te mépriser ! Grand Dieu, mépriser la France ! Et qui sont-ils ! Quelle langue parlent-ils ? Quels livres ont-ils dans les mains ? Quels noms savent-ils par cœur ? Quelle est l'affiche collée sur le mur de leurs théâtres ? Quelle forme ont leurs arts, leurs lois, leurs mœurs, leurs vêtements, leurs plaisirs, leurs modes ? Quelle est la grande date pour eux comme pour nous ? 89 ! S'ils ôtent la France de leur âme, que leur reste-t-il ? Ô peuple ! fût-elle tombée et tombée à jamais, est-ce qu'on méprise la Grèce ? est-ce qu'on méprise l'Italie ? est-ce qu'on méprise la France ? Regardez ces mamelles, c'est votre nourrice. Regardez ce ventre, c'est votre mère.

Si elle dort, si elle est en léthargie, silence et chapeau bas. Si elle est morte, à genoux !

Les exilés sont épars ; la destinée a des souffles qui dispersent les hommes comme une poignée de cendres. Les uns sont en Belgique, en Piémont, en Suisse, où ils n'ont pas la liberté ; les autres sont à Londres, où ils n'ont pas de toit. Celui-ci, paysan, a été arraché à son clos natal ; celui-ci, soldat, n'a plus que le tronçon de son épée qu'on a brisée dans sa main ; celui-ci, ouvrier, ignore la langue du pays, il est sans vêtements et sans souliers, il ne sait pas s'il mangera demain ; celui-ci a quitté une femme et des enfants, groupe bien-aimé, but de son labeur, joie de sa vie ; celui-ci a une vieille mère en cheveux blancs qui le pleure ; celui-là a un vieux père qui mourra sans l'avoir revu ; cet autre aimait, il a laissé derrière lui quelque être adoré qui l'oubliera ; ils lèvent la tête, ils se tendent la main les uns aux autres, ils sourient ; il n'est pas de peuple qui ne se range sur leur passage avec respect et qui ne contemple avec un attendrissement profond, comme un des plus beaux spectacles que le sort puisse donner aux hommes, toutes ces consciences sereines, tous ces cœurs brisés.

Ils souffrent, ils se taisent ; en eux le citoyen a immolé l'homme ; ils regardent fixement l'adversité, ils ne crient même pas sous la verge impitoyable du malheur : *Civis romanus sum !* Mais le soir, quand on rêve, — quand tout dans la ville étrangère se revêt de tristesse, car ce qui semble froid le jour devient funèbre au crépuscule, — mais la nuit, quand on ne dort pas, les âmes les plus stoïques s'ouvrent au deuil et à l'accablement. Où sont les petits enfants ? qui leur donnera du pain ? qui leur donnera le baiser de leur père ? où est la femme ? où est la mère ? où est le frère ? où sont-ils tous ? Et ces chansons qu'on entendait le soir dans sa langue natale, où sont-elles ? où est le bois, l'arbre, le sentier, le toit plein de nids, le clocher entouré de tombes ? où est la rue, où est le faubourg, le réverbère allumé devant votre porte, les amis, l'atelier, le métier, le travail accoutumé ? Et les meubles vendus à la criée, l'encan envahissant le sanctuaire domestique ! Oh ! que d'adieux éternels ! Détruit, mort, jeté aux quatre vents, cet être moral qu'on appelle le foyer de famille et qui ne se compose pas seulement de causeries, des tendresses et des embrassements, qui se compose aussi des heures, des habitudes, de la visite des amis, du rire de celui-ci, du serrement de main de celui-là, de la vue qu'on voyait de telle fenêtre, de la place où était tel meuble, du fauteuil où l'aïeul s'était assis, du tapis où les premiers-nés ont joué ! Envolés, tous ces objets auxquels s'était empreinte votre vie ! évanouie, la forme visible des souvenirs ! Il y a dans la douleur des côtés intimes et obscurs où les plus fiers courages fléchissent. L'orateur de Rome tendit sa tête sans pâlir au couteau du centurion Lenas, mais il pleura en songeant à sa maison démolie par Clodius.

Les proscrits se taisent, ou, s'ils se plaignent, ce n'est qu'entre eux. Comme ils se connaissent, et qu'ils sont doublement frères, ayant la même patrie et ayant la même proscription, ils se racontent leurs misères. Celui qui a de l'argent le partage avec ceux qui n'en ont pas, celui qui a de la fermeté en donne à ceux qui en manquent. On échange les souvenirs, les aspirations, les espérances. On se tourne, les bras tendus dans l'ombre, vers ce qu'on a laissé derrière soi. Oh ! qu'ils soient heureux là-bas, ceux qui ne pensent plus à nous ! Chacun souffre et par moments s'irrite. On grave dans toutes les mémoires les noms de tous les bourreaux. Chacun a quelque chose qu'il maudit, Mazas, le ponton, la casemate, le dénonciateur qui a trahi, l'espion qui a guetté, le gendarme qui a arrêté, Lambessa où l'on a un ami, Cayenne où l'on a un frère ; mais il y a une chose qu'ils bénissent tous, c'est toi, France !

Oh ! une plainte, un mot contre toi, France ! non, non ! on n'a jamais plus de patrie dans le cœur que lorsqu'on est saisi par l'exil.

Ils feront leur devoir entier avec un front tranquille et une persévérance inébranlable. Ne pas te revoir, c'est là leur tristesse ; ne pas t'oublier, c'est là leur joie.

Ah ! quel deuil ! et après huit mois on a beau se dire que cela est, on a beau regarder autour de soi et voir la flèche de Saint-Michel au lieu du Panthéon, et voir Sainte-Gudule au lieu de Notre-Dame, on n'y croit pas !

Ainsi cela est vrai, on ne peut le nier, il faut en convenir, il faut le reconnaître, dût-on expirer d'humiliation et de désespoir, ce qui est là, à terre, c'est le dix-neuvième siècle, c'est la France !

Quoi ! c'est ce Bonaparte qui a fait cette ruine !

Quoi ! c'est au centre du plus grand peuple de la terre, quoi ! c'est au milieu du plus grand siècle de l'histoire que ce personnage s'est dressé debout et a triomphé ! Se faire de la France une proie, grand Dieu ! ce que le lion n'eût pas osé, le singe l'a fait ! ce que l'aigle eût redouté de saisir dans ses serres, le perroquet l'a pris dans sa patte ! Quoi ! Louis XI y eût échoué ! quoi ! Richelieu s'y fût brisé ! quoi ! Napoléon n'y eût pas suffi ! En un jour, du soir au matin, l'absurde a été le possible. Tout ce qui était axiome est devenu chimère. Tout ce qui était mensonge est devenu fait vivant. Quoi ! le plus éclatant concours d'hommes ! quoi ! le plus magnifique mouvement d'idées ! quoi ! le plus formidable enchaînement d'événements ! quoi ! ce qu'aucun Titan n'eût contenu, ce qu'aucun Hercule n'eût détourné, le fleuve humain en marche, la vague française en avant, la civilisation, le progrès, l'intelligence, la révolution, la liberté, il a arrêté cela un beau matin, purement et simplement, tout net, ce masque, ce nain, ce Tibère avorton, ce néant !

Dieu marchait, et allait devant lui. Louis Bonaparte, panache en tête, s'est mis en travers et a dit à Dieu : Tu n'iras pas plus loin !

Dieu s'est arrêté.

Et vous vous figurez que cela est ! et vous vous imaginez que ce plébiscite existe, que cette Constitution de je ne sais plus quel jour de janvier existe, que ce Sénat existe, que ce conseil d'État et ce corps législatif existent ! Vous vous imaginez qu'il y a un laquais qui s'appelle Rouher, un valet qui s'appelle Troplong, un eunuque qui s'appelle Baroche, et un sultan, un pacha, un maître qui se nomme Louis Bonaparte ! Vous ne voyez donc pas que c'est tout cela qui est chimère ! vous ne voyez donc pas que le Deux-Décembre n'est qu'une immense illusion, une pause, un temps d'arrêt, une sorte de toile de manœuvre derrière laquelle Dieu, ce machiniste merveilleux, prépare et construit le dernier acte, l'acte suprême et triomphal de la Révolution française ! Vous regardez stupidement la toile, les choses peintes sur ce canevas grossier, le nez de celui-ci, les épaulettes de celui-là, le grand sabre de cet autre, ces marchands d'eau de Cologne galonnés que vous appelez des généraux, ces poussahs que vous appelez des magistrats, ces bonshommes que vous appelez des sénateurs, ce mélange de caricatures et de spectres, et vous prenez cela pour des réalités ! Et vous n'entendez pas au-delà, dans l'ombre, ce bruit sourd ! vous n'entendez pas quelqu'un qui va et vient ! vous ne voyez pas trembler cette toile au souffle de ce qui est derrière !

VI - ACTES ET PAROLES

1 - AVANT L'EXIL

Les grands discours à l'Assemblée
1849-1851

LA MISÈRE

9 juillet 1849.

Messieurs, je viens appuyer la proposition de l'honorable M. de Melun. Je commence par déclarer qu'une proposition qui embrasserait l'article 13 de la Constitution tout entier serait une œuvre immense sous laquelle succomberait la commission qui voudrait l'entreprendre ; mais ici, il ne s'agit que de préparer une législation qui organise la prévoyance et l'assistance publique. C'est ainsi que l'honorable rapporteur a entendu la proposition, c'est ainsi que je la comprends moi-même, et c'est à ce titre que je viens l'appuyer.

Qu'on veuille bien me permettre, à propos des questions politiques que soulève cette proposition, quelques mots d'éclaircissement.

Messieurs, j'entends dire à tout instant, et j'ai entendu dire encore tout à l'heure autour de moi, au moment où j'allais monter à cette tribune, qu'il n'y a pas deux manières de rétablir l'ordre. On disait que dans les temps d'anarchie il n'y a de remède souverain que la force, qu'en dehors de la force tout est vain et stérile, et que la proposition de l'honorable M. de Melun et toutes autres propositions analogues doivent être tenues à l'écart, parce qu'elles ne sont, je répète le mot dont on se servait, que du socialisme déguisé. (*Interruption à droite.*)

Messieurs, je crois que des paroles de cette nature sont moins dangereuses dites en public, à cette tribune, que murmurées sourdement ; et si je cite ces conversations, c'est que j'espère amener à la tribune, pour s'expliquer, ceux qui ont exprimé les idées que je viens de rapporter. Alors, messieurs, nous pourrons les combattre au grand jour. (*Murmures à droite.*)

J'ajouterai, messieurs, qu'on allait encore plus loin. (*Interruption.*)

VOIX À DROITE. Qui ? qui ? Nommez qui a dit cela !

M. VICTOR HUGO. Que ceux qui ont ainsi parlé se nomment eux-mêmes, c'est leur affaire. Qu'ils aient à la tribune le courage de leurs opinions de couloirs et de commissions. Quant à moi, ce n'est pas mon rôle de révéler des noms qui se cachent. Les idées se montrent, je combats les idées ; quand les hommes se montreront, je combattrai les hommes. (*Agitation.*) Messieurs, vous le savez, les choses qu'on ne dit pas tout haut sont souvent celles qui font le plus de mal. Ici les paroles publiques sont pour la foule, les paroles secrètes sont pour le vote. Eh bien ! je ne veux pas, moi, de paroles secrètes quand il s'agit de l'avenir du peuple et des lois de mon pays. Les paroles secrètes, je les dévoile ; les influences cachées, je les démasque : c'est mon devoir. (*L'agitation redouble.*) Je continue donc. Ceux qui parlaient ainsi ajoutaient que « faire espérer au peuple un surcroît de bien-être et une diminution de malaise, c'est promettre l'impossible ; qu'il n'y a rien à faire, en un mot, que ce qui a déjà été fait par tous les gouvernements dans toutes les circonstances semblables ; que tout le reste est déclamation et chimère, et que la répression suffit pour le présent et la compression pour l'avenir ». (*Violents murmures. De nombreuses interpellations sont adressées à l'orateur par des membres de la droite et du centre.*)

Je suis heureux, messieurs, que mes paroles aient fait éclater une telle unanimité de protestations.

M. LE PRÉSIDENT DUPIN. L'Assemblée a en effet manifesté son sentiment. Le président n'a rien à ajouter. (*Très bien ! Très bien !*)

M. VICTOR HUGO. Ce n'est pas là ma manière de comprendre le rétablissement de l'ordre... (*Interruption à droite.*)

UNE VOIX. Ce n'est la manière de personne.

M. NOËL PARFAIT. On l'a dit dans mon bureau. (*Cris à droite.*)

M. DUFOURNEL, *à M. Parfait.* Citez ! dites qui a parlé ainsi !

M. DE MONTALEMBERT. Avec la permission de l'honorable M. Victor Hugo, je prends la liberté de déclarer... (*Interruption.*)

Voix nombreuses. À la tribune ! à la tribune !

M. de Montalembert, *à la tribune*. Je prends la liberté de déclarer que l'assertion de l'honorable M. Victor Hugo est d'autant plus mal fondée que la commission a été unanime pour approuver la proposition de M. de Melun, et la meilleure preuve que j'en puisse donner, c'est qu'elle a choisi pour rapporteur l'auteur même de la proposition. (*Très bien ! très bien !*)

M. Victor Hugo. L'honorable M. de Montalembert répond à ce que je n'ai pas dit. Je n'ai pas dit que la commission n'eût pas été unanime pour adopter la proposition ; j'ai seulement dit, et je le maintiens, que j'avais entendu souvent, et notamment au moment où j'allais monter à la tribune, les paroles auxquelles j'ai fait allusion, et que, comme pour moi les objections occultes sont les plus dangereuses, j'avais le droit et le devoir d'en faire des objections publiques, fût-ce en dépit d'elles-mêmes, afin de pouvoir les mettre à néant. Vous voyez que j'ai eu raison, car dès le premier mot, la honte les prend et elles s'évanouissent. (*Bruyantes réclamations à droite. Plusieurs membres interpellent vivement l'orateur au milieu du bruit.*)

M. le Président. L'orateur n'a nommé personne en particulier, mais ses paroles ont quelque chose de personnel pour tout le monde, et je ne puis voir dans l'interruption qui se produit qu'un démenti universel de cette Assemblée. Je vous engage à rentrer dans la question même.

M. Victor Hugo. Je n'accepterai le démenti de l'Assemblée que lorsqu'il me sera donné par les actes et non par les paroles. Nous verrons si l'avenir me donne tort ; nous verrons si l'on fera autre chose que de la compression et de la répression ; nous verrons si la pensée qu'on désavoue aujourd'hui ne sera pas la politique qu'on arborera demain. En attendant, et dans tous les cas, il me semble que l'unanimité même que je viens de provoquer dans cette Assemblée est une chose excellente... (*Bruit. Interruption.*)

Eh bien ! messieurs, transportons cette nature d'objections au dehors de cette enceinte, et désintéressons les membres de cette Assemblée. Et maintenant, ceci posé, il me sera peut-être permis de dire que, quant à moi, je ne crois pas que le système qui combine la répression avec la compression, et qui s'en tient là, soit l'unique manière, soit la bonne manière de rétablir l'ordre. (*Nouveaux murmures.*)

J'ai dit que je désintéresse complètement les membres de l'Assemblée... (*Bruit.*)

M. LE PRÉSIDENT. L'Assemblée est désintéressée ; c'est une objection que l'orateur se fait à lui-même et qu'il va réfuter. (*Rires. Rumeurs.*)

M. VICTOR HUGO. M. le Président se trompe. Sur ce point encore j'en appelle à l'avenir. Nous verrons. Du reste, comme ce n'est pas là le moins du monde une objection que je me fais à moi-même, il me suffit d'avoir provoqué la manifestation unanime de l'Assemblée, en espérant que l'Assemblée s'en souviendra, et je passe à un autre ordre d'idées.

J'entends dire également tous les jours… (*Interruption.*) Ah ! messieurs, sur ce côté de la question, je ne crains aucune interruption, car vous reconnaîtrez vous-mêmes que c'est là aujourd'hui le grand mot de la situation ; j'entends dire de toutes parts que la société vient encore une fois de vaincre, — et qu'il faut profiter de la victoire. (*Mouvement.*) Messieurs, je ne surprendrai personne dans cette enceinte en disant que c'est aussi là mon sentiment.

Avant le 13 juin, une sorte de tourmente agitait cette Assemblée ; votre temps si précieux se perdait en de stériles et dangereuses luttes de paroles ; toutes les questions, les plus sérieuses, les plus fécondes, disparaissaient devant la bataille à chaque instant livrée à la tribune et offerte dans la rue. (*C'est vrai !*) Aujourd'hui le calme s'est fait, le terrorisme s'est évanoui, la victoire est complète. Il faut en profiter. Oui, il faut en profiter ! Mais savez-vous comment ?

Il faut profiter du silence imposé aux passions anarchiques pour donner la parole aux intérêts populaires. (*Sensation.*) Il faut profiter de l'ordre reconquis pour relever le travail, pour créer sur une vaste échelle la prévoyance sociale, pour substituer à l'aumône qui dégrade (*dénégations à droite*) l'assistance qui fortifie, pour fonder de toutes parts, et sous toutes les formes, des établissements de toute nature qui rassurent le malheureux et qui encouragent le travailleur, pour donner cordialement, en améliorations de toutes sortes, aux classes souffrantes, plus, cent fois plus que leurs faux amis ne leur ont jamais promis ! Voilà comment il faut profiter de la victoire. (*Oui ! oui ! Mouvement prolongé.*)

Il faut profiter de la disparition de l'esprit de révolution pour faire reparaître l'esprit de progrès ! Il faut profiter du calme pour rétablir la paix, non pas seulement la paix dans les rues, mais la paix véritable, la paix définitive, la paix faite dans les esprits et dans les cœurs ! Il faut, en un mot, que la défaite de la démagogie soit la victoire du peuple ! (*Vive adhésion.*)

Voilà ce qu'il faut faire de la victoire, et voilà comment il faut en profiter. (*Très bien ! très bien !*)

Et, messieurs, considérez le moment où vous êtes. Depuis dix-huit mois, on a vu le néant de bien des rêves. Les chimères qui étaient dans l'ombre en sont sorties, et le grand jour les a éclairées ; les fausses théories ont été sommées de s'expliquer, les faux systèmes ont été mis au pied du mur ; qu'ont-ils produit ? Rien. Beaucoup d'illusions se sont évanouies dans les masses, et, en s'évanouissant, ont fait crouler les popularités sans base et les haines sans motif. L'éclaircissement vient peu à peu ; le peuple, messieurs, a l'instinct du vrai comme il a l'instinct du juste, et, dès qu'il s'apaise, le peuple est le bon sens même ; la lumière pénètre dans son esprit ; en même temps la fraternité pratique, la fraternité qu'on ne décrète pas, la fraternité qu'on n'écrit pas sur les murs, la fraternité qui naît du fond des choses et de l'identité réelle des destinées humaines, commence à germer dans toutes les âmes, dans l'âme du riche comme dans l'âme du pauvre ; partout, en haut, en bas, on se penche les uns vers les autres avec cette inexprimable soif de concorde qui marque la fin des dissensions civiles. (*Oui ! oui !*) La société veut se remettre en marche après cette halte au bord d'un abîme. Eh bien ! messieurs, jamais, jamais moment ne fut plus propice, mieux choisi, plus clairement indiqué par la Providence pour accomplir, après tant de colères et de malentendus, la grande œuvre qui est votre mission, et qui peut, tout entière, s'exprimer dans un seul mot : Réconciliation. (*Sensation prolongée.*)

Messieurs, la proposition de M. de Melun va droit à ce but.

Voilà, selon moi, le sens vrai et complet de cette proposition, qui peut, du reste, être modifiée en bien et perfectionnée :

Donner à cette Assemblée pour objet principal l'étude du sort des classes souffrantes, c'est-à-dire le grand et obscur problème posé par Février ; environner cette étude de solennité, tirer de cette étude approfondie toutes les améliorations pratiques et possibles ; substituer une grande et unique commission de l'assistance et de la prévoyance publiques à toutes les commissions secondaires, qui ne voient que le détail, et auxquelles l'ensemble échappe ; placer cette commission très haut, de manière à ce qu'on l'aperçoive du pays entier (*mouvement*) ; réunir les lumières éparses, les expériences disséminées, les efforts divergents, les dévouements, les documents, les recherches partielles, les enquêtes locales, toutes les bonnes volontés en travail, et leur créer ici un centre, un centre où aboutiront toutes les idées et d'où rayonneront toutes les solutions ; faire sortir pièce à pièce, loi à loi, mais avec ensemble, avec maturité, des travaux de la législature actuelle le code coordonné et complet, le grand code chrétien de la prévoyance et de l'assistance publiques ; en un mot, étouffer les chimères du socialisme sous les réalités de l'Évangile (*vive approbation*) ; voilà quel est le véritable sens de la proposition de M. de Melun ; voilà pourquoi je m'y associe énergiquement. (*M. de Melun fait un signe d'adhésion à l'orateur.*)

Je viens de dire : les chimères du socialisme, et je ne veux rien retirer de cette expression, qui n'est pas même sévère, qui n'est que juste. Entendons-nous cependant. Est-ce à dire que, dans cet amas de notions confuses, d'aspirations obscures, d'illusions inouïes, d'instincts irréfléchis, de formules incorrectes, qu'on désigne sous le nom vague et lui-même fort mal compris de *socialisme*, il n'y ait rien de vrai, absolument rien de vrai ?

Messieurs, s'il n'y avait rien de vrai, il n'y aurait aucun danger. La société pourrait dédaigner et attendre. Pour que l'imposture ou l'erreur soient dangereuses, pour qu'elles pénètrent dans l'esprit des masses, pour qu'elles puissent percer jusqu'au cœur même de la société, il faut qu'elles se fassent une arme d'une partie quelconque de la réalité. La vérité ajustée aux erreurs, voilà le péril. En pareille matière, la quantité de danger se mesure à la quantité de vérité contenue dans les chimères. (*Mouvement.*)

Eh bien, disons-le précisément pour trouver le remède, il y a au fond du socialisme une partie des réalités douloureuses de notre temps et de tous les temps (*chuchotements*) ; il y a le malaise éternel propre à l'infirmité humaine ; il y a l'aspiration à un sort meilleur, qui n'est pas moins naturelle à l'homme, mais qui se trompe souvent de route en cherchant dans ce monde ce qui ne peut être trouvé que dans l'autre. (*Vive et unanime adhésion.*) Il y a des détresses très grandes, très vives, très vraies, très poignantes, très guérissables. Il y a enfin, et ceci est tout à fait propre à notre époque, il y a cette attitude nouvelle donnée à l'homme par nos révolutions, qui l'ont placé si haut et constaté si hautement la dignité humaine et la souveraineté populaire ; de telle sorte qu'aujourd'hui l'homme du peuple souffre avec le sentiment double et contradictoire de sa misère résultant du fait, et de sa grandeur résultant du droit. (*Profonde sensation.*)

C'est tout cela, messieurs, qui est dans le socialisme, c'est tout cela qui s'y mêle à des erreurs et à des passions mauvaises, c'est tout cela qui en fait la force, c'est tout cela qu'il faut en ôter.

Voix NOMBREUSES. Comment ?

M. VICTOR HUGO. En éclairant ce qui est faux, en satisfaisant ce qui est juste. (*C'est vrai !*) Une fois cette opération faite, faite consciencieusement, loyalement, honnêtement, le socialisme disparaît. En lui retirant ce qu'il peut avoir de vrai, vous lui retirez ce qu'il a de dangereux. Ce n'est plus qu'un informe nuage d'erreurs que le premier souffle emportera.

Trouvez bon, messieurs, que je complète ma pensée. Je vois à l'agitation de l'Assemblée que je ne suis pas pleinement compris. La question qui vous est soumise est grave. C'est la plus grave de toutes celles qui peuvent être traitées devant vous.

Je ne suis pas, messieurs, de ceux qui croient qu'on peut supprimer la souffrance en ce monde ; la souffrance est une loi divine ; mais je suis de ceux qui pensent et qui affirment qu'on peut détruire la misère. (*Mouvements divers.*)

Remarquez-le bien, messieurs, je ne dis pas diminuer, amoindrir, limiter, circonscrire, je dis détruire. (*Nouveaux murmures à droite.*) La misère est une maladie du corps social comme la lèpre était une maladie du corps humain ; la misère peut disparaître comme la lèpre a disparu. (*Oui ! oui ! à gauche.*) Détruire la misère ! oui, cela est possible. (*Mouvement. Quelques voix : Comment ? Comment ?*) Les législateurs et les gouvernants doivent y songer sans cesse ; car, en pareille matière, tant que le possible n'est pas fait, le devoir n'est pas rempli. (*Très bien ! très bien !*)

La misère, messieurs, j'aborde ici le vif de la question, voulez-vous savoir où elle en est, la misère ? Voulez-vous savoir jusqu'où elle peut aller, jusqu'où elle va, je ne dis pas en Irlande, je ne dis pas au moyen-âge, je dis en France, je dis à Paris, et au temps où nous vivons ? Voulez-vous des faits ?

Il y a dans Paris… (*L'orateur s'interrompt.*)

Mon Dieu, je n'hésite pas à les citer, ces faits. Ils sont tristes, mais nécessaires à révéler ; et tenez, s'il faut dire toute ma pensée, je voudrais qu'il sortît de cette Assemblée, et au besoin j'en ferai la proposition formelle, une grande et solennelle enquête sur la situation vraie des classes laborieuses et souffrantes en France. (*Très bien !*) Je voudrais que tous les faits éclatassent au grand jour. Comment veut-on guérir le mal si l'on ne sonde pas les plaies ? (*Très bien ! très bien !*)

Voici donc ces faits.

Il y a dans Paris, dans ces faubourgs de Paris que le vent de l'émeute soulevait naguère si aisément, il y a des rues, des maisons, des cloaques, où des familles, des familles entières, vivent pêle-mêle, hommes, femmes, jeunes filles, enfants, n'ayant pour lits, n'ayant pour couvertures, j'ai presque dit pour vêtements, que des monceaux infects de chiffons en fermentation, ramassés dans la fange du coin des bornes, espèce de fumier des villes, où des créatures humaines s'enfouissent toutes vivantes pour échapper au froid de l'hiver. (*Mouvement.*)

Voilà un fait. En voulez-vous d'autres ? Ces jours-ci, un homme, mon Dieu, un malheureux homme de lettres, car la misère n'épargne pas plus les professions libérales que les professions manuelles, un malheureux homme est mort de faim, mort de faim à la lettre, et l'on a constaté, après sa mort, qu'il n'avait pas mangé depuis six jours. (*Longue interruption.*) Voulez-vous quelque chose de plus douloureux encore ? Le mois passé, pendant la recrudescence du choléra, on a trouvé une mère et ses quatre enfants qui cherchaient leur nourriture dans les débris immondes et pestilentiels des charniers de Montfaucon ! (*Sensation.*)

Eh bien, messieurs, je dis que ce sont là des choses qui ne doivent pas être ; je dis que la société doit dépenser toute sa force, toute sa sollicitude, toute son intelligence, toute sa volonté, pour que de telles choses ne soient pas ! Je dis que de tels faits, dans un pays civilisé, engagent la conscience de la société tout entière ; que je m'en sens, moi qui parle, complice et solidaire (*mouvement*), et que de tels faits ne sont pas seulement des torts envers l'homme, que ce sont des crimes envers Dieu ! (*Sensation prolongée.*)

Voilà pourquoi je suis pénétré, voilà pourquoi je voudrais pénétrer tous ceux qui m'écoutent de la haute importance de la proposition qui vous est soumise. Ce n'est qu'un premier pas, mais il est décisif. Je voudrais que cette Assemblée, majorité et minorité, n'importe, je ne connais pas, moi, de majorité et de minorité en de telles questions ; je voudrais que cette Assemblée n'eût qu'une seule âme pour marcher à ce grand but, à ce but magnifique, à ce but sublime, l'abolition de la misère ! (*Bravo ! Applaudissements.*)

Et, messieurs, je ne m'adresse pas seulement à votre générosité, je m'adresse à ce qu'il y a de plus sérieux dans le sentiment politique d'une assemblée de législateurs. Et, à ce sujet, un dernier mot : je terminerai par là.

Messieurs, comme je vous le disais tout à l'heure, vous venez, avec le concours de la garde nationale, de l'armée et de toutes les forces vives du pays, vous venez de raffermir l'état ébranlé encore une fois. Vous n'avez reculé devant aucun péril, vous n'avez hésité devant aucun devoir. Vous avez sauvé la société régulière, le gouvernement légal, les institutions, la paix publique, la civilisation même. Vous avez fait une chose considérable... Eh bien ! vous n'avez rien fait ! (*Mouvement.*)

Vous n'avez rien fait, j'insiste sur ce point, tant que l'ordre matériel raffermi n'a point pour base l'ordre moral consolidé ! (*Très bien ! très bien ! Vive et unanime adhésion.*) Vous n'avez rien fait tant que le peuple souffre ! (*Bravos à gauche.*) Vous n'avez rien fait tant qu'il y a au-dessous de vous une partie du peuple qui désespère ! Vous n'avez rien fait, tant que ceux qui sont dans la force de l'âge et qui travaillent peuvent être sans pain ! tant que ceux qui sont vieux et qui ne peuvent plus travailler sont sans asile ! tant que l'usure dévore nos campagnes, tant qu'on meurt de faim dans nos villes (*mouvement prolongé*), tant qu'il n'y a pas des lois fraternelles, des lois évangéliques qui viennent de toutes parts en aide aux pauvres familles honnêtes, aux bons paysans, aux bons ouvriers, aux gens de cœur ! (*Acclamation.*) Vous n'avez rien fait, tant que l'esprit de révolution a pour auxiliaire la souffrance publique ! Vous n'avez rien fait, rien fait, tant que, dans cette œuvre de destruction et de ténèbres, qui se continue souterrainement, l'homme méchant a pour collaborateur fatal l'homme malheureux !

Vous le voyez, messieurs, je le répète en terminant, ce n'est pas seulement à votre générosité que je m'adresse, c'est à votre sagesse, et je vous conjure d'y réfléchir. Messieurs, songez-y, c'est l'anarchie qui ouvre les abîmes, mais c'est la misère qui les creuse. (*C'est vrai ! c'est vrai !*) Vous avez fait des lois contre l'anarchie, faites maintenant des lois contre la misère ! (*Mouvement prolongé sur tous les bancs. L'orateur descend de la tribune et reçoit les félicitations de ses collègues.*)

LA LIBERTÉ DE L'ENSEIGNEMENT

15 janvier 1850.

Messieurs, quand une discussion est ouverte qui touche à ce qu'il y a de plus sérieux dans les destinées du pays, il faut aller tout de suite, et sans hésiter, au fond de la question. Je com-

mence par dire ce que je voudrais, je dirai tout à l'heure ce que
je ne veux pas.

Messieurs, à mon sens, le but, difficile à atteindre et lointain
sans doute, mais auquel il faut tendre dans cette grave question
de l'enseignement, le voici. (*Plus haut ! plus haut !*)

Messieurs, toute question a son idéal. Pour moi, l'idéal de
cette question de l'enseignement, le voici : L'instruction gratuite
et obligatoire. Obligatoire au premier degré seulement, gratuite
à tous les degrés. (*Murmures à droite. Applaudissements à gauche.*) L'enseignement primaire obligatoire, c'est le droit de
l'enfant (*mouvement*), qui, ne vous y trompez pas, est plus
sacré encore que le droit du père, et qui se confond avec le droit
de l'État.

Je reprends. Voici donc, selon moi, l'idéal de la question :
l'instruction gratuite et obligatoire dans la mesure que je viens
de marquer. Un grandiose enseignement public, donné et réglé
par l'État, partant de l'école de village et montant de degré en
degré jusqu'au Collège de France, plus haut encore, jusqu'à
l'Institut de France. Les portes de la science toutes grandes
ouvertes à toutes les intelligences. Partout où il y a un champ,
partout où il y a un esprit, qu'il y ait un livre. Pas une commune
sans une école, pas une ville sans un collège, pas un chef-lieu
sans une faculté. Un vaste ensemble, ou, pour mieux dire, un
vaste réseau d'ateliers intellectuels, lycées, gymnases, collèges,
chaires, bibliothèques, mêlant leur rayonnement sur la surface
du pays, éveillant partout les aptitudes et échauffant partout
les vocations. En un mot, l'échelle de la connaissance humaine
dressée fermement par la main de l'État, posée dans l'ombre des
masses les plus profondes et les plus obscures, et aboutissant à
la lumière. Aucune solution de continuité : le cœur du peuple
mis en communication avec le cerveau de la France. (*Longs
applaudissements.*)

Voilà comme je comprendrais l'éducation publique nationale. Messieurs, à côté de cette magnifique instruction gratuite,
sollicitant les esprits de tout ordre, offerte par l'État, donnant à
tous, pour rien, les meilleurs maîtres et les meilleures méthodes,
modèle de science et de discipline, normale, française, chré-
tienne, libérale, qui élèverait, sans nul doute, le génie national
à sa plus haute somme d'intensité, je placerais sans hésiter la
liberté d'enseignement, la liberté d'enseignement pour les ins-
tituteurs privés, la liberté d'enseignement pour les corporations
religieuses, la liberté d'enseignement pleine, entière, absolue,

soumise aux lois générales comme toutes les autres libertés, et je n'aurais pas besoin de lui donner le pouvoir inquiet de l'État pour surveillant, parce que je lui donnerais l'enseignement gratuit de l'État pour contrepoids. (*Bravo ! à gauche. Murmures à droite.*)

Ceci, messieurs, je le répète, est l'idéal de la question. Ne vous en troublez pas, nous ne sommes pas près d'y atteindre, car la solution du problème contient une question financière considérable, comme tous les problèmes sociaux du temps présent.

Messieurs, cet idéal, il était nécessaire de l'indiquer, car il faut toujours dire où l'on tend ; il offre d'innombrables points de vue, mais l'heure n'est pas venue de le développer. Je ménage les instants de l'Assemblée, et j'aborde immédiatement la question dans sa réalité positive actuelle. Je la prends où elle en est aujourd'hui, au point relatif de maturité où les événements d'une part, et d'autre part la raison publique, l'ont amenée.

À ce point de vue restreint, mais pratique, de la situation actuelle, je veux, je le déclare, la liberté de l'enseignement ; mais je veux la surveillance de l'État, et comme je veux cette surveillance effective, je veux l'État laïque, purement laïque, exclusivement laïque. L'honorable M. Guizot l'a dit avant moi, en matière d'enseignement, l'État n'est pas et ne peut pas être autre chose que laïque. Je veux donc la liberté de l'enseignement sous la surveillance de l'État, et je n'admets, pour personnifier l'État dans cette surveillance si délicate et si difficile, qui exige le concours de toutes les forces vives du pays, que des hommes appartenant sans doute aux carrières les plus graves, mais n'ayant aucun intérêt, soit de conscience, soit de politique, distinct de l'unité nationale. C'est vous dire que je n'introduis, soit dans le conseil supérieur de surveillance, soit dans les conseils secondaires, ni évêques, ni délégués d'évêques. J'entends maintenir, quant à moi, et au besoin faire plus profonde que jamais, cette antique et salutaire séparation de l'Église et de l'État, qui était l'utopie de nos pères, et cela dans l'intérêt de l'Église comme dans l'intérêt de l'État. (*Acclamation à gauche. Protestation à droite.*)

Je viens de vous dire ce que je voudrais. Maintenant, voici ce que je ne veux pas :

Je ne veux pas de la loi qu'on vous apporte.

Pourquoi ?

Messieurs, cette loi est une arme. Une arme n'est rien par elle-même ; elle n'existe que par la main qui la saisit.

Or, quelle est la main qui se saisira de cette loi ? Là est toute la question.

Messieurs, c'est ia main du parti clérical. (*Mouvements à droite. À gauche : Voilà la vérité.*)

Messieurs, je redoute cette main ; je veux briser cette arme, je repousse ce projet.

Cela dit, j'entre dans la discussion.

J'aborde tout de suite, et de front, une objection qu'on fait aux opposants placés à mon point de vue, la seule objection qui ait une apparence de gravité.

On nous dit : Vous excluez le clergé du conseil de surveillance de l'État ; vous voulez donc proscrire l'enseignement religieux ?

Messieurs, je m'explique. Jamais on ne se méprendra, par ma faute, ni sur ce que je dis, ni sur ce que je pense.

Loin que je veuille proscrire l'enseignement religieux, entendez-vous bien ? il est, selon moi, plus nécessaire aujourd'hui que jamais. (*Marques d'approbation à droite.*) Plus l'homme grandit, plus il doit croire. Plus il approche de Dieu, mieux il doit voir Dieu. (*Mouvement.*)

Il y a un malheur dans notre temps, je dirais presque il n'y a qu'un malheur, c'est une certaine tendance à tout mettre dans cette vie. (*Approbation générale.*) À qui la faute ? Chacun se la rejette. Je ne récrimine pas. En donnant à l'homme pour fin et pour but la vie terrestre et matérielle, on aggrave toutes les misères par la négation qui est au bout ; on ajoute à l'accablement des malheureux le poids insupportable du néant ; et de ce qui n'était que la souffrance, c'est-à-dire la loi de Dieu, on fait le désespoir. (*Voix diverses : C'est très beau et très vrai !*) De là de profondes convulsions sociales.

Certes je suis de ceux qui veulent, et personne n'en doute dans cette enceinte, je suis de ceux qui veulent, je ne dis pas avec sincérité, le mot est trop faible, je veux avec une inexprimable ardeur, et par tous les moyens possibles, améliorer dans cette vie le sort matériel de ceux qui souffrent ; mais la première des améliorations, c'est de leur donner l'espérance. (*Marques générales d'assentiment.*) Combien s'amoindrissent nos misères finies quand il s'y mêle une espérance infinie !

Notre devoir à tous, qui que nous soyons, les législateurs comme les évêques, les prêtres comme les écrivains, publicistes ou philosophes, c'est de répandre, c'est de dépenser, c'est de prodiguer, sous toutes les formes, toute l'énergie sociale pour combattre et détruire la misère, et en même temps de faire lever toutes les têtes vers le ciel. (*Vives et nombreuses marques d'approbation.*) C'est de diriger toutes les âmes, de tourner toutes les attentes vers une vie ultérieure où justice sera faite et où justice sera rendue. (*Nouvelles marques d'approbation.*)

Disons-le bien haut, personne n'aura injustement ni inutilement souffert. La mort est une restitution. La loi du monde matériel, c'est l'équilibre ; la loi du monde moral, c'est l'équité. (*Très bien !*) Dieu se retrouve à la fin de tout. Ne l'oublions pas, et enseignons-le à tous ; il n'y aurait aucune dignité à vivre, et cela n'en vaudrait pas la peine, si nous devions mourir tout entiers. Ce qui allège le labeur, ce qui sanctifie le travail, ce qui rend l'homme fort, bon, sage, patient, bienveillant, juste, à la fois humble et grand, digne de l'intelligence, digne de la liberté, c'est d'avoir devant soi la perpétuelle vision d'un monde meilleur rayonnant à travers les ténèbres de cette vie. (*Vive et unanime approbation.*)

Quant à moi, puisque le hasard veut que ce soit moi qui parle en ce moment et mets de si graves paroles dans une bouche de peu d'autorité, qu'il me soit permis de le dire ici et de le déclarer, je le proclame du haut de cette tribune, j'y crois profondément à ce monde meilleur ; il est pour moi bien plus réel que cette misérable chimère que nous dévorons et que nous appelons la vie ; il est sans cesse devant mes yeux ; j'y crois de toutes les puissances de ma conviction, et, après bien des luttes, bien des études et bien des épreuves, il est la suprême certitude de ma raison, comme il est la suprême consolation de mon âme. (*Marques nombreuses d'assentiment.*)

Je veux donc, je veux sincèrement, fermement, ardemment, l'enseignement religieux. Mais je veux l'enseignement religieux de l'Église et non l'enseignement religieux d'un parti. Je le veux sincère et non hypocrite. (*Bravo ! bravo !*) Je le veux ayant pour but le ciel et non la terre. (*Mouvement.*) Je ne veux pas qu'une chaire envahisse l'autre, je ne veux pas mêler le prêtre au professeur. Ou, si je consens à ce mélange, moi législateur, je le surveille, j'ouvre sur les séminaires et sur les congrégations enseignantes l'œil de l'État, et, j'y insiste, de l'État laïque, jaloux uniquement de sa grandeur et de son unité.

Jusqu'au jour, que j'appelle de tous mes vœux, où la liberté complète de l'enseignement pourra être proclamée, et en commençant je vous ai dit à quelles conditions, jusqu'à ce jour-là, je veux l'enseignement de l'Église au-dedans de l'Église et non au-dehors. Surtout je considère comme une dérision de faire surveiller, au nom de l'État, par le clergé, l'enseignement du clergé. En un mot, je veux, je le répète, ce que voulaient nos pères : l'Église chez elle et l'État chez lui. (*Oui ! oui !*)

L'Assemblée voit déjà clairement pourquoi je repousse le projet de loi ; mais j'achève de m'expliquer.

Messieurs, comme je vous l'indiquais tout à l'heure, ce projet est quelque chose de plus, de pire, si vous voulez, qu'une loi politique, c'est une lois stratégique. (*Bruits divers.*)

Je m'adresse, non, certes, au vénérable évêque de Langres, non à quelque personne que ce soit dans cette Assemblée, mais au parti qui a, sinon rédigé, du moins inspiré le projet de loi, à ce parti à la fois éteint et ardent, au parti clérical. Je ne sais pas s'il est dans le gouvernement, je ne sais pas s'il est dans l'Assemblée (*mouvement*) ; mais je le sens un peu partout. (*Rire général.*) Il a l'oreille fine, il m'entendra. (*Nouveaux rires.*) Je m'adresse donc au parti clérical, et je lui dis : Cette loi est votre loi. Tenez, franchement, je me défie de vous. Instruire, c'est construire. (*Sensation.*) Je me défie de ce que vous construisez. (*Très bien ! très bien !*)

Je ne veux pas vous confier l'enseignement de la jeunesse, l'âme des enfants, le développement des intelligences neuves qui s'ouvrent à la vie, l'esprit des générations nouvelles, c'est-à-dire l'avenir de la France. Je ne veux pas vous confier l'avenir de la France, parce que vous le confier, ce serait vous le livrer. (*Mouvement.*)

Il ne me suffit pas que les générations nouvelles nous succèdent, j'entends qu'elles nous continuent. Voilà pourquoi je ne veux ni de votre main, ni de votre souffle sur elles. Je ne veux pas que ce qui a été fait par nos pères soit défait par vous. Après cette gloire, je ne veux pas de cette honte. (*Vive approbation à gauche. À droite : oh ! oh !*)

Votre loi est une loi qui a un masque. Elle dit une chose et elle en ferait une autre. C'est une pensée d'asservissement qui prend les allures de la liberté. C'est une confiscation intitulée donation. Je n'en veux pas. (*Applaudissements à gauche.*)

C'est votre habitude. Quand vous forgez une chaîne, vous dites : Voici une liberté. Quand vous faites une proscription, vous criez : Voilà une amnistie ! (*Nouveaux applaudissements.*)

Ah ! je ne vous confonds pas, vous parti clérical, avec l'Église, pas plus que je ne confonds le gui avec le chêne. Vous êtes les parasites de l'Église, vous êtes la maladie de l'Église. (*Mouvements en sens divers.*) Ignace est l'ennemi de Jésus.

(*Vive approbation à gauche.*) Vous êtes, non les croyants, mais les sectaires d'une religion que vous ne comprenez pas. Vous êtes les metteurs en scène de la sainteté. Ne mêlez pas l'Église à vos affaires, à vos combinaisons, à vos stratégies, à vos doctrines, à vos ambitions. Ne l'appelez pas votre mère pour en faire votre servante. (*Profonde sensation.*) Ne la tourmentez pas sous le prétexte de lui apprendre la politique. Surtout ne l'identifiez pas avec vous. Voyez le tort que vous lui faites. M. l'évêque de Langres vous l'a signalé. (*On rit.*)

Voyez comme elle dépérit depuis qu'elle vous a ! Vous vous faites si peu aimer que vous finiriez par la faire haïr ! En vérité, je vous le dis, elle se passera fort bien de vous. Laissez-la en repos. Quand vous n'y serez plus, on y reviendra. Laissez-la, cette vénérable Église, cette vénérable mère, dans sa solitude, dans son abnégation, dans son humilité. Tout cela compose sa grandeur ! Sa solitude lui attirera la foule ; son abnégation est sa puissance, son humilité est sa majesté.

Vous parlez d'enseignement religieux ! Savez-vous quel est le véritable enseignement religieux, celui devant lequel il faut se prosterner, celui qu'il ne faut pas troubler ? C'est la sœur de charité au chevet du mourant. C'est le frère de la Merci rachetant l'esclave. C'est Vincent de Paul ramassant l'enfant trouvé. C'est l'évêque de Marseille au milieu des pestiférés. C'est l'archevêque de Paris affrontant avec un sourire ce formidable faubourg Saint-Antoine, levant son crucifix au-dessus de la guerre civile, et s'inquiétant peu de recevoir la mort, pourvu qu'il apporte la paix. (*Bravo !*) Voilà le véritable enseignement religieux, l'enseignement religieux réel, profond, efficace et populaire, celui qui, heureusement pour la religion et l'humanité, fait encore plus de chrétiens que vous n'en défaites ! (*Longs applaudissements à gauche.*)

Ah ! nous vous connaissons ! nous connaissons le parti clérical. C'est un vieux parti qui a des états de service. (*On rit.*) C'est lui qui monte la garde à la porte de l'orthodoxie. (*On rit.*) C'est lui qui a trouvé pour la vérité ces deux étais merveilleux, l'ignorance et l'erreur. C'est lui qui fait défense à la science et au génie d'aller au-delà du missel et qui veut cloîtrer la pensée dans le dogme. Tous les pas qu'a faits l'intelligence de l'Europe, elle les a faits sans lui et malgré lui. Son histoire est écrite dans l'histoire du progrès humain, mais elle est écrite au verso. (*Sensation.*) Il s'est opposé à tout. (*Murmures.*)

C'est lui qui a fait battre de verges Prinelli pour avoir dit que les étoiles ne tomberaient pas. C'est lui qui a fait appliquer

Campanella vingt-sept fois à la question pour avoir affirmé
que le nombre des mondes était infini et entrevu le secret de la
création. C'est lui qui a persécuté Harvey pour avoir prouvé que
le sang circulait. De par Josué, il a enfermé Galilée ; de par
saint Paul, il a emprisonné Christophe Colomb. (*Sensation.*)
Découvrir la loi du ciel, c'était une impiété ; trouver un monde,
c'était une hérésie. C'est lui qui a anathématisé Pascal au nom
de la religion, Montaigne au nom de la morale, Molière au
nom de la morale et de la religion. Oh ! oui, certes, qui que vous
soyez, qui vous appelez le parti catholique et qui êtes le parti
clérical, nous vous connaissons. Voilà longtemps déjà que la
conscience humaine se révolte contre vous et vous demande :
Qu'est-ce que vous me voulez ? Voilà longtemps déjà que vous
essayez de mettre un bâillon à l'esprit humain. (*Acclamations à
gauche.*)

Et vous voulez être les maîtres de l'enseignement ! Et il n'y
a pas un poète, pas un écrivain, pas un philosophe, pas un penseur, que vous acceptiez ! Et tout ce qui a été écrit, trouvé,
rêvé, déduit, illuminé, imaginé, inventé par les génies, le trésor
de la civilisation, l'héritage séculaire des générations, le patri-
moine commun des intelligences, vous le rejetez ! Si le cerveau
de l'humanité était là devant vos yeux, à votre discrétion, ouvert
comme la page d'un livre, vous y feriez des ratures ! (*Oui !
oui !*) Convenez-en ! (*Mouvement prolongé.*)

Enfin, il y a un livre, un livre qui semble d'un bout à l'autre
une émanation supérieure, un livre qui est pour l'univers ce que
le Coran est pour l'islamisme, ce que les védas sont pour l'Inde,
un livre qui contient toute la sagesse humaine éclairée par toute
la sagesse divine, un livre que la vénération des peuples appelle
le Livre, la Bible ! Eh bien ! votre censure a monté jusque-là.
Chose inouïe ! des papes ont proscrit la Bible. Quel étonnement
pour les esprits sages, quelle épouvante pour les cœurs simples,
de voir l'index de Rome posé sur le livre de Dieu ! (*Vive adhésion à gauche.*)

Et vous réclamez la liberté d'enseigner ! Tenez, soyons sin-
cères, entendons-nous sur la liberté que vous réclamez : c'est la
liberté de ne pas enseigner. (*Applaudissements à gauche. Vives
réclamations à droite.*)

Ah ! vous voulez qu'on vous donne des peuples à instruire !
Fort bien. — Voyons vos élèves. Voyons vos produits. Qu'est-
ce que vous avez fait de l'Italie ? Qu'est-ce que vous avez fait
de l'Espagne ? Depuis des siècles vous tenez dans vos mains, à

votre discrétion, à votre école, sous votre férule, ces deux grandes nations, illustres parmi les plus illustres, qu'en avez-vous fait ? Je vais vous le dire. Grâce à vous, l'Italie, dont aucun homme qui pense ne peut plus prononcer le nom qu'avec une inexprimable douleur filiale, l'Italie, cette mère des génies et des nations, qui a répandu sur l'univers toutes les plus éblouissantes merveilles de la poésie et des arts, l'Italie, qui a appris à lire au genre humain, l'Italie aujourd'hui ne sait pas lire ! (*Approbation à gauche.*)

Oui, l'Italie est de tous les États de l'Europe celui où il y a le moins de natifs sachant lire ! (*Réclamations à droite. Cris violents.*)

L'Espagne, magnifiquement dotée, l'Espagne qui avait reçu des Romains sa première civilisation, des Arabes sa seconde civilisation, de la Providence, et malgré vous, un monde, l'Amérique ; l'Espagne a perdu, grâce à vous, grâce à votre joug d'abrutissement, qui est un joug de dégradation et d'amoindrissement (*applaudissements à gauche*), l'Espagne a perdu ce secret de la puissance qu'elle tenait des Romains, ce génie des arts qu'elle tenait des Arabes, ce monde qu'elle tenait de Dieu, et, en échange de tout ce que vous lui avez fait perdre, elle a reçu de vous l'Inquisition. (*Mouvement.*)

L'Inquisition, que certains hommes du parti essayent aujourd'hui de réhabiliter avec une timidité pudique dont je les honore. (*Longue hilarité à gauche.*) L'Inquisition, qui a brûlé sur le bûcher ou étouffé dans les cachots cinq millions d'hommes ! (*Dénégations à droite.*) Lisez l'histoire ! L'Inquisition, qui exhumait les morts pour les brûler comme hérétiques (*C'est vrai !*), témoin Urgel et Arnault, comte de Forcalquier. L'Inquisition, qui déclarait les enfants des hérétiques, jusqu'à la deuxième génération, infâmes et incapables d'aucuns honneurs publics, en exceptant seulement, ce sont les propres termes des arrêts, *ceux qui auraient dénoncé leur père* ! (*Long mouvement.*) L'Inquisition, qui, à l'heure où je parle, tient encore dans la bibliothèque vaticane les manuscrits de Galilée clos et scellés sous le scellé de l'index ! (*Agitation.*) Il est vrai que, pour consoler l'Espagne de ce que vous lui ôtiez et de ce que vous lui donniez, vous l'avez surnommée la Catholique ! (*Rumeurs à droite.*)

Ah ! savez-vous ? vous avez arraché à l'un de ses plus grands hommes ce cri douloureux qui vous accuse : « J'aime mieux qu'elle soit la Grande que la Catholique ! » (*Cris à droite. Longue interruption. Plusieurs membres interpellent violemment l'orateur.*)

Voilà vos chefs-d'œuvre ! Ce foyer qu'on appelait l'Italie, vous l'avez éteint. Ce colosse qu'on appelait l'Espagne, vous l'avez miné. L'une est en cendres, l'autre est en ruine. Voilà ce que vous avez fait de deux grands peuples. Qu'est-ce que vous voulez faire de la France ? (*Mouvement prolongé.*)

Tenez, vous venez de Rome ; je vous fais compliment. Vous avez eu là un beau succès ! (*Rires et bravos à gauche.*) Vous venez de bâillonner le peuple romain ; maintenant vous voulez bâillonner le peuple français. Je comprends : cela est encore plus beau, cela tente ; seulement, prenez garde ! c'est malaisé : celui-ci est un lion tout à fait vivant. (*Agitation.*)

À qui en voulez-vous donc ? Je vais vous le dire, vous en voulez à la raison humaine. Pourquoi ? Parce qu'elle fait le jour. (*Oui ! oui ! non ! non !*)

Oui, voulez-vous que je vous dise ce qui vous importune ? C'est cette énorme quantité de lumière libre que la France dégage depuis trois siècles, lumière toute faite de raison, lumière aujourd'hui plus éclatante que jamais, lumière qui fait de la nation française la nation éclairante, de telle sorte qu'on aperçoit la clarté de la France sur la face de tous les peuples de l'univers. (*Sensation.*) Eh bien, cette clarté de la France, cette lumière libre, cette lumière directe, cette lumière qui ne vient pas de Rome, qui vient de Dieu, voilà ce que vous voulez éteindre, voilà ce que nous voulons conserver ! (*Acclamations à gauche. Rires ironiques à droite.*)

Je repousse votre loi. Je la repousse parce qu'elle confisque l'enseignement primaire, parce qu'elle dégrade l'enseignement secondaire, parce qu'elle abaisse le niveau de la science, parce qu'elle diminue mon pays. (*Sensation.*)

Je la repousse, parce que je suis de ceux qui ont un serrement de cœur et la rougeur au front toutes les fois que la France subit, par une cause quelconque, une diminution, que ce soit une diminution de territoire, comme par les traités de 1815, ou une diminution de grandeur intellectuelle, comme par votre loi ! (*Vifs applaudissements à gauche.*)

Messieurs, avant de terminer, permettez-moi d'adresser ici, du haut de la tribune, au parti clérical, au parti qui nous envahit (*Écoutez ! écoutez !*), un conseil sérieux. (*Rumeurs à droite.*)

Ce n'est pas l'habileté qui lui manque. Quand les circonstances l'aident, il est fort, très fort, trop fort ! (*Mouvement.*) Il sait l'art de maintenir une nation dans un état mixte et lamentable, qui n'est pas la mort, mais qui n'est plus la vie. Il appelle cela gouverner. C'est le gouvernement par la léthargie. (*À gauche : C'est cela ! c'est vrai !*)

Mais qu'il y prenne garde, rien de pareil ne convient à la France. C'est un jeu redoutable que de lui laisser entrevoir, seulement entrevoir, à cette France, l'idéal que voici : la sacristie souveraine, la liberté trahie, l'intelligence vaincue et liée, les livres déchirés, le prône remplaçant la presse, la nuit faite dans les esprits par l'ombre des soutanes, et les génies matés par les bedeaux ! (*Acclamations à gauche. Dénégations furieuses à droite.*)

C'est vrai, le parti clérical est habile ; mais cela ne l'empêche pas d'être naïf. (*Hilarité.*) Quoi ! il redoute le socialisme ! Quoi ! il voit monter le flot, à ce qu'il dit, et il lui oppose, à ce flot qui monte, je ne sais quel obstacle à claire-voie ! Il voit monter le flot, et il s'imagine que la société sera sauvée parce qu'il aura combiné, pour la défendre, les hypocrisies sociales avec les résistances matérielles, et qu'il aura mis un jésuite partout où il n'y a pas un gendarme ! (*Rires et applaudissements.*) Quelle pitié !

Je le répète, qu'il y prenne garde, le dix-neuvième siècle lui est contraire ; qu'il ne s'obstine pas, qu'il renonce à maîtriser cette grande époque pleine d'instincts profonds et nouveaux, sinon il ne réussira qu'à la courroucer, il développera imprudemment le côté redoutable de notre temps, et il fera surgir des éventualités terribles. Oui, avec ce système qui fait sortir, j'y insiste, l'éducation de la sacristie et le gouvernement du confessionnal… (*Longue interruption. Cris : À l'ordre ! Plusieurs membres de la droite se lèvent. M. le Président et M. Victor Hugo échangent un colloque qui ne parvient pas jusqu'à nous. Violent tumulte. L'orateur reprend, en se tournant vers la droite :*)

Messieurs, vous voulez beaucoup, dites-vous, la liberté de l'enseignement ; tâchez de vouloir un peu la liberté de la tribune. (*On rit. Le bruit s'apaise.*)

Avec ces doctrines qu'une logique inflexible et fatale entraîne malgré les hommes eux-mêmes et féconde pour le mal, avec ces doctrines qui font horreur quand on les regarde dans l'histoire… (*Nouveaux cris : À l'ordre. L'orateur s'interrompant :*)

Messieurs, le parti clérical, je vous l'ai dit, nous envahit. Je le combats, et au moment où ce parti se présente une loi à la main, c'est mon droit de législateur d'examiner cette loi et d'examiner ce parti : Vous ne m'empêcherez pas de le faire. (*Très bien !*) Je continue :

Oui, avec ce système-là, cette doctrine-là et cette histoire-là, que le parti clérical le sache, partout où il sera, il engendrera des révolutions ; partout, pour éviter Torquemada, on se jettera dans Robespierre. (*Sensation.*) Voilà ce qui fait du parti qui s'intitule parti catholique un sérieux danger public. Et ceux qui, comme moi, redoutent également pour les nations le bouleversement anarchique et l'assoupissement sacerdotal, jettent le cri d'alarme. Pendant qu'il en est temps encore, qu'on y songe bien ! (*Clameurs à droite.*)

Vous m'interrompez. Les cris et les murmures couvrent ma voix. Messieurs, je vous parle, non en agitateur, mais en honnête homme ! (*Écoutez ! écoutez !*) Ah çà, messieurs, est-ce que je vous serais suspect, par hasard ?

CRIS À DROITE. Oui ! oui !

M. VICTOR HUGO. Quoi ! je vous suis suspect ! Vous le dites ?

CRIS À DROITE. Oui ! oui !

(*Tumulte inexprimable. Une partie de la droite se lève et interpelle l'orateur impassible à la tribune.*)

Eh bien ! sur ce point, il faut s'expliquer. (*Le silence se rétablit.*) C'est en quelque sorte un fait personnel. Vous écouterez, je le pense, une explication que vous avez provoquée vous-mêmes. Ah ! je vous suis suspect ! Et de quoi ? Je vous suis suspect ! Mais l'an dernier, je défendais l'ordre en péril comme je défends aujourd'hui la liberté menacée ! comme je défendrai l'ordre demain, si le danger revient de ce côté-là. (*Mouvement.*)

Je vous suis suspect ! Mais vous étais-je suspect quand j'accomplissais mon mandat de représentant de Paris, en prévenant l'effusion du sang dans les barricades de juin ? (*Bravos à gauche. Nouveaux cris à droite. Le tumulte recommence.*)

Eh bien ! vous ne voulez pas même entendre une voix qui défend résolument la liberté ! Si je vous suis suspect, vous me l'êtes aussi. Entre nous le pays jugera. (*Très bien ! très bien !*)

Messieurs, un dernier mot. Je suis peut-être un de ceux qui ont eu le bonheur de rendre à la cause de l'ordre, dans les temps difficiles, dans un passé récent, quelques services obscurs. Ces services, on a pu les oublier, je ne les rappelle pas. Mais au moment où je parle, j'ai le droit de m'y appuyer ! (*Non ! non ! Si ! si !*)

Eh bien ! appuyé sur ce passé, je le déclare, dans ma conviction, ce qu'il faut à la France, c'est l'ordre, mais l'ordre vivant, qui est le progrès ; c'est l'ordre tel qu'il résulte de la croissance normale, paisible, naturelle du peuple ; c'est l'œuvre se faisant à la fois dans les faits et dans les idées par le plein rayonnement de l'intelligence nationale. C'est tout le contraire de votre loi ! (*Vive adhésion à gauche.*)

Je suis de ceux qui veulent pour ce noble pays la liberté et non la compression, la croissance continue et non l'amoindrissement, la puissance et non la servitude, la grandeur et non le néant ! (*Bravo ! à gauche.*) Quoi ! voilà les lois que vous nous apportez ! Quoi ! vous gouvernants, vous législateurs, vous voulez vous arrêter ! vous voulez arrêter la France ! Vous voulez pétrifier la pensée humaine, étouffer le flambeau divin, matérialiser l'esprit ! (*Oui ! oui ! Non ! non !*) Mais vous ne voyez donc pas les éléments mêmes du temps où vous êtes. Mais vous êtes donc dans votre siècle comme des étrangers !

Quoi ! c'est dans ce siècle, dans ce grand siècle des nouveautés, des événements, des découvertes, des conquêtes, que vous rêvez l'immobilité ! (*Très bien !*) C'est dans le siècle de l'espérance que vous proclamez le désespoir ! (*Bravo !*) Quoi ! vous jetez à terre, comme des hommes de peine fatigués, la gloire, la pensée, l'intelligence, le progrès, l'avenir, et vous dites : C'est assez ! n'allons pas plus loin ; arrêtons-nous ! (*Dénégations à droite.*) Mais vous ne voyez donc pas que tout va, vient, se meut, s'accroît, se transforme et se renouvelle autour de vous, au-dessus de vous, au-dessous de vous ! (*Mouvement.*)

Ah ! vous voulez vous arrêter ! Eh bien ! je vous le répète avec une profonde douleur, moi qui hais les catastrophes et les écroulements, je vous avertis la mort dans l'âme (*on rit à droite*), vous ne voulez pas du progrès ? vous aurez les révolutions ! (*Profonde agitation.*) Aux hommes assez insensés pour dire : L'humanité ne marchera plus, Dieu répond par la terre qui tremble !

(*Longs applaudissements à gauche. L'orateur, descendant de la tribune, est entouré par une foule de membres qui le félicitent. L'Assemblée se sépare en proie à une vive émotion.*)

2 - PENDANT L'EXIL

Les textes écrits ou prononcés pendant les deux premières années de l'exil ont été recueillis par Hugo lui-même dans Châtiments, *sous la forme des* NOTES *ajoutées au recueil (voir pp. 319-349). Nous reproduisons la Préface rédigée pour une réédition des* Odes et Ballades *en juillet 1853. Elle précise très exactement le sens de la situation d'exil, indissociablement poétique et politique.*

L'histoire s'extasie volontiers sur Michel Ney, qui, né tonnelier, devint maréchal de France, et sur Murat, qui, né garçon d'écurie, devint roi. L'obscurité de leur point de départ leur est comptée comme un titre de plus à l'estime, et rehausse l'éclat du point d'arrivée.

De toutes les échelles qui vont de l'ombre à la lumière, la plus méritoire et la plus difficile à gravir, certes, c'est celle-ci : être né aristocrate et royaliste, et devenir démocrate.

Monter d'une échoppe à un palais, c'est rare et beau, si vous voulez ; monter de l'erreur à la vérité, c'est plus rare et c'est plus beau. Dans la première de ces deux ascensions, à chaque pas qu'on a fait, on a gagné quelque chose et augmenté son bien-être, sa puissance et sa richesse ; dans l'autre ascension, c'est tout le contraire. Dans cette âpre lutte contre les préjugés sucés avec le lait, dans cette lente et rude élévation du faux au vrai, qui fait en quelque sorte de la vie d'un homme et du développement d'une conscience le symbole abrégé du progrès humain, à chaque échelon qu'on a franchi, on a dû payer d'un sacrifice matériel son accroissement moral, abandonner quelque intérêt, dépouiller quelque vanité, renoncer aux biens et aux honneurs du monde, risquer sa fortune, risquer son foyer, risquer sa vie. Aussi, ce labeur accompli, est-il permis d'en être fier ; et — s'il est vrai que Murat aurait pu montrer avec quelque orgueil son fouet de postillon à côté de son sceptre de roi, et dire : Je suis parti de là ! — c'est avec un orgueil plus légitime, certes, et avec une conscience plus satisfaite, qu'on peut montrer ces odes royalistes d'enfant et d'adolescent à côté des poèmes et des livres démocratiques de l'homme fait ; cette fierté est permise, nous le pensons, surtout lorsque, l'ascension faite, on a trouvé au sommet de l'échelle de lumière la proscription, et qu'on peut dater cette préface de l'exil.

V. H.

Jersey. — Juillet 1853.

VII - PROJET DE CONSTITUTION
PAR ÉMILE DE GIRARDIN

Ce projet a été conçu à l'époque où Hugo et Girardin fai-
saient campagne ensemble pour l'élection de Louis Napoléon.
Il est vraisemblable qu'il résulte de la méditation commune de
deux hommes dont l'un, Girardin, briguait une part de pouvoir
et l'autre, « l'influence ». Ce texte fut envoyé par Girardin à
Louis Napoléon le 14 décembre 1849 (voir pp. 382-383) alors
que les résultats étaient connus mais non publiés. Le 19 décem
bre, les résultats sont proclamés officiellement et Louis Napo-
léon annonce la composition d'un gouvernement qui ne tient
aucun compte de la « Note » de Girardin. Le lendemain, celui-
là en publie le texte dans La Presse.
(Voir P. Pellissier, Émile de Girardin, Prince de la Presse, *
Paris, Denoël, 1985.)*

Deux principes rivaux sont en présence :
Le principe de l'élection populaire ;
Le principe de l'hérédité monarchique.
Toutes les fautes qui nuiront au premier profiteront au second.
C'est ce qu'il importe que le président de la République
n'oublie pas un seul instant.
À la hauteur où vient de le placer le suffrage universel, la pru-
dence lui conseille toutes les mesures qui auront pour résultat de
prouver que son caractère et son esprit ne sont pas au-dessous
d'une si haute position et d'une si grande tâche.
Toute déception serait funeste, mais aussi toute espérance
qu'il dépassera lui donnera sur les partis un immense ascendant.
À défaut de la gloire, qu'il demande son prestige à la générosité.
Qu'il ne se laisse pas circonvenir par les objections.
La médiocrité conçoit aussi difficilement la générosité que la
peur a de peine à comprendre la gloire.

On commence par blâmer la générosité ; on finit par l'approuver.

Les deux premières lois présentées par les ministres qu'il choisira devront être :

Premièrement, une loi d'amnistie pleine et entière accordée à tous les détenus et condamnés pour cause politique, exceptant uniquement ceux d'entre eux qui auraient encouru une condamnation pour des faits non susceptibles de cette qualification ;

Deuxièmement, une loi d'abrogation de la loi et du décret qui bannissent les deux branches de la maison de Bourbon.

Qu'il ne choisisse que des ministres qui n'hésiteront pas à prendre cet engagement ; s'ils hésitaient, ce seraient des esprits étroits, à qui le passé n'aurait pas encore appris à épeler l'avenir.

C'est précisément parce que la famille de l'Empereur a été proscrite deux fois, en 1816 et en 1832, que l'héritier de son nom doit avoir hâte de montrer qu'il se propose de suivre des errements tout différents.

Par ces deux lois, présentées le même jour, il élargit le terrain politique ; il abaisse les barrières ; il déconcerte les partis ; il désarme les factions ; il rapetisse ceux qui l'ont précédé ; il déshérite ceux qui aspireraient à le remplacer ; ne pas leur laisser à faire une seule bonne mesure qu'il puisse accomplir, est un moyen certain de les condamner à l'impuissance de nuire.

Le vice-amiral de Joinville est allé à Sainte-Hélène chercher les restes mortels de l'Empereur et les a pieusement rapportés en France.

Ce serait juste et bien de l'appeler à présider le conseil d'amirauté.

Le général de division d'Aumale aurait pu essayer de se défendre à Alger ; il ne l'a pas fait, et sa conduite a été admirable.

Ce serait juste et bien de lui confier de nouveau le gouvernement général de l'Algérie.

Ils accepteraient ou ils n'accepteraient pas ; ce serait leur affaire et non celle du président qui les aurait spontanément nommés.

Ce n'est que par un manquement de foi qu'Abd el-Kader est retenu captif ; exécution loyale du traité, avec engagement, dans les termes les plus solennels de sa part, de ne jamais retourner en Algérie et de ne jamais porter les armes contre la France. Ce serait un exemple à donner aux peuples et aux gou-

vernements ! Ce serait une protestation contre la captivité de
Sainte-Hélène ! Ce serait une leçon donnée par la France à
l'Angleterre !

La France, qui sait gré des grandes et nobles actions faites en
son nom, la France applaudirait à tous ces actes, qui seraient
autant de témoignages qu'elle ne s'est pas trompée dans le
choix de son président.

L'Europe, étonnée, admirerait.

Ce serait l'occasion d'écrire quatre lettres, dont l'histoire
conserverait le souvenir :

Lettre au comte de Chambord ;

Lettre à Louis-Philippe ;

Lettre au vice-amiral de Joinville ;

Lettre au général de division d'Aumale.

En sortant ainsi de l'ornière des partis, l'Élu de la majorité
aurait le droit de sommer leurs chefs de lui prêter leur concours
pour remettre à flot le vaisseau de la France, si misérablement
jeté à la côte par la tempête de février.

En leur parlant publiquement un langage qui aurait le cœur du
peuple pour écho, aucun ne pourrait, aucun n'oserait refuser.

Il ne s'agirait plus alors que de rechercher les moyens de donner au pouvoir exécutif une constitution telle, qu'elle permît,
sans affaiblissement, sans tiraillements, sans choc, sans frotte-
ments, d'y faire entrer des hommes politiques d'opinions diverses. La nécessité de neuf ministres homogènes, qui soient tous
égaux sans être rivaux, est l'un des vices les plus graves de
l'appareil gouvernemental qui fonctionne depuis longtemps
parmi nous, sous le nom de cabinet. Ce vice exclut les rappro-
chements, les transactions, l'esprit de conciliation ; il perpétue
les ressentiments et aggrave les dissentiments.

Si ce mécanisme est vicieux, s'il est usé, s'il se prête mal aux
exigences impérieuses de circonstances difficiles, pourquoi ne
le changerait-on pas ?

Quel moment sera jamais plus propice que le moment où le
pouvoir exécutif va changer à la fois de forme et de mains, va
cesser d'être provisoire, va devenir définitif ?

Si l'on attend que le pouvoir nouveau se soit endormi sur
l'oreiller du pouvoir ancien, il sera trop tard.

Si l'on croit qu'il faudra moins de force pour essayer de sortir de l'ornière que pour éviter d'y verser, on se trompe étrangement.

L'impuissance de tous les hommes qui depuis trente années
se sont succédé au pouvoir s'explique par ces deux causes :

Le morcellement de l'autorité ;

La concentration du travail.

Les plus forts ont fléchi sous la pesanteur du faix ; les plus laborieux ont tous été emportés par le flot des affaires courantes ; il en sera ainsi jusqu'au jour où l'on aura pris le contre-pied de ce qui est, où l'on aura adopté le système qui repose sur ces deux principes :

Concentrer l'autorité ;

Diviser le travail.

Concentrer le pouvoir entre les mains de trois ministres secrétaires d'État :

Le ministre dirigeant ;

Le ministre des recettes ;

Le ministre des dépenses.

Diviser le travail en le partageant entre les mains d'autant de directeurs généraux qu'il est possible de composer d'unités administratives. Le nombre en fût-il de cinquante ou de soixante, qu'il pourrait n'être pas trop considérable.

Unité administrative est le nom donné à toute branche de service distincte et complète, qui, isolée, forme par elle-même un entier.

Ainsi constituée, la responsabilité a deux degrés.

Le ministre répond des directeurs généraux qu'il a choisis ;

Le directeur général répond des actes dont il a eu la pleine initiative.

Le ministre est aux directeurs généraux ce que le lien est au faisceau.

Régner ;

Gouverner ;

Administrer.

De ces trois termes consacrés, aucun n'est retranché.

Le peuple règne ;

Les ministres gouvernent ;

Les directeurs généraux administrent.

Les directeurs généraux sont aux ministres ce que sont les colonels aux généraux.

Le général de brigade ou de division, en tournée d'inspection, n'intervient jamais dans le commandement ou l'administration d'un régiment que pour s'assurer que le commandement et l'administration du corps sont ce qu'ils doivent être.

Pareillement, le ministre n'intervient pas dans les rapports entre l'administré et le directeur général.

Le ministre peut donc donner tout son temps aux affaires du pays.

Une ligne profonde de démarcation est ainsi tracée entre l'intérêt privé et l'intérêt public.

Ce dernier seul est du domaine des ministres.

Les projets de décrets ou de règlements, les décisions importantes, sont délibérés en *Conseil supérieur d'administration publique*.

Les directeurs généraux composent ce conseil.

Les réunions en sont générales ou partielles, selon que l'objet de la délibération exige que tous les directeurs généraux ou seulement quelques-uns soient appelés à y délibérer. Chaque réunion est présidée par le ministre qui l'a convoquée, ou en son absence par le président qu'il a nommé.

Par ces discussions au sein du *Conseil supérieur d'administration publique*, les directeurs généraux s'exercent à l'art d'exposer et de défendre leurs projets et leurs actes à la tribune. Ils forment ainsi une abondante pépinière, une utile réserve pour la formation des cabinets, formation qui présente aujourd'hui tant de difficultés.

Les ministres, ainsi que les généraux qui commandent à des corps d'armée, ont tort lorsque personnellement ils s'exposent inconsidérément au feu du débat ; il faut qu'ils se réservent pour les moments décisifs ; ce n'est que dans les grandes circonstances et à la dernière extrémité qu'ils doivent tout affronter pour sauver tout.

Les fonctions de directeurs généraux, dans ce système, sont essentiellement militantes.

Ce sont les ministres du premier degré ; ce sont les contremaîtres de l'atelier gouvernemental.

Ils sont, ils doivent être largement rétribués, afin que l'État ait la faculté de choisir des hommes capables, et ne soit pas condamné à se contenter des avortons du barreau, de la littérature, de l'industrie et du commerce.

Le salaire des ministres peut être faible ou nul, sans inconvénient, parce que les fonctions ministérielles ne doivent pas être une carrière, mais un acte de dévouement à ses idées, à ses convictions, à son pays ; il n'en saurait être ainsi du salaire des directeurs généraux.

Cette nouvelle constitution du pouvoir exécutif a principalement pour objet le prompt rétablissement de l'équilibre entre les recettes et les dépenses, équilibre qu'on poursuivra en vain aussi longtemps que seront représentées dans le conseil des ministres :

Les recettes .... par 1.
Les dépenses .... par 8.

Huit qui *dépensent* entraîneront toujours par leur masse numérique *un* ministre qui *paye*, soit qu'il lutte dans le conseil :

> 1 contre 8.
> 2 contre 7.
> 3 contre 6.
> 4 contre 5.

Ainsi s'explique, par un vice radical dans la composition des cabinets, le chiffre chaque année croissant du budget des dépenses.

On dépense trop ; on dépense mal.

Faute d'ensemble entre les divers services publics, l'un a le superflu, l'autre manque du nécessaire. Le seul moyen de les pondérer, c'est de les réunir dans la même main.

Toutes les branches de revenus sont centralisées au ministère des finances, pourquoi n'en serait-il pas de même de toutes les branches de service ?

Parce qu'il en est autrement, est-ce une raison pour qu'il doive toujours en être ainsi ?

Les principes qui viennent d'être exposés étant admis, rien ne serait plus facile que de les faire passer de la théorie à l'application, ainsi qu'on va le voir.

L'article 67 de la Constitution est ainsi conçu :

« Les actes du président de la République, *autres que ceux par lesquels il nomme* et révoque les ministres, n'ont d'effet que s'ils sont contresignés par un ministre. »

En conséquence de cet article, le président de la République nomme :

Ministre des affaires étrangères, M…

Ministre des finances, M…

Ministre de l'intérieur, exerçant par *intérim* les fonctions de ministre du commerce, des travaux publics, de l'instruction publique, de la justice, de la guerre, de la marine, M…

Le même jour, les trois ministres ci-dessus, nommés par le président de la République, présentent d'urgence à l'Assemblée nationale un projet de loi dont voici la substance.

PROJET DE LOI
Partage des pouvoirs, traitements

Au nom du Peuple français,
Le président de la République, etc.
Le pouvoir exécutif s'exerce ainsi qu'il va être dit :
Le nombre des ministres est réduit à trois,
Savoir :
Le ministre dirigeant ;
Le ministre des recettes ;
Le ministre des dépenses.
[...]
Les ministres secrétaires d'État sont responsables des sous-secrétaires d'État, secrétaires généraux et directeurs généraux qu'ils ont nommés et qu'ils peuvent révoquer.
Les directeurs généraux sont responsables des actes et des choix dont ils ont l'initiative et la signature.
[...]
Il y a un conseil supérieur d'administration publique ; ce conseil se compose des directeurs généraux convoqués, selon les circonstances, soit en assemblée générale, soit en assemblée partielle.
Il y a :
Un président du conseil supérieur de la guerre ;
Un président du conseil d'amirauté ;
Un président du conseil de la justice ;
Un président du conseil de l'instruction publique ;
Un président du conseil supérieur de l'agriculture ;
Un président du conseil supérieur des manufactures et du commerce.
Ont lieu, conformément aux lois, sur la présentation de chacun de ces présidents, les nominations, promotions, avancements, encouragements et récompenses :
Dans l'armée ;
Dans la marine ;
Dans la magistrature ;
Dans l'enseignement.
Il est attribué à chacun des présidents de ces divers conseils une indemnité annuelle de 30 000 francs, à titre de frais de réceptions. Cette indemnité n'est pas soumise aux lois sur le cumul.

Ils ont entrée et voix consultative dans le conseil des ministres.

Ont également entrée et voix consultative les trois sous-secrétaires d'État.

Ont aussi entrée et voix consultative dans le conseil des ministres :

Le vice-président de la République ;

Le président de l'Assemblée nationale ;

Le grand chancelier de la Légion d'honneur ;

Le premier président de la Cour de cassation ;

Le procureur général de la Cour de cassation ;

Le premier président de la Cour des comptes ;

Le procureur général près de la Cour des comptes ;

Le préfet du département de la Seine ;

Le commandant-général de la garde nationale de la Seine ;

Le gouverneur-général de la Banque de France.

Cette réforme administrative a les avantages suivants :

En concentrant l'autorité et en divisant le travail, elle donne au pouvoir l'unité qui lui manque et imprime à l'expédition des affaires l'impulsion sans laquelle la centralisation, au lieu de jaillir comme une source, croupit comme un marais.

Elle crée très heureusement la nécessité de démonter, d'examiner et de mettre au rebut tous les vieux ressorts rouillés par l'abus et usés par la routine.

Elle donne satisfaction à ce besoin instinctif de changement qui espère dans le nouveau rencontrer le mieux.

En même temps qu'elle simplifie l'action du mécanisme ministériel, elle entoure le pouvoir exécutif d'une représentation moins étroite ; tout ce qui occupe dans l'État une position supérieure, tout ce qui a qualité pour émettre un avis utile forme faisceau autour de lui et a dans le conseil voix consultative. En Angleterre, le nombre des ministres avec ou sans portefeuille varie selon les exigences des circonstances ; on ne s'y croit nullement tenu de couler tous les cabinets dans le même moule. La nécessité, l'utilité, sont les deux seules lois dont on prenne conseil.

Enfin, elle donne les moyens d'exercer sur les délibérations de l'Assemblée législative une salutaire influence, en ce qu'elle permet aux ministres, tout en se réservant, eux, pour les occasions solennelles, d'opposer toujours l'homme spécial au discoureur superficiel.

Ce n'est qu'en constituant un pouvoir dont les ressorts soient simples, que l'on constituera un pouvoir dont l'action soit forte ;

ce n'est qu'en constituant un pouvoir qui soit fort que l'on constituera un pouvoir qui soit durable, un pouvoir qui ne soit pas obligé de subir le joug des exigences individuelles, et de consacrer le meilleur de son temps à négocier de honteux marchés, un pouvoir qui n'ait rien à craindre des libertés les plus étendues.

Là où le pouvoir est faible, la liberté n'est jamais assez restreinte ; là où le pouvoir n'a pas de durée, la liberté n'a pas d'avenir.

La liberté a donc un grand intérêt à ce que le pouvoir soit durable et fort ; de son côté, le pouvoir a un égal intérêt à ce qu'aucune révolution ne puisse promettre plus qu'il n'a donné.

On reconnaît que le pouvoir descend de haut là où il se hâte d'arriver à ce point au-delà duquel il ne reste plus à la liberté aucune conquête à faire.

Liberté, non légalement limitée, est le terme auquel il faut, par ce temps de révolutions périodiques, se presser d'arriver.

Mais la liberté non limitée, c'est l'anarchie !

Erreur profonde ! erreur fatale !

L'anarchie n'éclate en bas que lorsqu'elle existe en haut ; l'anarchie n'est dans la rue que lorsqu'elle est dans le pouvoir.

C'est là ce qu'il importe de faire comprendre aux esprits étroits qui ne manquent jamais de jeter sur les épaules de la liberté le poids des fautes du pouvoir. Pauvre liberté ! C'est toujours elle qui paye pour lui.

C'est là ce qu'il importe soi-même de bien comprendre, si l'on ne veut point se condamner à n'être que le continuateur des régimes déchus.

Les lois de septembre 1835 ont été abrogées ;

La Chambre et la Cour des pairs ont été abolies ;

Le jury a reçu une grande extension ;

Le suffrage universel, enfin, a été proclamé ;

Ce sont des difficultés nouvelles dont il sera prudent de tenir très sérieusement compte.

Toutes les libertés sont solidaires.

Toutes doivent être étendues ou restreintes dans les mêmes limites.

La liberté des croyances, la liberté de la pensée n'étant pas limitées, la liberté de la parole, la liberté de la presse, la liberté de l'enseignement, la liberté de l'association doivent être également non limitées.

Il faut savoir faire la part à la fermentation d'un moment et ne pas s'en effrayer.

Toute liberté qui éclot ou qui s'accroît suscite un accès de fièvre inévitable, mais passager. Pour guérir la fièvre, on étouffe la liberté ; pour écarter une difficulté, on prépare, on suscite une révolution ; aussi ne sortons-nous jamais d'une révolution que pour tomber dans une autre.

Contre la liberté de croyance, avant qu'elle ne fût une conquête des siècles derniers, que n'a-t-on pas dit ! Quelles épreuves n'a-t-elle pas eu à traverser ! Eh bien ! aujourd'hui ne paraît-il pas à la fois dangereux et puéril de vouloir la limiter ?

En faveur de la liberté de la presse, le meilleur argument à invoquer est l'impossibilité démontrée par l'expérience de faire une loi efficace de répression.

Pas de cautionnement ; liberté entière de discussion, à ces seules conditions :

Droit de réponse et de rectification ;

Publicité servant de contrôle à la *polémique* ;

Interdiction de l'injure et de la calomnie passibles de dommages-intérêts considérables.

La liberté de l'enseignement a sa sauvegarde contre tout excès grave et durable dans les établissements de l'État, car pour leur être préféré il faudra présenter des garanties et des avantages qu'ils n'offriraient pas. Si cela avait lieu, ce serait donc leur faute ; il serait juste qu'ils l'expiassent.

La liberté d'association n'a pas et ne doit pas avoir moins de droit que la liberté d'enseignement, que la liberté de la tribune, que la liberté de la presse, que la liberté de croyances. Le danger n'est pas dans les clubs, mais dans les sociétés secrètes ; s'il est un moyen de fermer les sociétés secrètes, c'est d'ouvrir les clubs ; ou du moins de les laisser ouverts jusqu'au jour où ils se fermeront d'eux-mêmes ; ce qui arriverait peut-être plus tôt qu'on ne croit.

À défaut de clubs, si on les supprime, on aura les banquets ; à défaut des banquets, on aura les révolutions.

La liberté est le coursier qui nous emporte vers l'avenir ; sous une main pesante, il se cabre ; sous une main légère, il se modère de lui-même. Voyez la France et l'Angleterre ! Voyez la France et la Belgique ! — L'Angleterre et la Belgique sont plus libres sous la Monarchie que la France sous la République.

Étrange inconséquence du législateur effaré ! Il ferme, sinon entièrement, au moins à demi, les clubs, lorsque la paix est dans les esprits ; il les ouvre lorsque l'agitation y est ramenée par l'exercice du droit d'élection ; c'est-à-dire qu'il les ouvre quand il serait prudent de les fermer, et qu'il les ferme quand il serait indifférent de les ouvrir.

Ce qui cesse d'être du domaine de la liberté, ce qui est du domaine de l'ordre, c'est la rue ; aussi ne doit-on pas craindre de faire jamais une loi trop sévère contre les attroupements ; plus cette loi sera sévère et redoutée, et moins il sera nécessaire d'y recourir souvent : la vente des journaux et des imprimés sur la voie publique doit être interdite sans exception et sous aucune forme ; la défense d'afficher sur les murs doit être absolue ; les candidatures, les professions de foi, les ventes d'immeubles et de meubles par autorité de justice, ou autrement, l'industrie et le commerce ont la publicité des journaux et celle des imprimés à domicile. Cette publicité est suffisante.

C'est en faisant ainsi à l'ordre et à la liberté leur juste part qu'ils se fortifieront et se garantiront réciproquement.

C'est en les unissant étroitement que le principe de l'élection populaire parviendra, espérons-le, à conquérir dans la confiance publique la place que celle-ci s'était habituée à n'accorder qu'au principe de l'hérédité monarchique.

Comment unir l'ordre avec la liberté ? — En agissant de telle sorte que si la royauté pouvait revenir dans la personne de M. le comte de Chambord, ou la révolution dans la personne de M. Ledru-Rollin, ni M. Ledru-Rollin ni M. le comte de Chambord ne trouvassent rien à reprendre, rien à ajouter.

Qu'au-dedans, le pouvoir soit ferme et vigilant ; que cette fermeté et cette vigilance se manifestent par la nomination des hommes les plus capables choisis dans un cercle politique élargi par la générosité ; et au-dehors la politique se fera d'elle-même.

La meilleure politique extérieure est une bonne administration intérieure.

Une bonne administration intérieure est celle qui sait tout le prix du temps, qui n'en méconnaît pas la valeur, qui ne remet pas au lendemain la tâche du jour, qui utilise toutes les forces de la nation, ménage toutes les ressources du pays et élève à sa plus haute puissance le crédit de l'État.

Crédit ! c'est le nom du sphinx moderne.

Crédit ! c'est le mot de l'énigme sociale.

Crédit ! c'est la loi nouvelle du monde nouveau.

Crédit ! c'est le lien de solidarité des peuples entre eux.

Crédit ! c'est le cœur de ce vaste corps que fait palpiter la vapeur.

L'État qui possède le crédit le plus solide et le plus étendu est l'État qui exerce l'influence la plus réelle et la plus vaste. Qui chercherait ailleurs la force et la puissance se tromperait. Le Crédit est aux anciens modes d'envahissement ce que les chemins de fer sont aux anciens modes de locomotion.

Comment ramener, en France, le Crédit ? — Par l'économie ; mais l'économie ne s'établit pas d'elle-même, et comment l'établira-t-on si l'on persiste à suivre les errements funestes qui ont conduit à l'abîme deux dynasties, si l'on persiste à rester dans les liens qui étranglent la France entre deux révolutions : la révolution qui s'éloigne et la révolution qui se prépare.

Autour de nous, tout change, tout se simplifie, tout se perfectionne ; seules, la politique et l'administration ne se perfectionnent pas, ne changent pas. Et l'on s'étonne que les gouvernements tombent ; ce qui serait étonnant, ce serait qu'immobiles quand tout est en mouvement, en retard quand tout est en progrès, ils ne tombassent pas. On croit qu'il suffit de changer les hommes sans changer les choses. Erreur ! Quand on ne doit pas changer les choses, il vaut mieux ne pas changer les hommes.

Tout ce qui s'est fait depuis le 22 février est là pour l'attester.

L'illusion qui entraîne à leur perte tous les pouvoirs, tous les ministères nouveaux, c'est de croire qu'ils auront toujours assez de temps devant eux pour résoudre les questions attardées, et accomplir les améliorations promises. Illusion fatale ! L'avenir ne fait crédit qu'à la solvabilité.

Or, en politique et en administration, qui n'est pas capable n'est pas solvable ; qui n'a pas d'idées n'a pas d'avenir.

L'impuissance de fait tue le pouvoir de nom.

VIII - REPÈRES BIOGRAPHIQUES

1802 26 février : naissance de Victor-Marie Hugo à Besançon. Fils de Sophie Trébuchet et de Léopold Hugo. Deux frères aînés, Abel né en 1798, et Eugène né en 1800.

1803 Léopold Hugo, militaire de carrière, devenu major, est envoyé à Bastia puis à l'île d'Elbe.

1804 Mme Hugo ramène ses enfants à Paris. Son amant, le général Lahorie, est recherché pour conspiration avec Moreau. Victor va à l'école de Mlle Rose.

1807 Départ de Mme Hugo et de ses enfants pour l'Italie.

1808 Léopold, promu colonel, quitte l'Italie pour l'Espagne. En décembre, sa femme et ses enfants repartent pour Paris.

1809 En mai, Mme Hugo et ses enfants s'installent aux Feuillantines où elle cache Lahorie, qui apprend le latin à Victor ; celui-ci est demi-pensionnaire chez La Rivière. Léopold est nommé maréchal de camp, puis comte de Siguenza.

1810 Arrestation de Lahorie chez Mme Hugo.

1811 Départ pour l'Espagne. Installation à Madrid où les trois garçons vont au collège des Nobles.

1812 Mme Hugo repart pour la France avec Eugène et Victor. Retour aux Feuillantines.
Lahorie tente un coup d'État avec Mallet. Il est arrêté et fusillé.

1813 Le général Hugo revient en France avec l'armée d'Espagne. Mme Hugo quitte les Feuillantines pour s'installer rue des Vieilles-Tuileries. Victor continue à suivre des cours chez La Rivière.

1814 Le général, assiégé dans Thionville, n'accepte de capituler qu'après l'abdication de Napoléon. Mme Hugo intente une action en séparation.

1815 En février, Léopold, à la suite d'un jugement de référé, met les enfants à la pension Cordier. La tutelle est accordée à leur tante. Démêlés de Victor avec Decotte, professeur de mathématiques, mais protection du maître d'études Félix Biscarrat. Victor écrit ses premiers vers, très royalistes.
Pendant les Cent Jours, Léopold est renvoyé à Thionville. Il est mis en demi-solde après la capitulation.

1816 Le général s'installe à Blois.
Victor continue d'écrire des poèmes, dont *Le Déluge*, poème en trois chants. Il traduit en vers du latin, il travaille le dessin pour pouvoir se présenter à l'École polytechnique. Révolte des enfants contre la tante.

1817 Traduction de Virgile. « Le Bonheur que procure l'étude », poème dédié à La Rivière, vaut à Victor une mention d'encouragement à l'Académie française. Une tragédie ; un opéra-comique.

1818 Odes : « La Mort de Louis XVII », « Le Désir de gloire » ; *Priape*, d'après Horace ; « Les Derniers Bardes ».
Eugène obtient un prix aux Jeux Floraux de Toulouse pour son « Ode sur la mort du duc d'Enghien ».
Victor obtient le 5e accessit de physique au concours général. Il écrit *Bug-Jargal* en quinze jours. Les deux frères participent à des « banquets littéraires ». Ils quittent la pension Cordier et s'installent avec leur mère, rue des Petits-Augustins.

1819 Victor est lauréat des Jeux Floraux pour « Les Vierges de Verdun » et « Le Rétablissement de la statue de Henri IV ».
Il avoue son amour à Adèle Foucher.
Fondation par les frères Hugo du *Conservateur Littéraire*, qui survivra jusqu'en mars 1821.

1820 « Ode sur la mort du duc de Berry. »
Rupture entre Sophie Hugo et la famille Foucher : la mère de Victor refuse le mariage.
Victor maître ès Jeux Floraux pour l'ode « Moïse sur le Nil ». Publication de *Bug-Jargal* dans *Le Conservateur littéraire*. « Ode sur la naissance du duc de Bordeaux. »

1821 Séance d'ouverture de la Société des Bonnes Lettres : le marquis de Coriolis d'Espinouse dénonce la Révolution et la corruption de la langue.
Victor commence *Han d'Islande*.
Mort de Mme Hugo.
Le duc de Rohan présente Lamennais à Hugo. Séjour à Dreux avec les Foucher, qui acceptent le projet de mariage ; à Montfort-l'Amaury chez Saint-Valry ; à La Roche-Guyon chez le duc de Rohan.
Le général Hugo épouse Catherine Thomas. Victor renoue avec son père.

1822 Le général consent au mariage. Séjour à Gentilly avec les Foucher. La publication des *Odes et Poésies diverses* lui vaut une pension royale de 1 000 F.
Mariage avec Adèle Foucher, le 12 octobre ; crise de folie d'Eugène, le soir. Installation rue du Cherche-Midi.
Il reprend *Han d'Islande*.

1823 Hugo et Lamartine obtiennent une pension de 2 000 F sur les fonds de l'Intérieur. Publication de *Han d'Islande*. Début de *La Muse française*, qui durera jusqu'en juin 1824.
Eugène, fou, est recueilli par son père à Blois, puis interné à Paris chez Esquirol, puis au Val-de-Grâce, et enfin à Charenton.
Naissance à Paris du petit Léopold-Victor, qui meurt à Blois trois mois après.

1824 Publication des *Nouvelles Odes*. Charles Nodier, nommé bibliothécaire à l'Arsenal, reçoit les poètes du premier Cénacle. Chateaubriand entre dans l'opposition ainsi que les Bertin et leurs *Débats*.
Naissance de Léopoldine, le 28 août.

1825 Séjour à Blois chez son père ; chevalier de la Légion d'honneur en même temps que Lamartine.
Voyage à Reims avec Nodier pour assister au sacre du roi Charles X. « Ode sur le Sacre. »
Voyage avec les Nodier dans les Alpes. Visite à Lamartine. Séjour à Montfort-l'Amaury.

1826 Publication de *Bug-Jargal*, en volume « remanié et récrit » en grande partie. Commence *Cromwell*, *Odes et Ballades*.
Naissance de Charles.

1827   Début des relations avec Sainte-Beuve à la suite d'une critique des *Odes et Ballades* dans *Le Globe*.
Publication de l'« Ode à la colonne » dans les *Débats*.
Publication de *Cromwell* et de sa *Préface*.
Installation rue Notre-Dame-des-Champs : début du second Cénacle.

1828   Mort du général Hugo.
Naissance de Victor-François. Début des relations avec Louis Bertin, aux Roches, dans la vallée de la Bièvre.

1829   Publication des *Orientales* et du *Dernier Jour d'un condamné*. Écrit *Un duel sous Richelieu (Marion Delorme)*, reçu au Théâtre-Français. La pièce est interdite. Hugo refuse une nouvelle pension du roi. Il écrit *Hernani* qui est mis en répétition au Théâtre-Français.

1830   25 février : « bataille » d'*Hernani*.
Commence *Notre-Dame de Paris* ; travail interrompu par la révolution et repris le 1er septembre.
Sainte-Beuve salue dans *Le Globe* la publication de l'ode « À la jeune France » comme le ralliement de Hugo au libéralisme.
Naissance d'Adèle, le 28 juillet.
Rupture avec Sainte-Beuve, amoureux d'Adèle, femme du poète.

1831   Première publication de *Notre-Dame de Paris* [1].
Représentation et publication de *Marion Delorme*.
Publication des *Feuilles d'automne*.
Séjour chez les Bertin aux Roches ; amitié avec Louise, fille de Bertin, musicienne et infirme.

1832   Nouvelle édition du *Dernier Jour d'un condamné* avec une *Préface* contre la peine de mort.
Représentation du *Roi s'amuse*, aussitôt suspendue, puis interdite.
Nouvelle édition de *Notre-Dame de Paris*, augmentée de trois chapitres.
Insurrection à l'occasion des obsèques du général Lamarque : Hugo déclare la République prématurée.
Été aux Roches. Installation place Royale.

---

1. Disponible dans la même collection, n° 6004.

1833   Première rencontre de Hugo avec Juliette Drouet.
Représentation triomphale de *Lucrèce Borgia*, où Juliette joue la princesse Negroni.
Représentation de *Marie Tudor*. Juliette doit abandonner le rôle de Jane.

1834   *Étude sur Mirabeau.*
Littérature et philosophie mêlées.
Claude Gueux.
Juliette s'enfuit avec sa fille, Claire, en Bretagne. Hugo la ramène à Paris. Il rejoint sa famille aux Roches, et installe Juliette aux Metz, à proximité.

1835   *Angelo* au Théâtre-Français. Publication.
Les Chants du crépuscule.
Voyage avec Juliette en Picardie, en Normandie.
Les Roches, Les Metz.

1836   Deux échecs à l'Académie française.
Représentation de *La Esméralda*, musique de Louise Bertin, livret de Victor Hugo d'après *Notre-Dame de Paris*, à l'Opéra.
Voyage avec Juliette et Célestin Nanteuil en Bretagne et en Normandie (passage à Granville).
Mme Hugo à Fourqueux avec ses enfants. Communion solennelle de Léopoldine le 8 septembre.
Mort de Charles X à Goritz.

1837   Mort d'Eugène Hugo à Charenton.
Les Voix intérieures.
Hugo est présenté à la duchesse d'Orléans ; il devient un hôte assidu du pavillon de Marsan, en raison du libéralisme politique du duc.
Voyage avec Juliette en Belgique et en Normandie.
Il revient seul dans la vallée de la Bièvre : « Tristesse d'Olympio. »

1838   Représentation de *Ruy Blas*. Publication.

1839   Obtient la grâce de Barbès, condamné à mort.
Commence et abandonne un drame : *Les Jumeaux*.
Voyage avec Juliette en Alsace, Suisse, Savoie et Provence.
Mme Hugo et ses enfants séjournent à Villequier, chez les Vacquerie. Auguste était un condisciple de Charles Hugo et un admirateur de son père.

« Mariage » avec Juliette : s'engage à ne jamais l'abandonner, elle et sa fille. Juliette abandonne le théâtre.

1840 Hugo président de la Société des gens de Lettres.
Troisième échec à l'Académie française.
Mort do Paul Lefèvre, neveu d'Auguste Vacquerie (cf. *Les Contemplations* [1], III, 14 et 15).
Les Rayons et les Ombres.
Séjour au château de « La Terrasse » à Saint-Prix.
Voyage avec Juliette sur les bords du Rhin et du Neckar, et dans la Forêt-Noire.
Retour et transfert des cendres de Napoléon aux Invalides. Hugo publie « Le Retour de l'Empereur ».

1841 Élu à l'Académie française. Discours où il laisse percer ses ambitions politiques.
Séjour à Saint-Prix.

1842 *Le Rhin.*
Rencontre de Léonie Biard.
Mort accidentelle du duc d'Orléans. Hugo, devenu directeur de l'Académie française, présente au roi les condoléances de l'Institut ; il aura désormais des relations personnelles avec Louis-Philippe.

1843 Mariage à Villequier de Charles Vacquerie et de Léopoldine Hugo (février).
Représentation des *Burgraves* et publication. Le 22 avril, dernière représentation des *Burgraves* et triomphe à l'Odéon de la *Lucrèce* de Ponsard.
Départ pour les Pyrénées avec Juliette (juillet).
Léopoldine se noie avec son mari. Hugo l'apprend dans le journal, à Soubise (septembre).

1844 Début de la liaison avec Léonie Biard.
4 septembre : se rend sur la tombe de Léopoldine.

1845 Nommé pair de France en avril. En juillet, flagrant délit d'adultère de Hugo avec Mme Biard qui est emprisonnée.
Commence à écrire *Les Misères*.

1846 Discours à la Chambre des Pairs sur la propriété des œuvres d'art. Autre discours en faveur de la Pologne, mal accueilli.

---

1. Disponible dans la même collection, n° 6040.

Mort de Claire Pradier. Inhumation provisoire à Auteuil, puis à Saint-Mandé. Hugo écrit plusieurs poèmes dont certains seront dans *Pauca Meae*.

Il se plonge dans la Bible dont il paraphrase surtout les livres de Jérémie et de Job. Il commence à tenir un *Journal*.

Voyage à Caudebec et à Villequier, en septembre.

Continue d'écrire *Les Misères*.

1847   Lit l'*Histoire des Girondins* de Lamartine qu'il ne trouve pas assez sévère.

Interrompt *Les Misères* pour la loi sur les prisons.

Reprend *Les Misères* et les interrompt pour la loi sur le travail des enfants. Discours pour le retour en France des Bonaparte.

Liaison avec Alice Ozy, maîtresse de son fils Charles.

4 octobre : pèlerinage à Villequier.

1848   Révolution. Hugo tente vainement d'obtenir la régence pour la duchesse d'Orléans.

Note sur la répartition de ses poèmes en recueils, dont *Les Contemplations*.

Battu aux élections sans avoir été candidat ; élu député de droite aux élections complémentaires ; discours à l'Assemblée constituante sur les Ateliers nationaux.

Fondation de *L'Événement*, avec ses deux fils et leurs amis, Meurice et Vacquerie.

Septembre-octobre : discours contre les abus de l'exécutif ; discours contre la peine de mort, contre l'état de siège.

L'Événement soutient la candidature de Louis Napoléon Bonaparte, « candidat des classes souffrantes ». Hugo vote contre la constitution monocamériste, contre les félicitations à Cavaignac pour la répression de juin.

Décembre : Louis Napoléon Bonaparte président.

1849   Élu député conservateur. En juin, vote l'état de siège. Discours sur la misère qui indispose la droite, dont Montalembert.

Préside le congrès des amis de la Paix, à Paris.

Voyage avec Juliette dans la Somme et l'Oise.

Discours sur les affaires de Rome : rupture consommée avec la droite.

L'Événement de plus en plus hostile à Louis Napoléon.

La Presse commence à publier les *Mémoires d'outre-tombe* de Chateaubriand.

1850   Discours sur la liberté de l'enseignement, pour le suffrage universel, contre le projet de loi sur la presse.

1851   Léonie Biard envoie à Juliette les lettres que lui avait adressées le poète.
Charles est emprisonné. Discours contre la révision de la Constitution. « Républicains, ouvrez vos rangs, je suis des vôtres. »
L'*Événement*, suspendu, devient *L'Avènement du peuple*.
François-Victor emprisonné.
Coup d'État. Hugo tente d'organiser la résistance. Juliette le cache et lui procure un faux passeport.
Déguisé, Hugo prend le train pour Bruxelles où Juliette le suit.
Commence *L'Histoire d'un crime*.

1852   Achève à Bruxelles *L'Histoire d'un crime*. Écrit *Napoléon-le-Petit*.
En juillet, arrivée à Jersey de Mme Hugo, Adèle et Vacquerie. Hugo les rejoint par Anvers. Installation à Marine-Terrace. Propose à Hetzel « un volume de vers, *Les Contemplations*, prêt dans deux mois ». Idée d'un volume double.
2 décembre : Napoléon III, empereur.

1853   Choisit pour son recueil le titre de *Châtiments*. La publication se fait en deux éditions, dont l'une expurgée (novembre).
Séjour à Jersey de Mme de Girardin : la table tourne, Léopoldine parle le 11 septembre, A. Chénier le 9 décembre.

1854   *Appel* aux Jersiais pour la grâce de Tapner. Il sera pendu un mois après.
Commence *La Fin de Satan* ; *Lettre ouverte à Lord Palmerston* contre la peine de mort. Il hésite encore à achever le roman *Les Misérables* avant *Les Contemplations*.
Première apparition de la Dame blanche à la table.
Envoie à Hetzel le projet de traité pour *Les Contemplations*.
Réponse de la table : « omen, lumen, numen, nomen meum ».
Septembre : la mort parle par la table. Travaille à *Ce que dit la Bouche d'Ombre* et probablement à *Magnitudo parvi* : « je n'y verrai clair qu'après avoir fini cela ».

Idée de plan en quatre parties (décembre) : « ma jeunesse morte, mon cœur mort, ma fille morte, ma patrie morte », pour *Les Contemplations* qui devraient être publiées dans deux mois. Travaille peut-être aux *Mages*.

1855   Les tables confirment « tout un système quasi cosmogonique par moi couvé et à moitié écrit depuis vingt ans ». Mais il refuse de mêler leurs messages à ses poèmes.
Mort de Mme Ginestat (I, 23).
Mort d'Abel Hugo.
La Dame blanche confirme les signes lumineux observés à Jersey depuis le début de l'année.
Achève *Solitudines Coeli*, première version de la seconde partie de *Dieu*. Vacquerie décide Hugo à ne pas l'intégrer aux *Contemplations*.
Envoie les premières pièces pour impression. « *Les Contemplations* seront ma grande pyramide. »
Mort de Mme de Girardin.
« Les pièces de ce recueil sont comme les pierres d'une voûte. Impossible de les déplacer. » Insiste sur la valeur de charnière de *Magnitudo parvi*.
En septembre, préface et envoi de plusieurs poèmes complémentaires.
En octobre, Hugo proteste contre l'expulsion de Pyat et des responsables du journal *L'Homme*. Jules Allix est enfermé pour être allé trop loin dans la pratique des tables. Hugo passe de Jersey à Guernesey.

1856   Publication des *Contemplations* en avril.
Hugo reprend *Dieu* (*Les Voix*, 1re partie) et *L'Esprit humain*.
« Il y a dans cette affaire des *Contemplations*, un côté politique. »
Travaille à *La Fin de Satan*.
Achat, aménagement de Hauteville House où la famille s'installe en novembre.

1857   Hetzel déconseille la publication de *Dieu* et de *La Fin de Satan*. Hugo traite avec lui pour *Les Petites Épopées*.

1858   Achève la *La Pitié suprême*, *La Révolution* (futur livre épique des *Quatre vents de l'esprit*), *L'Âne*.
Gravement malade d'un anthrax. Une fois guéri, se remet aux *Petites Épopées*.

1859   Opte pour le titre *La Légende des siècles*.
        Comme en 1858, Mme Hugo et Adèle quittent Guernesey
        pour quelques mois.
        Publication de *La Légende des siècles*.
        Travaille aux *Chansons des rues et des bois*. Se remet à
        La Fin de Satan.
        Le 16 août, Napoléon III amnistie les proscrits : « Quand
        la liberté rentrera, je rentrerai. »
        Intervient en faveur du Noir américain John Brown qui
        est pendu le même jour.

1860   Abandonne *La Fin de Satan* pour *Les Misérables*. Ré-
        dige la « Préface philosophique » des *Misérables*.
        Discours à Jersey en l'honneur de Garibaldi.

1861   De mars à septembre, séjour en Belgique, en particulier
        à Waterloo, où il achève la rédaction des *Misérables*.
        Avoue « l'espèce de genèse à demi devinée, à demi révé-
        lée qui peut être entrevue par les penseurs dans le
        sixième livre des *Contemplations* ».
        Part de Mont-Saint-Jean pour un voyage en Allemagne.

1862   Publication des *Misérables* [1] (I, puis II et III, puis IV et
        V). Le livre est caractérisé comme « l'épopée de l'âme »
        pour les philosophes et les réformateurs.
        Voyage à Bruxelles où a lieu le banquet des *Misérables*.
        Il songe à un roman sur 93.

1863   Adèle, sa fille, s'enfuit à Londres, puis au Canada, à la
        poursuite de Penson.
        Publication du *Victor Hugo raconté par un témoin de
        sa vie* par Mme Hugo.

1864   Publication par Lacroix du *William Shakespeare*.
        Commence *Les Travailleurs de la mer*.

1865   Écrit *La Margrave* (*La Grand-Mère* de *Théâtre en
        liberté*).
        Publication des *Chansons des rues et des bois*.

1866   Écrit *Mille francs de récompense*.
        Publication des *Travailleurs de la mer*.
        Écrit la comédie *L'Intervention*.

---

    1. Disponibles dans la même collection, n°s 6097, 6098, 6099.

1867 Publication du *Paris-guide* à l'occasion de l'Exposition universelle.
Reprise triomphale d'*Hernani* à Paris, Publication à Genève de *La Voix de Guernesey*, poème en l'honneur de Garibaldi.
Intervention le 20 juin en faveur de Maximilien, empereur du Mexique, fusillé le même jour.

1868 Mort de Georges, fils de Charles Hugo, né l'année précédente. « Je crois au Revenant » (cf. *Contemplations*, III, 23).
Naissance de Georges, second fils de Charles.
Mort de Mme Hugo.

1869 Écrit *Margarita* et *Esca* (*Livre dramatique des Quatre vents de l'esprit*).
Publication de *L'Homme qui rit*.
Écrit *Torquemada*.
Fondation à Paris du *Rappel* où François-Victor publie un article : « 89 lendemain de 69. » Suspension du journal.
Voyage à Bruxelles puis à Lausanne où il préside le Congrès de la Paix.
Naissance de Jeanne, fille de Charles.
Retour à Guernesey.

1870 Plébiscite (8 mai).
Hugo plante à Guernesey le chêne des États-Unis d'Europe (14 juillet).
La France déclare la guerre à la Prusse (19 juillet).
Départ pour Bruxelles (15 août).
Proclamation de la République (4 septembre).
Retour triomphal à Paris (5 septembre).
Proclamations : « Aux Allemands », « Aux Français », « Aux Parisiens ».
Première édition française de *Châtiments*, qu'on récite dans les théâtres pour procurer des canons aux assiégés.

1871 Armistice (28 janvier).
Hugo, élu député de Paris, part pour Bordeaux et démissionne pour protester contre la politique de l'Assemblée et l'invalidation de Garibaldi.
Mort de Charles. Retour à Paris pour les obsèques. La Commune. Départ pour Bruxelles. Expulsé de Belgique

pour avoir donné asile à des Communards, il gagne le Luxembourg.
Battu aux élections.
Il rentre à Paris en septembre. *Le Rappel* est suspendu.

1872   Battu aux élections.
Adèle H. est internée à Saint-Mandé.
Reprise de *Ruy Blas* avec Sarah Bernhardt.
Le Rappel reparaît.
Publication de *L'Année terrible*.
Retour à Guernesey en août avec pour projet *Quatre-vingt-treize*.
Début de la liaison avec Blanche.

1873   Retour à Paris en juillet.
Mort de François-Victor.

1874   Publication de *Quatrevingt-treize* [1] et de *Mes fils*.

1875   Séjour d'une semaine à Guernesey.
Publication de *Actes et Paroles I : Avant l'exil*, puis de *Actes et Paroles II : Pendant l'exil*, avec une préface séparée : *Ce que c'est que l'exil*.

1876   Élu sénateur à Paris. Intervention en faveur de l'amnistie.
Publication d'*Actes et Paroles III : Depuis l'exil*, avec une préface séparée : *Paris et Rome*.

1877   *La Légende des siècles*, deuxième série.
Mort de Louise Bertin : « De tous ceux qui vivaient aux Roches en 1829, il ne reste plus que moi. »
Publication de *L'Art d'être grand-père* et de *Histoire d'un Crime*, première partie.

1878   *Histoire d'un Crime*, deuxième partie.
Le Pape.
Discours pour le centenaire de Voltaire.
Congestion cérébrale.
Dernier séjour à Guernesey de juillet à novembre.
S'installe avenue d'Eylau (avenue Victor-Hugo) à Paris.

1879   Publication de *La Pitié suprême*.
Seconde intervention pour l'amnistie.

1. Disponible dans la même collection, n° 6110.

LES CLÉS DE L'ŒUVRE : II - DOSSIER HISTORIQUE ET LITTÉRAIRE

1880 Banquet pour le cinquantenaire d'*Hernani*.
Publication de *Religions et Religion* et de *L'Âne*.
Derniers discours en faveur de l'amnistie.

1881 Manifestation sous ses fenêtres pour son entrée dans sa
quatre-vingtième année.
Codicille à son testament : « Dieu, l'âme, la responsabilité. »

1883 Cinquantième anniversaire de la liaison avec Juliette,
qui meurt le 11 mai.
Publication de *La Légende des siècles*, troisième série.
Codicille à son testament : « Je refuse l'oraison de toutes
les Églises, je demande une prière à toutes les âmes, je
crois en Dieu. »
Publication de *L'Archipel de la Manche*.

1884 Voyage en Suisse en septembre.

1885 Congestion pulmonaire.
Mort de Victor Hugo le 22 mai.
Funérailles nationales de l'Arc de Triomphe de l'Étoile
au Panthéon.

IX - BIBLIOGRAPHIE

I - Éditions

1. Œuvres complètes

Œuvres poétiques, Bibliothèque de la Pléiade, II, 1967, édition et présentation de Pierre ALBOUY.

Œuvres complètes de Victor Hugo, édition chronologique publiée sous la direction de Jean MASSIN. Le Club français du livre, 1968, VIII, présentation de Bernard LEUILLIOT.

L'Intégrale, Seuil, 1972, Poésie I, présentation de Bernard LEUILLIOT.

Œuvres complètes, Laffont, collection « Bouquins », 1985, notice et notes de Jean GAUDON.

2. Éditions séparées

Le Livre de poche, 1972, introduction, notes et commentaires de Guy ROSA.

Le Livre de poche, 1985, préface, commentaires et notes de Jean-Marie GLEIZE et Guy ROSA.

Poésie, Gallimard, 1977, édition René Journet.

G.-F., Flammarion, 1979, édition, préface, documents de Jacques SEEBACHER.

II - Études sur l'œuvre (dans l'ordre chronologique)

Jean-Bertrand BARRÈRE, *La Fantaisie de Victor Hugo*, J. Corti, 1949, 1950, 1960 et Klincksieck, 1972, 1973.

Pierre ALBOUY, *La Création mythologique chez Victor Hugo*, J. Corti, 1963.

Jean GAUDON, *Le Temps de la Contemplation*, Flammarion, 1969.

Charles BAUDOIN, *Psychanalyse de Victor Hugo*, Armand Colin, collection U2, 1972.

Anne UBERSFELD, *Le Roi et le bouffon*, J. Corti, 1974 ; *Parole de Hugo*, Messidor, 1985.

III - Biographies (dans l'ordre chronologique)

André MAUROIS, *Olympio ou la vie de Victor Hugo*, Hachette, 1954.

Hubert JUIN, *Victor Hugo*, 2 vol., Flammarion, 1980-1984.

Alain DECAUX, *Victor Hugo*, Librairie académique Perrin, 1984.

Arnaud LASTER, *Victor Hugo*, Belfond, 1984.

Annette ROSA, *Victor Hugo : l'éclat d'un siècle*, Messidor, 1985.

Adèle HUGO, *Victor Hugo raconté par Adèle Hugo*, Plon, 1985.

Victor Hugo & Pierre-Jules Hetzel, *Correspondance* t. I, 1852-1853, texte établi et annoté par Sheila GAUDON, Klincksieck, bibliothèque du XXᵉ siècle, 1979.

IV - Articles (dans l'ordre chronologique)

Pierre BARBÉRIS, « À propos de "Lux" : la vraie force des choses (sur l'idéologie des *Châtiments*) », *Littérature*, n° 1, 1971.

Bernard LEUILLIOT, « Victor Hugo et la question de la misère (Paris-Lille, 10 février 1851) », *Travaux de linguistique et de littérature*, université de Strasbourg, X (1972), 2.

Guy ROSA, « Comment on devient républicain, ou Hugo représentant du Peuple », *R.S.H.*, n° 156, 1974.

Colloque de la Société des études romantiques, 1976 : études de C. GÉLY, A. UBERSFELD, J. TULARD, Alain et Arlette MICHEL, S. GAUDON, J.-B. BARRÈRE, J.-P. REYNAUD, J. BEAUVERD.

Jean-Marie GLEIZE et Guy ROSA, « Celui-là, politique du sujet poétique : *Les Châtiments* », in *Littérature*, n° 24, déc. 1976.

Sheila GAUDON, « Prophétisme et utopie : le problème du destinataire dans *Les Châtiments* », *Saggi e ricerche di litteratura francese*, XVI, Rome, 1977.

Henri MESCHONNIC, *Pour la poétique*, IV, *Écrire Hugo*, Gallimard, 1978.

Jacques SEEBACHER, « Le nénuphar et l'Antéchrist. Notes sur M. Péguy et la philosophie hugolienne. Note conjointe sur l'ajusté dans *Châtiments* », *Lendemains*, n° 10, mai 1978.

« La polémique chez Victor Hugo », *Cahiers de l'AIEF*, XXI, mai 1979.

Jeanne BEM, « *Châtiments* ou l'histoire de France comme enchaînements de parricides », *Revue des Lettres modernes*, 693-697, 1984.

Gilbert CHAITIN, « *Châtiments* ou la scène primitive : le contresens de *L'Expiation* », *Revue des Lettres modernes*, 693-697, 1984.

Bernard LEUILLIOT, « Les barricades mystérieuses (juin 1848) », *Europe*, mars 1985.

Guy ROSA, « Le prophète de *Châtiments*, martyr de *L'année terrible* », *Les Cahiers de Varsovie*, n° 13, 1986.

Jacques SEEBACHER, « La prise à partie de Louis Napoléon », *Romantisme*, 2e trimestre 1988.

Joëlle GARDES-TEMINES, « Strophes et paragraphes dans *Châtiments* », *Revue des Lettres modernes*, 884-891, 1989.

Lucien VICTOR, « Les chansons dans *Châtiments* », *Revue des Lettres modernes*, 884-891, 1989.

TABLE DES MATIÈRES

I - AU FIL DU TEXTE

II - DOSSIER HISTORIQUE ET LITTÉRAIRE

Achevé d'imprimer en juin 1998
par Maury-Eurolivres
45300 Manchecourt

Imprimé en France
Dépôt légal : juillet 1998